# Plaidoyer
# pour la Terre
# et les Vivants

Bernard Anton, Ph. D.

# Plaidoyer pour la Terre et les Vivants

*Essai sur l'éveil
environnemental*

**MARCEL BROQUET**
*La nouvelle édition*

Catalogage avant publication de Bibliothèque et Archives nationales du Québec et Bibliothèque et Archives Canada

Anton, Bernard

Plaidoyer pour la Terre et les Vivants

(Éveil environnemental)
Comprend des réf. bibliogr.

ISBN 978-2-923715-03-2

1. Environnement - Protection. 2. Environnement - Protection - Participation des citoyens. I. Titre.   ,

TD170.A57 2009      363.7    C2008-942207-4

Marcel Broquet Éditeur
55 A rue de l'Église, Saint-Sauveur (Québec) Canada  J0R 1R0
Téléphone : 450 744-1236
marcel@marcelbroquet.com • www.marcelbroquet.com

Révision : Denis Poulet
Conception de la couverture et mise en page : Christian Campana

Distribution :
**PROLOGUE**

1650, Boulevard Lionel-Bertrand
Boisbriand (Québec) Canada  J7H 1N7
Téléphone : 450 434-0306 • Sans frais : 1 800 363-2864
Service à la clientèle : sac@prologue.ca

Agent pour la France : Pascale Patte-Wilbert
BP 13 16700 RUFFEC - France
ppattewilbert@wanadoo.fr

Diffusion – Promotion :

Phoenix alliance
r.pipar@phoenix3alliance.com

Dépôt légal : 1er trimestre 2009
Bibliothèque et Archives nationales du Québec
Bibliothèque et Archives nationales Canada
© Marcel Broquet Éditeur, 2009

*À Tuvalu et aux autres îles disparues,*
*aux habitants de Smokey Mountain*
*et autres régions polluées laissées à elles-mêmes.*

*À Chico Mendès, aux peuples de la forêt*
*et à tous ceux qui authentiquement*
*préservent l'environnement.*

*À tous les enfants de la Terre*
*qui ne forment qu'une seule grande famille,*
*qui n'ont qu'un seul grand pays*
*aux dimensions de la planète,*
*pour leur droit à la santé et au bonheur,*
*pour leur plus bel avenir vert.*

———————○———————

*«Les périls croissent... la responsabilité humaine dans le réchauffement de la planète
et l'érosion de la biodiversité ne font plus de doutes sérieux.»*
HUBERT REEVES

*«La nature est prise à la gorge, elle étouffe.»*
MASANOBU FUKUOKA

○

*«Protéger l'environnement coûte cher.
Ne rien faire coûtera beaucoup plus cher.»*
KOFI ANNAN

*«(Il faut) ouvrir les yeux, (sur) la nature mutilée, surexploitée.
La maison brûle... nous regardons ailleurs.»*
JACQUES CHIRAC

*«Le temps est un luxe que nous ne pouvons pas nous permettre.»*
BENJAMIN SANTER (GIEC)

*«C'est en parvenant à nos fins par l'effort,
en étant prêts à faire le sacrifice de profits immédiats
en faveur du bien-être d'autrui à long terme,
que nous parviendrons au bonheur caractérisé
par la paix et le contentement authentique.»*
DALAÏ-LAMA

*«Il est important de percevoir combien votre propre bonheur est lié à celui des autres.
Il n'existe pas de bonheur individuel totalement indépendant d'autrui.»*
DALAÏ-LAMA

———————○———————

# Introduction

Ce livre est un plaidoyer pour défendre les intérêts bafoués de la Terre et le futur menacé des Vivants. En effet, depuis plus d'un siècle, la Terre est continuellement polluée et surexploitée. Nous sommes en train, entre autres, d'épuiser, en presque cent cinquante ans, le capital naturel[1] disponible, les dépôts de synthèses organiques qui ont pris des millions d'années à se former. Il serait opportun d'arrêter et de réfléchir sur l'impact environnemental de notre surpollution, surproduction, surconsommation et surindustrialisation. Il est temps de prendre soin de *notre* environnement, de la fine couche d'air qui entoure la Terre et qui est vulnérable. En réexaminant quelques-unes de nos habitudes, en veillant sur l'intégrité écologique, c'est de notre propre condition et de notre propre santé, tout aussi fragiles, que nous prenons soin, ainsi que de celles des générations futures.

Mon vieil intérêt, toujours grandissant, pour l'environnement, m'a incité à me documenter amplement et rigoureusement, au fil des jours, des mois, des années. J'ai consulté de nombreuses sources (journaux, revues, livres, constats scientifiques, documentaires, sites Web, statistiques). Les informations sporadiques qui circulent en cette matière, les bouleversements climatiques, la pollution, la déforestation, la désertification, les rapports assez graves d'experts, ainsi que le gaspillage inconscient et l'indifférence de plusieurs personnes m'ont poussé à écrire ce livre dont l'objectif premier est d'essayer de sensibiliser, sans alarmisme, le grand public.

L'*éveil environnemental* n'est plus l'apanage de quelques érudits, mais le devoir et la responsabilité de chaque citoyen, car la nature est notre patrimoine commun, peu importe qui nous sommes, quelle langue nous parlons, quel pays nous habitons, à quelle idéologie ou confession nous souscrivons.

---

[1]    Ce sont les ressources matérielles premières fournies par la Terre (carburants fossiles, eau, métaux, bois, nourriture, flore, faune, etc.).

Étant tous concernés, nous sommes tous invités à nous mobiliser pour sortir de la crise écologique dans laquelle nous nous débattons.

C'est l'heure des choix. Le seuil critique est franchi. Quel avenir, quelle société voulons-nous? Quels actes sommes-nous prêts à accomplir face à l'avancée quotidienne des déserts et face à la dégradation continue de la qualité du sol, de l'eau, de l'air? Quelles limites donnerons-nous à l'activité humaine qui ne cesse de détruire l'environnement? Acceptons-nous de rester neutres et d'hypothéquer l'avenir des générations futures? Réalisons-nous que l'humanité entière est en danger à cause de notre surpollution, de notre surconsommation, de nous tous: citoyens, chefs d'industrie, politiciens? Acceptons-nous d'œuvrer ensemble afin de préserver la santé de notre biosphère?

L'*urgence* de la question incite tout écocitoyen[2] averti, préoccupé du bien commun, à penser non seulement au niveau individuel ou local, mais au niveau global (selon l'expression de René Dubos), universel, intergénérationnel. Les enjeux sont importants: la survie, la santé, le bien-être et l'avenir de tous. À nous d'opter, ensemble, pour le respect de la nature afin de réduire les répercussions néfastes de nos gestes.

La responsabilité de veiller sur la qualité de la vie environnementale incombe à chacun. Si chaque citoyen de bonne volonté faisait de petits gestes significatifs afin de protéger et de rétablir la santé des systèmes écologiques, il y aurait beaucoup moins de dommages. La planète ne serait plus «en danger». La qualité de la vie serait meilleure sur la Terre.

Il y a une intime interdépendance entre un geste *environnementalement correct*, peu importe où il est effectué, et la survie de l'espèce, partout où elle est. Vu la situation critique de notre biosphère, vu que les ressources naturelles s'épuisent alors que les responsables prétendent encore qu'elles

---

2    L'écocitoyen est un citoyen écoresponsable, soucieux d'écologie et d'environnement. L'*écologie*, du grec *oikos* qui veut dire maison ou habitat, et *logie* qui veut dire science ou discours, désigne l'aspect scientifique, restrictif, réservé aux spécialistes qui décortiquent les sciences naturelles, les paramètres bio-physico-chimiques complexes de la croûte terrestre, des écosystèmes, de l'atmosphère. Félix Guattari distingue plusieurs sortes d'écologies: l'écologie *sociale* (en lien avec les institutions, l'urbanisation, l'économie, l'éducation, la distribution des richesses, la pauvreté), l'écologie *mentale* (psychologique ou humaine: qualité de vie, santé, respect, droits de la personne), l'écologie *environnementale* (pollution, déforestation, destruction de la biosphère, des espèces, dégradation des écosystèmes), l'écologie *éthico-politique* (relation entre les États, accords internationaux, législations). L'*environnement,* dans un sens plus large, englobe tout milieu de vie incluant la maison, l'école, le travail, le jardin, la ville, les loisirs, la culture, les relations interpersonnelles, sociales, géo-politiques, l'ambiance extérieure et intérieure d'un lieu. La Conférence de l'ONU à Stockholm, tenue en 1972, propose cette définition de l'environnement: «L'ensemble des conditions sociales et des ressources matérielles disponibles dans un milieu à un moment donné, et qui servent à satisfaire les besoins de l'homme.»

suffisent, c'est de plus en plus une exigence morale, un devoir éthique, une écoresponsabilité pour l'âme sincèrement altruiste et humaniste de viser le bien collectif et de choisir de s'engager, par solidarité, à contribuer à la préservation de l'environnement.

La série de réflexions[3] qui va suivre, regroupée autour de douze thématiques, peut être un rappel pour quelques-uns, une nouvelle prise de conscience ou un approfondissement pour d'autres. Une foule de moyens pratiques sont proposés, presque à chaque chapitre, dans le but de former des écocitoyens responsables et conscientisés.

Le premier chapitre présente les empreintes de l'activité humaine sur l'environnement ainsi qu'une foule de solutions prometteuses déjà mises en pratique. Le second parcourt l'histoire de la pensée verte depuis ses débuts. Le troisième expose les rouages de la politique qui tarde à suivre. Le quatrième réfléchit sur les différentes actions à entreprendre pour rendre l'école et son mandat d'instruction plus verts. Le cinquième aborde les conséquences d'un environnement malsain sur la santé publique. Le sixième expose les arguments des sceptiques. Le septième décrit les différentes pratiques d'une conscience verte. Le huitième réfléchit sur l'urgence et l'importance du recyclage. Le neuvième propose un large éventail de solutions à appliquer à domicile. Le dixième repense d'une façon écologique nos moyens de transport, surtout la voiture. Le onzième démontre l'engagement de nombreux artistes en faveur de l'environnement. Le douzième analyse la vision spirituelle de la Création qui est bien en avance sur plusieurs théories actuelles. Ce dernier chapitre propose un *projet vert* et une écoéthique universelle.

Le lecteur peut suivre cet ordre proposé ou commencer, à sa guise, par le thème qui l'intéresse davantage.

Je souhaite fortement que l'*éveil environnemental* puisse faire évoluer et infléchir la présente situation. Cet *éveil* peut devenir, pour tous, grands et petits, à la source de multiples gestes simples et bénéfiques, un mode incontournable et harmonieux de vie, par amour pour notre mère Nature et pour l'Humanité.

---

3    La méthodologie discursive et positive a été retenue pour mener à terme cette réflexion. Une banque importante de données appuie cette méticuleuse analyse.

# ① Le virage vert

« *Aujourd'hui, le gaz carbonique a atteint
sa valeur la plus élevée depuis quatre cent mille ans.* »
VITAL SIGNS, 2002

Ce chapitre présente une définition de la notion de gaz
à effet de serre (GES), un survol des conséquences des
activités humaines et des changements climatiques,
puis un parcours des mesures vertes déjà prises par
plusieurs personnes et instances responsables pour
diminuer notre impact sur l'environnement.

## Le moindre geste compte

Nous, écocitoyens du XXIᵉ siècle, ne pouvons plus continuer à vivre sans tenir compte de l'impact écologique du moindre de nos gestes. Chacun de nos actes peut avoir une influence positive ou négative sur la santé de notre environnement. Les experts déclarent, très sérieusement, études et chiffres à l'appui, que d'ici 2025, nous aurons dépensé en énergie et en matières premières autant que ce que l'humanité a dépensé depuis la nuit des temps, et ce, à cause de notre surconsommation et de l'exploitation intensive des ressources de la Terre.

## Ton réaliste

Le ton n'est pas alarmiste ni spéculatif, mais réaliste. Des analyses scientifiques, publiées depuis 1907[4], nous invitent à réfléchir: les gaz à effet de serre[5] ou GES (méthane, gaz carbonique, oxyde de diazote, oxyde

---

4    Svante Arrhenius, physicien suédois (1859-1927), Prix Nobel, aurait été le premier à augurer, en 1907, le risque du réchauffement climatique dû, entre autres, aux émissions intensives de dioxyde de carbone. L'ONU a commencé à organiser des conférences sur ce sujet dans les années 70 et a créé le GIEC (Groupe Intergouvernemental d'experts pour l'Étude du Climat qui regroupe 2500 experts des cinq continents) qui acheva son premier rapport en 1990. Cet organisme a décroché le Prix Nobel de la Paix en 2007, le partageant avec Al Gore.

5    Joseph Fourier appelle pour la première fois ce phénomène «effet de serre» en 1824. Il s'est basé sur les recherches de son prédécesseur Horace Bénédict de Saussure.

sulfurique[6], etc.) libérés dans l'atmosphère, principalement de l'utilisation massive de combustibles fossiles (pétrole, charbon[7], gaz naturel), depuis le début de l'ère de l'industrialisation en Occident (vers 1750), contribuent à la pollution de l'air et affectent les changements climatiques de la Terre. La concentration accrue de composés comme les chlorofluorocarbures[8] (CFC), dont l'accroissement de 600% dans l'atmosphère, est le principal responsable de l'amincissement[9] de la couche d'ozone[10], n'existait pas dans l'espace aérien au début du XXᵉ siècle.

## Qu'est-ce que les gaz à effet de serre?

Il existe un premier effet de serre naturel dû, entre autres, au $CO_2$, au *méthane* et à la *vapeur de l'eau*. Il absorbe et redistribue les rayons infrarouges rejetés par la Terre vers l'espace. Ce processus fait réchauffer la température normalement froide de l'espace aérien terrestre et rend le climat hospitalier, favorable à la vie.

Cependant, les vingt-deux milliards de tonnes[11] de gaz carboniques, libérés dans l'air chaque année (depuis 2005) par la consommation de combustibles fossiles et par différentes activités humaines (usage de fertilisants inten-

---

6    L'activité anthropique (c'est-à-dire humaine) répand dans l'atmosphère plus de 120 millions de tonnes de dioxyde sulfurique par année.

7    Plus de la moitié de l'électricité dans le monde est produite par la combustion du charbon. Près de deux milliards de tonnes de charbon servent à cet effet chaque année. L'extraction du charbon dégage du méthane. Sa combustion libère plusieurs polluants toxiques comme l'oxyde de soufre ou l'azote.

8    Ce sont des gaz artificiels formés de chlore, de carbone, de fluor. Ils étaient utilisés comme réfrigérants, comme isolants et comme propulseurs d'aérosols. Cent cinquante gouvernements ont signé en 1987, à Montréal, le *Protocole de Montréal* qui préconise l'élimination graduelle de la production du CFC des systèmes de réfrigération. Depuis janvier 1996, il est strictement interdit d'en produire. Pourtant l'Inde et la Chine (qui n'ont pas signé ce traité) continuent de l'utiliser. Son trafic se poursuit clandestinement.

9    Deux experts en chimie de l'Université d'Irvine en Californie, Franck Sherwood Rowland et Mario Molina, ainsi que Paul Joseph Crutzen (Prix Nobel 1995, associé à l'Institut Max Planck de Mainz en Allemagne, spécialiste de la chimie de l'atmosphère, particulièrement de l'ozone) ont découvert, en 1974, que le chlore détruit l'ozone stratosphérique, ce qui laisserait passer un flux UV plus considérable et nocif pour la vie.

10   C'est un bouclier, constitué de trois atomes d'oxygène, qui protège contre les rayons ultraviolets du Soleil. L'augmentation notamment de chrome et de brome dans la stratosphère est responsable de l'amincissement de la couche d'ozone, selon Geir Braathen de l'Organisation météorologique mondiale (OMM) de l'ONU. La taille du trou de la couche d'ozone au-dessus de l'Antarctique a atteint 24,4 millions de km² en septembre 2005 avant de rétrécir quelques mois plus tard. La NASA a annoncé, en novembre 2008, que ce trou était le 5ᵉ plus grand jamais observé en 30 ans. Il s'est étendu, en septembre 2008, sur une surface de 27,2 millions de km², soit la taille de l'Amérique du Nord. Ce trou se forme généralement en août, atteint sa taille maximale en octobre, avant de disparaître.

11   D'autres sources n'hésitent pas à avancer le chiffre de 30 milliards de tonnes de $CO_2$ par an.

sifs[12], déboisements intensifs, élevages intensifs de ruminants, climatisation intensive), ainsi que la diminution de la capacité absorbante en $CO_2$ des océans et de la végétation[13], accentuent ce processus de réchauffement de l'air ambiant[14]. La partie cumulative non capturée s'accumule dans la stratosphère et fait de la Terre une *serre chaude*. De plus, en cas de coupe, les forêts rejettent dans l'air les GES qu'elles ont stockés.

Ce phénomène de recrudescence de la température de l'air s'amplifie de lui-même: vu l'activité d'une trop grande concentration de GES, le réchauffement climatique augmente, le taux élevé d'évaporation des eaux crée plus de vapeur, plus d'humidité, plus de précipitations, plus de perturbations climatiques, plus d'incendies, plus de pollution, donc encore plus de GES et ainsi de suite.

La revue *Science* affirme que d'ici 2050, le niveau de $CO_2$ aura atteint des niveaux inquiétants, soit 150% de plus que le niveau actuel, si nous n'agissons pas immédiatement d'une façon adéquate. Joseph Canadell, de l'Organisation de recherche scientifique et industrielle du Commonwealth en Australie, vient d'affirmer que les émissions de dioxyde de carbone ont augmenté de 35% entre 1990 et 2006. La croissance des émissions de $CO_2$ est passée de 1,3% par an entre 1990 et 1999 à 3,3% entre 2000 et 2006. L'élimination de ces gaz est progressive. Quelques-uns continuent d'agir dans l'atmosphère plusieurs siècles après leur émission.

Le rapport du GIEC publié en 2007 dresse un tableau inquiétant concernant la température de la planète, qui pourrait augmenter jusqu'à 6 degrés Celsius en 2100 si les GES ne sont pas réduits. La petite augmentation de 2 degrés Celsius menacerait déjà les réserves d'eau de plus de deux milliards de personnes et aussi d'extinction 20 à 30% de la faune et de la flore de la planète.

Deux pays sont connus pour être les plus grands pollueurs et responsables des émissions de concentrations très fortes de GES. Chacun émet près de

---

12  Les sols nourris aux engrais chimiques d'une façon intensive dégagent de l'oxyde nitreux ($N_2O$) qui est un GES 296 fois plus puissant que le gaz carbonique. Des scientifiques envisagent la possibilité de transformer le secteur agricole, qui est présentement «émetteur de GES», en «capteur de GES».

13  La capacité maximum d'absorption par les océans et la végétation est de presque quatre milliards de tonnes par année. Le phénomène du réchauffement climatique ralentit le processus d'absorption du $CO_2$ par la végétation, selon une étude publiée dans la revue *Nature* (septembre 2008) par l'Institut de recherche sur le désert. Cette recherche conclut que les plantes mettent jusqu'à deux ans, après une année particulièrement chaude, avant de retrouver leur capacité normale de piégeage.

14  Aujourd'hui, la concentration de gaz carbonique est de 385 ppm (particules par million) contre 280 ppm en 1800. Le seuil critique de 450 ppm sera atteint vers (ou avant) 2050. Les experts prévoient jusqu'à 970 ppm à la fin de ce siècle.

22% du total des émissions mondiales: les États-Unis (5,9 milliards de tonnes de $CO_2$ par an) et la Chine (6,02 milliards de tonnes en 2007)[15].

Le Canada est également un grand pollueur, surtout la province de l'Alberta, qui a produit 224,4 millions de tonnes de $CO_2$ en 2003, soit 33,8% des émissions de tout le pays, qui, elles, se chiffrent à 740,2 millions de tonnes. Au lieu de réduire de 6% ses GES d'ici 2012, par rapport à son niveau de 1990, l'Alberta a dépassé de 32,7% en 2005 les objectifs du *Protocole de Kyoto*. À titre d'exemple, en 2003, 17,9 tonnes de $CO_2$ ont été produites en moyenne par chaque Canadien.

Plusieurs autres pays qui ont souscrit aux objectifs du *Protocole de Kyoto* ne réussissent pas à les respecter. Au lieu de les réduire, l'Espagne a vu ses GES augmenter de 40% depuis 1990. L'objectif du Japon a été fixé à 6%, mais ses GES ont augmenté de 12% entre 1990 et 2002. La Nouvelle-Zélande devait maintenir son niveau de 1990, mais il a augmenté de 22%.

## Exemples de répercussions

L'accumulation de ces gaz polluants mêlés à la vapeur d'eau dans l'atmosphère provoque une accélération à un rythme deux fois plus rapide que prévu du réchauffement climatique et des changements négatifs sans précédent sur l'ensemble de la planète. Le réchauffement de quelque 6 degrés Celsius, durant les dernières décennies, ainsi que l'activité anthropique intense sont, selon les rapports du GIEC, les premiers facteurs responsables de plusieurs bouleversements écologiques.

Voici une synthèse des répercussions graves du saccage humain de la nature et de la hausse des températures des trois dernières décennies estimées les plus chaudes du millénaire[16]. Cette longue nomenclature est nécessaire au début de cet ouvrage pour mieux dresser le réel et actuel profil de la Terre:

- La dilatation thermique des masses d'eau des océans entraîne une hausse du niveau de la mer. Des villages des régions côtières sont déjà submergés et doivent être relocalisés, comme Shishmaref et Kivalina[17] en Alaska. Des prévisions d'experts annoncent que le niveau de la mer peut grimper, au XXIe siècle, de 80 cm selon l'hypothèse optimiste et de 1 mètre selon l'hypothèse pessimiste. Les régions qui seraient les plus affectées par cette

---

15   De 2001 à 2004, le besoin énergétique de la Chine a augmenté de 65%. De plus, chaque trois à cinq jours, une nouvelle centrale au charbon ouvre ses portes dans ce pays, ce qui contredit toutes les politiques environnementales.

16   Revue *Science*, mai 2001.

17   La côte, dans cette région ouest de l'Alaska, recule de trois mètres chaque année. Vingt autres villages sont également en «danger imminent».

crue des eaux seraient les deltas du Gange en Inde et du Brahmapoutre au Bangladesh (qui abritent 300 millions de personnes), aussi du Nil en Égypte (qui compte avec le Soudan plus de 80 millions de personnes). Les zones côtières de la Floride, de la Louisiane, de la Californie, des Caraïbes, des Pays-Bas, de la Chine, du Japon, de l'Afrique de l'Ouest ainsi que plusieurs milliers d'îles habitées de l'océan Indien et de l'océan Pacifique seraient partiellement inondées. Des millions de personnes seraient déplacées.

- La fonte des glaciers[18] entraîne moins d'eau douce partout dans le monde. Mais aussi, plus de surface qui capte la chaleur du soleil et contribue au réchauffement du climat. Des experts de l'ONU ont souligné que les températures de l'Arctique canadien se réchauffent deux fois plus vite qu'ailleurs. Il n'y aurait plus de glace durant l'été, d'ici 2080 selon certains scientifiques, et d'ici 2013 selon d'autres. Les glaciers de la Colombie-Britannique ont reculé de plusieurs centaines de mètres en trente ans. Un glacier du Grand Nord, de la taille de la province de l'Ontario, a disparu[19]. Les glaciers de la mer de Béring ont diminué de 5% au cours des quatre dernières décennies. Des pans de glace de Yahtse (Alaska) se disloquent et fondent dans la mer. La calotte glaciaire de l'Arctique a diminué de 40% en quarante ans[20]. Sa banquise, que l'on croyait indestructible, n'est plus qu'un mince film de deux ou trois mètres d'épaisseur. Des chercheurs annoncent sa *fonte totale* en 2015, en 2080 selon la NASA. Les océanographes estiment que son épaisseur a été réduite de près de 42% en 30 ans. Des photos-satellites prises en 1999 démontrent la disparition

---

18    La couverture mondiale neigeuse a diminué de 10% de 1970 à 2007. La banquise qui recouvre la mer de Beaufort, même l'été, a totalement disparu en 2007. Ce dernier phénomène intervient 20-30 ans plus tôt que prévu, selon Bruno Tremblay de l'Université McGill, qui ajoute que durant ce même été, il y avait 1 300 000 km² en moins de glace sur l'océan Arctique, comparativement à la même période l'an dernier (c'est la superficie totale du Québec). Jay Zwally, un scientifique membre de la NASA, estime que d'ici 10 ans (2018), «l'Arctique pourrait devenir un océan sans glace l'été». De larges plateaux de glace (de 20 à 50 km²) se sont détachés, durant l'été 2008, de la côte dans l'extrême nord canadien (Markham, île d'Ellesmere, Ward Hunt, Serson qui a perdu 60% de sa superficie soit 122 km²) et dérivent dans l'océan Arctique, selon le Laboratoire de recherche sur la cryosphère de l'Université d'Ottawa. De son côté, le Centre national américain des données sur la neige et la glace (NSIDC) a publié, en août 2008, une étude qui réduit la banquise arctique à seulement 5,2 millions de km². D'autres scientifiques annoncent, par contre, le début d'une nouvelle ère de glaciation.

19    Selon le rapport météorologique d'Environnement Canada de 2007.

20    La fonte des glaces de l'océan Arctique et de celles du nord du Canada rend, pour la première fois de l'histoire, praticable à la navigation le passage du nord-ouest. On peut désormais contourner l'Amérique par le nord. Ce nouveau «Panama», du Nunavut au détroit de Béring, relie l'Europe à l'Asie orientale. Les Inuits qui y habitent ne sont plus isolés du reste du monde comme ils l'étaient depuis des siècles. La fonte de ces glaces peut libérer dans l'atmosphère le méthane ($CH_4$) qu'elles séquestrent et contribue activement au réchauffement climatique.

de la banquise de la baie d'Hudson. Le glacier Boulder du Parc national Glacier au Montana n'existe plus. En Amérique latine, quatre des six glaciers des Andes (Venezuela) ont totalement disparu et les deux derniers disparaîtront d'ici dix ans si le réchauffement climatique se maintient. Le glacier Upsala (Patagonie, Argentine) n'existe plus. La banquise antarctique s'est désintégrée et a perdu 5000 km². Une autre section de plus de 500 km² s'est disloquée du plateau Wilkins en mars 2008. En Europe, la moitié des glaciers d'Espagne ont disparu durant les deux dernières décennies. Le glacier de l'île Signey (Angleterre) a perdu 45% de son volume depuis 50 ans. Le glacier d'Aletsch[21] (Suisse) disparaîtrait à son tour vers 2080. Le glacier Solheimajokull (Islande) a perdu 300 mètres de sa superficie en dix ans. Les glaciers du Groenland ont perdu dix mètres d'épaisseur, presque 50% de leur volume en 15 ans, de 1990 à 2005, en moyenne 100 milliards de tonnes de glace chaque année. En Afrique, le glacier du Kilimandjaro (Tanzanie) n'a plus que 16% de sa masse originale. Les observateurs estiment que ce glacier blanc d'Afrique disparaîtrait complètement en 2020. En Asie, le Caucase a perdu 50% de ses glaciers en cent ans. Même les éternels glaciers himalayens sont en train de fondre. Le glacier Khumbu (Himalaya) a reculé de cinq kilomètres en 50 ans.

- La hausse du niveau des océans, due en partie à la fonte des glaciers, a augmenté le taux de salinité de certains fleuves d'eau douce, notamment au Bangladesh où la riziculture a été remplacée par l'élevage de crevettes.

- Des millions d'arbres sont en train de mourir[22] en raison des changements climatiques ou de pluies acides, leurs branches mortes donnent naissance à des termites qui produisent beaucoup de méthane.

- Des insectes se multiplient d'une façon inquiétante, entre autres le *Dendroctonus valens* et le scolyte qui, en 1996 seulement, ont tué 30 millions d'arbres (exemple des forêts de la Colombie-Britannique). Le dendroctone du pin survit maintenant aux hivers plus chauds et dévaste des forêts de l'ouest du Canada.

- Des moustiques se propagent et constituent une menace à la santé des humains et des animaux. Cela risque de ramener des maladies jadis contrôlées et même d'en créer des nouvelles.

---

21  En 2007, le photographe Spencer Tunick y a pris une série de photographies, en collaboration avec Greenpeace et des centaines de volontaires, pour attirer l'attention du monde entier sur le recul inquiétant des glaciers.

22  Les forêts, qui sont indispensables à la purification de l'air, ont diminué de 50%, à l'échelle de la planète. Des coupes à blanc récentes achèvent ce qu'il en reste. Certains pays d'Afrique, comme le Congo, ont perdu 90% de leurs forêts.

- Une centaine d'espèces végétales et animales meurent chaque jour (entre 15 000 et 50 000 par année[23]). Au Canada, 95% des caribous ont disparu durant les cinquante dernières années. Les ours polaires et autres animaux[24] sont aussi en voie de disparition.

- Les côtes s'érodent à cause de la montée des eaux. Cent quatre-vingt-quatre des deux cent treize villages inuits habités depuis des siècles subissent des inondations et des érosions du littoral, selon Elizabeth Kolbert.

- Plusieurs lacs sont en train de se tarir ou ont disparu à cause des activités anthropiques qui perturbent l'environnement d'une façon *directe* (par le processus de déviation des eaux) ou *indirecte* (par les émissions de GES). Deux exemples typiques: l'assèchement du lac Tchad et de la mer d'Aral[25].

- Des rivières s'assèchent (exemple: la rivière Jialing dans le sud-ouest de la Chine, en août 2006).

- Les marécages, essentiels à l'équilibre de l'écosystème, disparaissent (50% des marécages de la planète ont disparu durant le xx^e siècle). Or, ces zones humides servent de filtres naturels pour l'eau et hébergent une biomasse considérable essentielle au maintien de l'équilibre de la biosphère[26]. Au Maryland, le tiers des marais du Parc national de Black Water est submergé par l'océan.

- 30% des récifs coralliens de plusieurs océans sont en train de mourir (devenir blancs) alors qu'ils sont nécessaires aux animaux aquatiques et à l'écosystème marin. La mort des micro-organismes qui adhèrent à leur surface et leur donnent une coloration est due à une réduction du pH de l'eau, donc à un accroissement de l'acidité liée à l'augmentation brutale du $CO_2$ dans la mer.

---

23  Selon une déclaration du Secrétaire exécutif de la Convention sur la diversité biologique, Ahmed Djoghlaf, publiée en mai 2007.

24  Le phoque tropical *(Monachus tropicalis)* a officiellement disparu, ont déclaré les biologistes spécialisés de la faune sauvage. Les phoques moines d'Hawaï et de la Méditerranée sont également en voie de disparition. Une cause humaine y contribue largement: la chasse qui ne respecte pas les limites prescrites. Ces animaux sont importants pour l'équilibre de l'océan.

25  La mer d'Aral était le quatrième plus grand lac au monde. Elle mesurait 400 km de long et 230 km de large. Le fait que le régime communiste ait détourné, en 1950, les deux fleuves qui l'alimentaient en eau pour irriguer des plantations dans le désert a largement contribué à son assèchement. Le lac Tchad, qui avait une superficie de 26 000 km², ne couvre plus que 1500 km². Le manque de pluie et la déviation de ses eaux pour l'irrigation sont tous les deux responsables de son assèchement. D'autres lacs américains font face au même sort: le lac Powell en Arizona et le lac Mead sont parvenus aux niveaux les plus bas jamais enregistrés. Le lac Owens en Californie est au cinquième de son niveau normal.

26  54% de ces zones humides sont déjà détruites aux États-Unis, 67% aux Philippines et 90% en Nouvelle-Zélande.

- La transformation du $CO_2$ en acide dans l'eau empêche la croissance du plancton qui capture le $CO_2$ et purifie l'air. Ce phénomène peut avoir des répercussions sur notre chaîne alimentaire.
- Des animaux polaires ne trouvent plus assez d'eau ni de nourriture, ni assez de banquise pour se reproduire.
- La toundra, qui capte le $CO_2$, s'assèche (exemples: en Sibérie, une des régions qui s'est réchauffée très vite; en Mongolie et en Iran où 90% des marais ont disparu en 2001).
- Les terres jadis arables s'appauvrissent et ne sont plus cultivables (exemples: le Pakistan, Haïti, le Kazakhstan, plusieurs pays d'Afrique et d'Asie). Des prévisions annoncent que le sol des États-Unis perdrait dans quelques années 60% de son humidité[27].
- Les déserts avancent à un rythme inattendu. Cinq à six millions d'hectares subissent le phénomène de désertification annuellement sur tous les continents, qui n'auront plus que 50% de terres cultivables en 2020, y compris aux États-Unis[28].
- Le pergélisol fond pour la première fois depuis 120 000 ans. Il change la configuration du territoire circumpolaire et risque de déstabiliser des territoires entiers sur lesquels sont construits des autoroutes, des ponts et des pipelines.
- Des terrains sont inondés, notamment, des régions entières du Pakistan, de l'Inde et du Bangladesh. En 1998, 300 millions de personnes ont été déplacées à cause d'inondations sans précédent dans le monde[29]. D'autres inondations plus récentes ont causé encore plus de ravages et de victimes.
- Le quart de la biodiversité terrestre et des écosystèmes marins est menacé.
- Un flux et reflux considérables d'animaux modifient considérablement l'écosystème.
- Les Inuits du Nord ne retrouvent plus leur mode de vie séculaire, n'ont pas de vocabulaire pour nommer les nouvelles espèces animales et végétales qui émigrent plus vers le Nord et qu'ils n'ont jamais vues.

---

27  Le tiers des fermiers américains ont délaissé leurs terres arides qui ne produisent plus. Ces abandons ont entraîné la faillite de plusieurs banques locales.

28  La désertification menace sérieusement 60 pays répartis sur les cinq continents, dont l'Italie, l'Espagne (⅕ de son territoire), le Caucase, l'Europe orientale. La Communauté européenne est alertée et consacre 8,8 milliards d'euros pour contrer l'avancée du désert sur son territoire.

29  L'Afrique a connu ses pires inondations de mémoire d'homme durant l'été 2007, notamment l'Ouganda, le Soudan, la Côte d'Ivoire, le Ghana, le Togo et le Rwanda. Même des pays désertiques comme le Niger, le Mali et la Mauritanie ont été inondés. Plus d'un million de personnes d'au moins 17 pays sont touchées. Les déforestations massives ont aggravé la situation. Quelque 119 personnes sont mortes, plusieurs sont portées disparues. Des récoltes entières, une centaine de ponts, sept barrages, 46 écoles et plusieurs collèges ont été détruits.

- Plusieurs tribus amérindiennes de l'Amérique centrale et du sud sont menacées dans leur environnement propre et délogées[30].
- L'affaiblissement et le refroidissement du Gulf Stream[31], le changement aussi de la circulation thermohaline entraînent un changement du climat des continents.
- Un désordre météorologique s'installe, comme la fréquence d'événements extrêmes: augmentation des orages et de la foudre (responsables de pannes d'électricité et de feux de forêt), des pluies, des inondations[32], de la grêle, du verglas, des canicules, des sécheresses[33], du smog[34], des vents violents (à cause de la masse d'air chaud ou froid, au contact brusque du sol ou d'un autre courant plus frais ou plus chaud), des cyclones[35], des tornades (qui peuvent balayer en quelques minutes des milliers de kilomètres), des ouragans[36] de plus en plus destructeurs.
- Une augmentation de la vitesse des courants d'air au-dessus de l'océan Austral (Antarctique), empêche les eaux d'absorber le dioxyde de carbone. Aujourd'hui, cet océan libère même une partie du $CO_2$ stockée depuis longtemps[37].
- Des glissements de terrain (à cause, entre autres, de pluies torrentielles).
- Des saisons irrégulières dans une grande moitié de l'hémisphère nord.

---

30  Une tribu du Brésil, Surui, porte plainte, présentement, contre le gouvernement et exige des indemnités pour la destruction de sa réserve par les bûcherons et les mineurs en Amazonie. Sa réserve est située au nord de Cacoal, dans l'État de Rondonia.

31  Le Gulf Stream s'est arrêté durant dix jours en novembre 2004. Sa circulation thermohaline a diminué de 30 % dans les cinquante dernières années. Harry Bryden, du National Oceanography Center, a confirmé en 2004 la diminution du courant du Gulf Stream de 10% durant les 25 dernières années.

32  Exemples: Mumbai (Inde) en juillet 2005; Lucerne (Suisse) en août 2005; l'Angleterre en 2007 et 2008.

33  Le cas de l'Australie est dramatique.

34  Ce terme anglais provient de *smoke* (fumée) et de *fog* (brouillard). C'est un mélange dangereux de plusieurs polluants très nocifs pour la santé.

35  Une augmentation de 500% des cyclones graves a été enregistrée dans le Pacifique et dans l'Atlantique (*Vital Signs* 1999, p. 74), reliée au réchauffement climatique (MIT, 2005).

36  Exemples: El Nino a causé d'immenses dégâts en Amérique du Sud en 1997; Katrina (1836 morts) puis Rita (750 000 réfugiés) ont ravagé le sud des États-Unis en août-septembre 2005. Les pertes chiffrées à plus de 100 milliards de dollars, suite au passage de Rita, sont le résultat d'une négligence administrative. Au début de l'année 2005, le corps des ingénieurs de l'armée américaine avait averti que plusieurs digues s'étaient enfoncées, qu'il faudrait les rehausser, qu'elles ne pouvaient plus supporter un ouragan de la catégorie 3. Le maintien et le renforcement de ces défenses, négligées depuis des décennies, étaient nécessaires à la survie de la Nouvelle-Orléans. L'administration américaine a jugé la facture trop élevée et n'a rien fait. De son côté, le Tsunami, en Asie, a tué en 2004 plus de 230 000 personnes dans 14 pays. En 2008, Ike et Pamela ont causé des dégâts imposants dans les Caraïbes et dans la région du Texas, fauchant des centaines de vies et entraînant l'évacuation de milliers de personnes.

37  Selon une étude germano-britannique publiée dans la revue *Science* et dirigée par Corinne Le Quere de l'Université d'East Anglia.

- Le niveau d'eau des nappes phréatiques baisse (exemples: en Inde et en Chine où des pratiques de surpompage de l'eau souterraine produisent l'affaissement du sous-sol). Leur surexploitation appauvrit leur débit et affecte les écosystèmes. On prévoit d'ici 2025 un manque d'eau considérable qui causera une perte globale annuelle de 350 millions de tonnes de production agricole, soit plus que la récolte annuelle de blé aux États-Unis.

- Des espèces de microalgues toxiques migrent vers le nord devenu plus chaud, ce qui affecte la flore et la faune indigènes de l'Arctique par le biais de la chaîne alimentaire (la chaîne trophique).

- Des marées d'algues toxiques rouges, jaunes ou bleues prolifèrent dans plusieurs mers, océans, fleuves et lacs. L'augmentation de la température et la pollution riveraine modifient la chimie de l'eau.

- L'eau de surface réchauffée défavorise la pêche dans certaines régions, alors que la remontée des courants froids la favorise dans d'autres.

## Le virage vert comme solution

Face à ces bouleversements climatiques variables, selon les régions, avec leurs impacts négatifs sur la santé, sur les écosystèmes et sur les domaines socioéconomiques, le virage vert n'est plus un luxe mais une urgence, un moyen responsable et préventif en guise de solidarité avec la Terre et le futur des Vivants. Cet *éveil environnemental* est un gage d'espoir. La préservation du capital écologique et d'une nature saine devient de plus en plus une stratégie nécessaire, une valeur sociale et politique importante pour plusieurs. La longue liste des nouvelles pratiques environnementales qui suit en témoigne.

Des millions d'écocitoyens partout dans le monde sont déjà mobilisés et réduisent leurs déchets au minimum en recyclant tout ce qui peut être recyclé (papier, carton, métal, verre, plastique). Les déchets de cuisine sont transformés en compost. L'eau de pluie est recueillie dans des «collecteurs d'eaux». Une législation prescrit la collecte sélective des détritus. Les résidus dangereux sont recueillis et traités séparément. Des filtres sont installés sur les cheminées des usines pour diminuer l'expansion des gaz toxiques. Des énergies renouvelables et non polluantes sont de plus en plus répandues. Une énergie d'origine solaire alimente un million de foyers en Californie, qui exige que 55% des maisons neuves soient équipées de panneaux solaires d'ici 2010. Des pesticides biologiques remplacent les chimiques. Des édifices neufs, écoénergétiques, sont construits avec des matériaux de construction récupérés. Trente-quatre pays ont stabilisé le taux de croissance de leur population.

Une essence de meilleure qualité et moins polluante a été introduite sur le marché. L'industrie des biocarburants croît rapidement. Les voitures hybrides sont de plus en plus populaires. Saint-Jérôme est la première ville au Québec ayant acquis deux véhicules Zenn. Des minibus électriques roulent à Québec depuis juillet 2008. Les autobus de Montréal sont convertis, depuis juin 2008, au biodiesel, même bientôt des avions, avec Green Flight. Au Brésil, 10 millions de voitures circulent uniquement à l'alcool. Depuis 2004, des avions destinés à l'épandage sont munis d'un moteur qui fonctionne à l'alcool. La ville de Berkeley (Californie) alimente ses véhicules à un carburant 100% bio. Les automobiles sont de plus en plus dotées d'un pot catalytique. Les 10 000 taxis et les 12 000 bus de New Delhi roulent au gaz naturel. Les constructeurs de voitures Tata Motors (Inde) produisent à grande échelle depuis 2007 des véhicules à moteur monoénergie avec de l'air comprimé pour les propulser. En Suède, un train, des milliers d'autos et 779 autobus fonctionnent depuis 2005 au biogaz. Un réseau de trains électriques légers est implanté à Calgary. Le méthane est de plus en plus récupéré, pour usage domestique, surtout en Afrique et dans les pays du Tiers-Monde, où les déchets sont accumulés dans des fermenteurs.

L'île Hierro (îles Canaries, Espagne) est la première île énergétiquement autosuffisante qui utilise de l'énergie propre renouvelable à 100%. Elle produit son énergie à partir de la biomasse, se sert d'hydrogène pour ses autobus et exploite une centrale hydroéolienne pour produire son électricité. En Chine, le barrage des Trois Gorges, terminé en 2009, produit de l'électricité grâce à la puissance de l'eau du fleuve Yangtze, ce qui économise 45 millions de tonnes de charbon par an[38].

Depuis 1996, des captures[39] de gaz carbonique sont effectuées dans quelques pays d'Europe (France, Norvège, Suède, Islande, Danemark), puis stockées au fond de la mer du Nord. Statoil, une entreprise pétrolière norvégienne, séquestre directement le $CO_2$ dégagé par son extraction de gaz naturel et l'envoie dans des aquifères salins au fond de la mer. Ce procédé est

---

[38]    Cependant, la ville de Fengdu et des milliers de villages historiques de ce pays ont dû être sacrifiés et engloutis. De plus, il y a le risque de vieillissement d'un mur de 28 millions de m³ de béton et de 256 000 tonnes d'armatures métalliques. Les dépôts sédimentaires dans ce réservoir de 39,3 milliards de m³ demeurent un problème à résoudre.

[39]    Le processus de capture et de stockage du carbone (CSC) consiste à piéger dans des unités puis à enfouir sous terre le $CO_2$ émis par la combustion des énergies fossiles. Comprimé puis transporté par gazoduc, il est ensuite injecté par un puits de forage dans un site aquifère salin, situé à au moins 800 mètres de la surface du sol, où il se dissout d'une façon homogène.

devenu courant même aux États-Unis, à Teapot Dome (Wyoming), où on a commencé à injecter des milliers de tonnes de dioxyde de carbone, une fois liquéfiées, dans d'anciens gisements de pétrole et de gaz. Ce processus de piégeage coûte près de 100 dollars la tonne. La capacité de stockage peut aller jusqu'à 11 000 gigatonnes de $CO_2$. Le projet Castor a le mandat de découvrir de nouvelles techniques de capture et de stockage de GES. Un «poumon géant» (ou super-arbre) a été inventé et déjà installé à Lima (Pérou), une des villes les plus polluées. Cette machine (le PAU-20) de cinq mètres de haut aspire les particules et les gaz nocifs et émet de l'oxygène.

Une association «négaWatt» invite à consommer avec sobriété et *mieux*. Un «gisement» d'énergie qu'on peut économiser est à notre disposition en réduisant de la moitié nos besoins de ressources énergétiques (chaleur, mobilité, électricité).

Plusieurs villes, États et pays (comme Londres, Paris, Lyon, Los Angeles, New York, Seattle, Miami, Costa Rica, l'Union européenne) se sont engagés sur la voie d'une économie et d'un environnement durables en souscrivant aux objectifs du *Protocole de Kyoto*. Ils sont parvenus à s'entendre sur divers moyens qui visent la protection de l'environnement. Ils adoptent l'énergie propre et renouvelable.

La Suède vise à être «une société sans pétrole». Elle investit dans les énergies renouvelables alternatives. Elle exploite la chaleur de la mer Baltique pour répondre à 60% des besoins de consommation énergétique de Stockholm. Plusieurs communes en France exploitent ce potentiel géothermique (exemple: Val-de-Marne). Une politique fiscale locale, comme c'est le cas dans l'Union européenne, a fixé les limites des rejets de $CO_2$ au-delà desquelles les pollueurs doivent acheter ou vendre des crédits d'émission de carbone qui pourraient valoir jusqu'à 100 dollars la tonne. Une levée de taxe est également imposée sur le carbone. L'augmentation du prix du pétrole, les crédits d'impôt sur les appareils verts, la généralisation des biocombustibles réduisent de beaucoup la consommation d'hydrocarbures. Plus du tiers des besoins en électricité de plusieurs villes, comme Fribourg, en Allemagne (surnommée capitale solaire), est alimenté par de l'énergie renouvelable[40].

---

[40] Ottawa a annoncé, en octobre 2007, une aide financière de 31 millions de dollars sur dix ans au projet de parc éolien de Baie-des-Sables, en Gaspésie. De plus, neuf municipalités qui font partie de la MRC de Roussillon, seraient prêtes à accueillir des projets d'Hydro-Québec pour développer l'énergie éolienne. Chaque projet de parc éolien de la Rive-Sud aura une capacité de production de 100-108 MW. Un règlement déjà approuvé détermine des zones précises d'implantation, protège le territoire, la qualité de vie des citoyens et le développement harmonieux de la région. L'Inde, un des plus grands pollueurs au monde, est devenu le quatrième pays producteur d'électricité d'origine éolienne. Son parc éolien se chiffre par milliers d'éoliennes et fournit 45 000 mégawatts. Le portail Enviro2B (une étude américaine) projette que d'ici 2050, 70% de

Un modèle d'écoville a vu le jour à Sutton, dans la banlieue sud-ouest de Londres. Le quartier Bedzed est un modèle d'habitat bio. Une ville écologique, Dongtan, au nord de Shanghai, est en construction.

En Asie, surtout dans les villages isolés, un grand nombre de nouveaux bâtiments verts sont équipés de panneaux solaires thermiques, installés sur le toit, qui réchauffent l'eau de pluie filtrée et recueillie dans une citerne. Des modules solaires photovoltaïques répondent aux besoins électriques de l'immeuble. Les déchets végétaux entreposés produisent du biogaz[41]. Un système de filtrage végétal purifie les eaux usées récupérées pour l'irrigation et l'arrosage. Des arbres et d'autres végétaux sont plantés abondamment pour contrer l'avancée du désert.

Différentes entreprises ont reconnu la réalité du réchauffement climatique et décidé de réduire leurs émissions de GES. Elles se sont ainsi donné une image respectueuse de l'environnement: IKEA, Vidéotron, Interface, Alcan, Bombardier, Power Corporation, Xerox, Domtar, Motorola, Desjardins, Timberland, Shell et BP (British Petroleum qui a choisi de porter un nouveau nom, Beyond Petroleum.)

Les conférences de l'ONU sur l'environnement bénéficient d'une couverture médiatique importante. Aujourd'hui, les paliers de gouvernement de tous les pays ont leur ministère de l'environnement. Il existe des milliers d'organismes gouvernementaux, paragouvernementaux, communautaires et autres engagés dans des causes environnementales. Des revues spécialisées en la matière sont diffusées en plusieurs langues dans le monde entier. Des prix et des concours soulignent les travaux de ceux qui trouvent des solutions de rechange et réussissent à faire des gestes significatifs en faveur de la préservation de la nature. Sur tous les continents, des millions de bénévoles prennent part à des opérations de nettoyage de lacs, de mers, de sols, comme les «Opérations Clean Up». D'autres adhèrent à des principes écophilosophiques, comme Naturel Step qui préconise l'évaluation des activités humaines selon la capacité de régénération et d'absorption de l'environnement.

---

l'électricité des États-Unis pourrait provenir de l'énergie solaire qui est gratuite, propre et abondante. Ce projet est réaliste tant technologiquement que financièrement. Le seul bémol réside dans le procédé de stockage de cette électricité.

41   En Inde, deux millions de digesteurs anaérobies (c'est-à-dire sans oxygène) génèrent du biogaz dirigé vers les maisons pour le chauffage et la cuisson. Ces digesteurs contiennent du fumier fermenté dans l'eau. Le biogaz contient 47,4% de méthane ($CH_4$) et 47% de dioxyde de carbone ($CO_2$).

La pensée écologique est désormais présente dans presque toutes nos activités quotidiennes. Plusieurs « services verts » nous sont proposés[42] dans le but d'éveiller notre écoresponsabilité et de contribuer à décarboniser l'atmosphère. Nous voyons naître des écocentres, des écoquartiers, des écovillages, des écovilles, des écomunicipalités, des écoterritoires, des écohabitations, des écoaménagements, des écotaxes, des écobilans, des écofiscalités, des écocertifications, des écocitoyens, des écostages, des écoemballages, des écoentreprises, des écoindustries, des écosablages, des écojardinages, des écoénergies, des écoautos, des écodéveloppements, des écovertus[43], des écolabels, des écologos, des écobotins (Pages Jaunes qui annoncent des entreprises écologiques), des écoproduits, des écoconceptions, des écomariages[44], des écoobsèques[45], des écosolutions, des écoconsommations, des écotechnologies, des écojustices[46], des écopolitiques, des écoélecteurs, des écoformations, des écoformateurs, des écolodges, des écotaxis[47], des écocadeaux, des écofilms, des événements artistiques comme l'écofête. L'écopsychologie tente de réconcilier (ré-unir) l'être humain avec la nature pour l'acquisition d'un meilleur psychisme. L'écosociologie étudie les mentalités et les agirs des collectivités et des entreprises en matière d'environnement. L'industrie de l'écotourisme est de plus en plus florissante. On parle de plus en plus d'écourbanisme[48], d'écosabotage, d'écocivisme, d'écoconditionnalité, de mode écochic et même d'écoféminisme aux États-Unis.

Quelques effets positifs du *Protocole de Kyoto* ont commencé à se faire sentir malgré tout : en 2008, l'Allemagne a réussi à réduire ses GES de 18,3 % sous la barre des niveaux de 1990, la Grande-Bretagne de 14,8 %, la Suède de 7,3 %, le Danemark de 7 %. Depuis 15 ans, les énergies vertes (solaires ou éoliennes) augmentent de 20 à 30 % chaque année.

---

[42]   La firme TerraChoice Environmental Marketing a effectué une étude dans six magasins à grande surface et a constaté que seulement *un* sur 1018 produits trouvés qui affichaient des prétentions environnementales l'était vraiment. Tous les autres présentaient des allégations fallacieuses.

[43]   Faire un geste vert en contrepartie d'un geste moins vert pour se donner bonne conscience. Exemple : contribuer à un fonds de reboisement chaque fois qu'on prend l'avion, planter quelques arbres quand on achète une voiture.

[44]   Voir le site www.verttuoses.com

[45]   L'embaument des corps nécessite l'usage du formol qui pollue les eaux. Il vaut mieux les réfrigérer et les vêtir de vêtements en fibres naturelles. Nous y reviendrons plus loin.

[46]   L'écojustice est une justice qui respecte et préserve toute forme de vie présente et future.

[47]   Les voitures hybrides sont de plus en plus présentes dans l'industrie du taxi au Canada. Elles comptent pour 36 % du parc de Victoria, pour 26 % de celui de Winnipeg et pour 10 % de celui de Vancouver.

[48]   Mouvement de développement durable des quartiers urbains qui vise à réduire la circulation et le bruit, à implanter un système de compostage et à verdir les toits. Voir www.ecologieurbaine.net

## Les biocarburants et les agrocarburants

Pour remédier au problème de pollution et de pénurie de pétrole, la science a trouvé des substituts à l'essence: les biocarburants fabriqués à partir de matières autres que les produits fossiles, comme les matières résiduelles.

Les biocarburants, c'est un terme assez large qui englobe également les agrocarburants. Ces derniers sont fabriqués uniquement à partir de produits agricoles. Des composants organiques (céréales: colza, soja) et végétaux (palmier, noix de coco), du gras d'animaux, même des produits domestiques recyclés (caoutchouc, plastique) peuvent être transformés en essence. Des usines européennes (exemples: en Allemagne, en Espagne) et américaines (exemples: au Missouri) en produisent des quantités industrielles depuis plusieurs années.

Malgré le côté spectaculaire et prometteur des agrocarburants, ces nouvelles sources d'énergie produites à partir de graines ou d'éléments comestibles ne semblent pas être une panacée. Elles ont leurs avantages et leurs désavantages.

L'agrocarburant le plus répandu aujourd'hui est l'*éthanol* classique (dit de première génération), alcool de grain fabriqué avec le sucre de céréales (qui remplace ou s'ajoute à l'essence).

Les biocarburants utilisés de plus en plus sont le biodiesel et le butanol (qui peuvent être également des agrocarburants). Le biodiesel «ester de méthyl» est produit à partir d'un procédé d'estérification d'huiles végétales non comestibles ou recyclées, d'alcool, de matières grasses animales, et même à partir de matières récupérées comme les vieux pneus ou les vieilles bouteilles de plastique. Le *butanol*, en expérimentation notamment par BP et Dupont, dont le potentiel d'énergie, à cause de sa formule chimique avancée, serait plus proche de la performance de la gazoline et plus facile à conserver.

Le biocarburant B5 (qui peut passer au B10, même au B20 quand le temps n'est pas trop froid) est un mélange à 5% de biodiesel dans du diesel régulier.

La demande de ces agrocarburants et de ces biocarburants va en croissant. Les besoins en essence augmenteront de 25% d'ici 2030. Seulement aux États-Unis, la production d'agrocarburants a doublé depuis 2003. Cependant, la conversion de champs de maïs en éthanol a des conséquences négatives. En 2008, près de 30% de la production céréalière américaine a été détournée du marché alimentaire à cette fin. En cette même année, près de 18% des récoltes de céréales mondiales ont servi à la fabrication de biodiesel. Le retrait de cette quantité de denrées a fait exploser le prix du blé, du soya, du maïs et du riz. La mobilisation et la conversion de huit milliards d'hectares de surfaces agricoles en faveur de la substitution de l'essence créent une concurrence de taille entre la production alimentaire et la production énergétique.

Le processus de transformation en biocarburant de la canne à sucre et des fruits du palmier à huile au Brésil et en Indonésie semble plus avantageux économiquement. Si, toutefois, ces deux pays coupaient leurs forêts pour élargir encore plus la production de l'éthanol, ce serait un autre drame écologique. La revue *Science* (2007) affirme que la préservation et la restauration des forêts permettent de séquestrer de deux à neuf fois plus de carbone que ce qui découlerait de la conversion aux agrocarburants d'une pareille superficie pendant 30 ans. Il faudrait, par exemple, 200 kg de maïs pour remplir d'éthanol un seul réservoir d'auto, alors que cette même quantité peut nourrir une personne durant une année.

Une étude de l'Université d'Edimbourg conclut que ces agrocarburants produisent, en fin de compte, 50 et 70% plus de GES que le pétrole. Ils s'avèrent donc aussi polluants, exigent beaucoup d'eau, de pesticides, et contribuent autant, sinon plus, au réchauffement climatique et à l'expansion de la crise alimentaire. Le président tchèque Vaclav Klaus qualifie de «menace pour l'humanité» l'accroissement de l'utilisation du biodiesel. D'autres n'hésitent pas d'accuser de « crime contre l'humanité» l'industrie de l'éthanol, les pénuries alimentaires et les flambées de prix qui ont entraîné des émeutes de la faim dans une quarantaine de pays (Amérique latine, Afrique, Moyen-Orient, Asie).

Note d'espoir cependant, des chercheurs canadiens ont réussi à fabriquer de l'éthanol cellulosique (dit de deuxième génération) à partir de la cellulose de fibres végétales. Cette découverte en laboratoire fait de l'éthanol cellulosique le carburant alternatif de l'avenir pour plusieurs raisons: il ne coûte pas cher, il est propre, plus stable que l'éthanol classique, il peut être produit à partir des déchets agricoles des champs de coton, des tiges de maïs, épargnant ainsi les grains. D'autres chercheurs envisagent l'exploitation d'enzymes dans le processus de production d'agrocarburants. D'autres techniques chimiques recourent à des plantes non comestibles comme le *Jatropha curas* (plante du désert), le neem, le karanj, le guayule et même les algues pour produire du biodiesel. Les déchets fermentés des usines d'oranges (pulpe, pelures) riches en sucre servent à produire du bioéthanol (exemple: Valence).

L'Allemagne est le premier producteur d'éthanol, tandis que l'Espagne est le premier producteur de biodiesel. L'éthanol et le biodiesel (à l'exception du butanol) qui exsudent de l'eau et d'autres contaminants ne peuvent être acheminés par les mêmes pipelines que l'essence et le diesel.

Le biodiesel utilisé par les autobus de Montréal est fabriqué à partir de graisses animales (résidus d'abattoirs), d'huiles de cuisson usées (huiles végétales, huiles de friture recyclées) et de biomasse (résidus de bois, paillis). La Société de transport de Montréal compte économiser 11 000 tonnes de GES par année, l'équivalent de 1600 voitures qui rouleraient 20 000 km par an.

Au niveau fédéral, un nouveau projet de loi sur les biocarburants a été déposé, demandant que l'essence, le diesel et le mazout contiennent partiellement des produits renouvelables d'ici 2011.

## Quelques spéculations d'experts

Robert Socolow et Stephen Pacala, de l'Université de Princeton, proposent plusieurs stratégies pour lutter contre la pollution et le réchauffement. Il serait ainsi possible, selon eux, de diminuer d'un milliard de tonnes les émissions de $CO_2$ d'ici 2029:

- **économies d'énergie**: amélioration de l'efficacité des véhicules, limitation de l'utilisation des voitures, conception de bâtiments plus écologiques, amélioration de l'efficacité des centrales thermiques;
- **décarbonisation de l'électricité et des carburants**: remplacement du charbon par le gaz naturel, séquestration du $CO_2$ dans les centrales, les usines et les raffineries, développement de l'énergie nucléaire, remplacement des usines thermiques par des éoliennes et des panneaux solaires, production d'hydrogène à partir d'énergie renouvelable et d'essence à partir de la biomasse;
- **revalorisation des puits de carbone**: réduction de la déforestation qui est responsable de 20% des émissions des GES, reforestation, gestion écologique de l'agriculture.

Dans le but de contrer le réchauffement climatique et de refroidir la Terre, d'autres scientifiques favorisent les solutions qui relèvent de la géoingénierie (nous y reviendrons plus loin). Elles paraissaient «futuristes» il y a une dizaine d'années, mais plus maintenant:

- mettre en orbite des écrans solaires géants et trafiquer les nuages pour qu'ils renvoient plus de rayons vers l'espace;

- installer dans les déserts des films réfléchissants;
- faire flotter des îles en plastique blanc sur la mer pour rejeter la lumière;
- fertiliser la mer avec du fer et des nitrates pour générer des plantes qui absorberaient des tonnes de $CO_2$;
- dévier les rayons solaires de la Terre par le biais de «lentilles» mises en orbite;
- injecter du soufre[49] dans la stratosphère ou d'autres particules qui refroidiraient l'air et rendraient la lumière plus diffuse.

## Les défis verts

Ces multiples gestes et solutions écologiques constituent des signes d'espérance. Ils démontrent une conscientisation verte à l'échelle de la planète. Toutefois, ce n'est pas suffisant.

Nous sommes tous invités à repenser chacune de nos activités. Encore faut-il avoir le *courage* et la *volonté* de changer nos pratiques efficacement sur le terrain. Chaque acte que nous faisons est décisif. Acceptons-nous de changer nos habitudes quotidiennes de vie, de reboiser[50], d'éviter l'abattage sauvage d'arbres[51], de ne pas utiliser d'engrais chimiques ni de pesticides non biologiques, de ne pas gaspiller l'eau ni l'énergie, de ne pas acheter de produits surempaquetés[52], de ne plus détruire les milieux naturels? Acceptons-nous de

---

49  Paul Joseph Crutzen propose de modifier artificiellement la composition de l'atmosphère terrestre en larguant, à l'aide de ballons, un million de tonnes de soufre ou de sulfure d'hydrogène dans la stratosphère (à 10 ou 50 km d'altitude), ce qui diminuerait les effets du réchauffement climatique. Ces particules réfléchissent les rayons du soleil et refroidissent la température terrestre en quelques années. Mikhaïl Budyko l'avait suggéré dans les années 70. William Broad trouve que cette idée n'est pas appropriée, car le soufre est un polluant toxique qui produit les pluies acides et détruit les forêts. Crutzen rétorque en affirmant que ce sont de petites quantités que l'atmosphère est capable d'absorber. Il s'est inspiré du volcan philippin Pinatubo qui a rejeté (juin 1991) dans l'atmosphère 10 millions de tonnes de soufre et a contribué à baisser la température terrestre de 0,5 degré pendant plusieurs mois. Après l'ère géologique halocène qui a commencé il y a 10 000 ans, Crutzen appelle l'ère «anthropocène» les deux derniers siècles où l'être humain s'est imposé comme une force dominante qui a modifié avec ses activités intenses toute la biosphère. Il y aurait l'anthropocène phase I: de 1800 à 1945; l'anthropocène phase II: de 1945 à 2015 dénommé «la grande accélération»; l'anthropocène phase III: à partir de 2015. Trois possibilités s'offrent à l'humanité pour affronter la phase III: ne pas agir, viser à une meilleure gestion de l'environnement, recourir à la géoingénierie climatique pour contrer le réchauffement brutal.

50  Plusieurs centaines de milliers de kilomètres de forêts équatoriales ont été rasées alors qu'elles sont primordiales pour l'équilibre de la biosphère. Le désert du Sahara, l'Irak et l'Iran étaient fertiles et cultivés, il y a 4000 ans!

51  Le Parlement du Brésil vient de voter en faveur de la coupe de la moitié de la forêt amazonienne qui purifie l'air de la planète et sert d'habitation à une flore et à une faune très riches, non répertoriées exhaustivement. Une pétition circule sur toute la planète pour stopper ce génocide d'arbres. L'ONU pourrait intervenir, déclarer cette forêt patrimoine mondial et empêcher leur destruction. Les droits naturels des Amérindiens seraient alors respectés.

52  On utilise cinq millions de tonnes d'emballages par année au Canada.

déclarer des millions de km² zone protégée, réserve naturelle, parc national, patrimoine mondial?

Décidons de réduire, dès aujourd'hui, notre empreinte nuisible à l'environnement et *agissons* en conséquence, socialement et politiquement.

———————o———————

*«(Nous vivons maintenant) dans une période cruciale où les plus grandes mobilisations*
*sont absolument requises. Il s'agit... d'alerter l'opinion publique*
*et les responsables politiques sur les risques catastrophiques auxquels nous nous exposons*
*en continuant d'agir comme si rien de très grave ne pesait sur nos têtes.»*
HUBERT REEVES

*«Lorsque l'environnement est mal géré, pillé ou détruit,*
*nous sapons notre qualité de vie et celle des générations futures.»*
WANGARI MAATHAI

*«Si on permettait que cela arrive (une catastrophe mondiale*
*due au dérèglement du système climatique), ce serait profondément non éthique...*
*C'est une question morale. On doit agir pour sécuriser le futur.»*
AL GORE

*«Protéger la nature contre l'homme.»*
HANS JONAS

*«Si on perd le contact avec la nature, on perd le contact avec l'humanité.*
*Coupé de tout rapport avec la nature, on devient un tueur.*
*On peut massacrer des bébés phoques, des baleines, des dauphins ou des hommes,*
*pour le profit, le sport, ou au nom de la science.»*
KRISNAMURTI

*«Il peut sembler impossible qu'une société puisse choisir de s'autodétruire.*
*C'est pourtant ce que nous sommes en train de faire.»*
ELIZABETH KOLBERT

*«Les lois de la nature elle-même devront être notre guide principal.»*
REX WEYLER

———————o———————

# ② Les penseurs verts

*«L'environnement est le patrimoine*
*commun des êtres humains.»*
CHARTE DE L'ENVIRONNEMENT

Ce chapitre propose un survol historique de la pensée verte. La conscience environnementale, qui était assez éveillée chez les civilisations anciennes, s'est obscurcie avec l'essor d'une certaine raison analytique et de l'ère industrielle. Cet esprit de domination et de machinisation de la nature a relancé le débat écologique.

## Les premiers penseurs verts

Depuis la nuit des temps, l'humanité, qui a émergé d'un environnement entre autres végétal prêt à l'accueillir, a pu survivre grâce à la végétation qui lui a été gracieusement offerte. L'humain y a puisé sa nourriture, même ses remèdes, parce que proche encore de la Terre et attentif aux secrets de la nature. C'est ainsi que les Chinois et les Hindous ont distingué et répertorié de nombreuses plantes, feuilles et racines médicinales plusieurs millénaires avant notre ère[53]. Ils cultivaient avec respect certaines espèces qu'ils intégraient à leurs rituels.

La Grèce antique a hérité de l'ancienne Égypte l'art de soigner et de guérir par les plantes. Un philosophe grec de l'Antiquité, Parménide d'Élée (v. 504 – v. 450 av. J.-C.), a réfléchi, dans son traité *De la nature,* sur la séparation entre l'être et le non-être. Il déduit que, ontologiquement, l'être est un, continu et éternel. Cela a un effet important, entre autres, sur la lecture de la permanence de l'âme animale.

Platon (428-348 av. J.-C.) et Aristote (384-322 av. J.-C.) préconisaient une vie en harmonie avec la nature. Le premier modelait, dans son traité *La République,* la cité selon l'ordre de la nature qui est plus qu'un simple *décor*

---

[53]   Cf. *Classique des herbes* rédigé par Shen Nung, empereur de Chine et médecin, vers 3400 av. J.-C.

érigé pour l'édification des besoins de l'être humain. Il invitait à voir au-delà du tangible, au-delà de la forme matérielle de la nature. Le deuxième a écrit, entre autres, *Physique*, un traité d'histoire et de sciences naturelles dans lequel il attribuait une âme (végétative) aux plantes et invitait à connaître les causes premières des éléments, dont la nature. Il cherchait à trouver les fondements métaphysiques de la nature.

Diogène (413-327 av. J.-C.) et Antisthène (444-365 av. J.-C.), qui se plaignaient d'un certain intellectualisme de la Grèce antique et de la prolifération des conventions sociales, estimaient les animaux supérieurs à l'homme, car ils sont plus autonomes et ont moins de besoins.

Hippocrate (460-377 av. J.-C.), qui est considéré comme «le père de la médecine» a répertorié plus de 300 plantes médicinales. Il a rédigé un traité médical majeur, *Des airs, des eaux et des lieux*. Ce livre fut *la* référence pendant des siècles. Le philosophe grec Théophraste (372-287 av. J.-C.), qui s'est consacré à la connaissance de la nature, a classifié, dans son traité *Histoire des plantes*, 455 plantes selon leurs grandes familles et utilités respectives. Il a jeté les bases premières de la botanique et de la phytothérapie[54]. Zénon de Kition, dit Le stoïcien (335-264 av. J.-C.), prônait une vie proche et respectueuse de la nature. Pline l'Ancien, naturaliste du premier siècle, écrivit une *Histoire naturelle* en 37 volumes. Le livre *De materia medica*, de Dioscoride (médecin du 1er siècle), a inspiré le terme «pharmacognosie», qui veut dire connaissance des plantes médicinales.

La tradition judéo-chrétienne enseigne de son côté que la révélation divine se réalise par deux canaux complémentaires: la nature et les Écritures. Origène (183/186-252/254) reconnaît que le Créateur a laissé sa marque divine (sa *trace* ou son *reflet*) à la fois dans les êtres humains, dans les animaux et dans les plantes. Ambroise de Milan (340-397) et Basile le Grand (329-379) ont vu dans l'édification harmonieuse de la nature une illustration de la sagesse de Dieu et dans l'homme un partenaire du Créateur.

Pour les penseurs enclins à la spiritualité, le monde sensible est un livre ouvert dont tous les éléments, animaux, minéraux et végétaux sans distinction, procèdent du même principe. Pour Augustin (354-430) et Eckhart (1260-1327), la nature rappelle la grandeur et l'image de Dieu. Pour Jean Chrysostome (344-407), les animaux doivent être respectés parce qu'ils ont la même origine que nous.

---

54   Plus proche de nous, le naturopathe suisse Alfred Vogel a publié un traité de phytothérapie intitulé *Docteur Nature*.

Albert le Grand (v. 1193-1280), philosophe, naturaliste et zoologue allemand, a introduit la philosophie grecque dans les universités d'Europe grâce à la civilisation musulmane qui l'avait conservée et traduite. La réflexion aristotélicienne de la nature comme forme en mouvement plus que matière inerte a trouvé alors plusieurs adeptes.

Pour Jean de la Croix (1542-1591), toute la Création reconnaît Dieu qui habite en elle: «Toutes les créatures, soit dans leur ensemble, soit dans leur individualité, ont un rapport avec Dieu, et chacune raconte dans son langage ce que Dieu est en elle. De toutes ces voix, il se forme pour l'âme un harmonieux et très suave concert qui surpasse tous les concerts et toutes les mélodies de la Terre.»

Dans une vision cosmique et solidaire avec la Création, des penseurs comme Michel de Montaigne (1533-1592) ont exigé le respect des animaux et vont jusqu'à les considérer de *la même famille que les êtres humains.*

Cette pensée, jusqu'alors respectueuse de la nature, a eu droit à une opposition de la part de philosophes comme René Descartes (1596-1650), qui affirmait: «Grâce à la science, l'homme sera désormais le maître et le possesseur de l'Univers.» L'auteur du *Discours de la méthode,* qui veut tout justifier par la raison, compare les animaux à des *horloges composées de roues et de ressorts.* Blaise Pascal (1623-1662), mathématicien et physicien, avoue être effrayé devant les espaces infinis qu'il juge *vides* et *silencieux,* inanimés. C'est le début de l'ère cartésienne, qui perdure jusqu'à aujourd'hui.

Des savants, comme Thomas Burnet à la fin du XVIIe siècle, élaborent une théorie plutôt sacrée de la Terre, en référence à la tradition biblique, alors que le physicien et chimiste irlandais Robert Boyle (1627-1691) sépare la nature de la métaphysique. Ce dernier a découvert le rôle prépondérant de l'oxygène dans le processus de combustion.

Des penseurs verts dans l'Angleterre de la fin du XVIIe siècle, comme l'horticulteur John Evelyn (1620-1706), qui a écrit *Sylva, un discours sur les arbres de la forêt* (2 tomes), le démographe John Graunt (1620-1674), qui a essayé de prévenir la peste à Londres et d'en étudier les causes, et le philosophe de la nature Matthew Hale (1609-1676), ont exigé une gestion conservatrice de la nature qui ne dépare pas l'image du Créateur.

Plusieurs hommes de lettres, comme Jean de La Fontaine (1621-1695), Jean-Jacques Rousseau (1712-1778), John Henry Newman (1801-1890), Fedor Mikhaïlovitch Dostoïevski (1821-1881) et Gerard Manley Hopkins (1844-1889), ont combattu tout geste qui asservit la nature. Ils encouragèrent l'étude et la contemplation de la sagesse contenue dans la Création, malgré la conception *chosifiante* propagée à leur époque par, entre autres, James Hutton, géologue britannique, auteur du traité *Théorie de la Terre*.

Augustus Montague Toplady (1740-1778) a écrit des hymnes sur la nature et la nécessité de sa préservation. John Wesley (1703-1791), fondateur de l'Église méthodiste, a rédigé des traités de médecine populaire pour les travailleurs dans les mines de charbon. Linnaeus (1707-1778), naturaliste et médecin suédois, a publié *Systema Naturae* (Les systèmes de la nature) et *Species plantarum* (Les espèces des plantes).

Gilbert White (1720-1793), naturaliste et ornithologue considéré comme le père de l'écologie, a fait cette réflexion sur le rôle essentiel des vers de terre: «Vers de Terre, bien que semblant petits et insignifiants dans la chaîne de la nature, pourtant, si vous disparaissez, vous verriez un épouvantable chaos... Les vers semblent être les grands promoteurs de la végétation qui pourrait survivre sans eux mais si mal...» Il a publié *Natural History,* qui inclut ses observations sur les oiseaux et les animaux de sa région. Il prônait l'étude des oiseaux en liberté, sans les capturer.

Grâce à l'essor des sciences naturelles de plus en plus spécialisées, des jardins botaniques furent créés dans plusieurs villes européennes à partir du XVIe siècle. On en comptait déjà 1600 au début du XIXe siècle.

En 1815, la première organisation écologique est née en Angleterre, la Commons Open Spaces and Foothpath Preservation Society.

Le souci de la préservation de la santé publique, en lien avec l'environnement et les voyages de plus en plus fréquents, obligea les autorités civiles à prendre de nouvelles mesures sévères. Avec la propagation de maladies épidémiques fatales et le manque de remèdes disponibles, les gouverneurs de Venise instituèrent, dès le XVe siècle, la quarantaine des navires qu'on soupçonnait de contamination. Johann Peter Franck formula, en 1779 à Vienne, les premiers principes d'hygiène publique.

En 1854, John Snow démontra que l'épidémie de choléra qui sévissait à Londres avait été répandue par l'eau contaminée de la Tamise. On prit de plus en plus conscience que les sols, l'eau, l'air et les aliments souillés sont sources et causes de maladies qui peuvent mener jusqu'à la mort. La santé devenait ainsi de plus en plus d'intérêt communautaire et public.

Vers la fin du XIXe siècle, Louis Pasteur et Claude Bernard s'entendent pour reconnaître que le «terrain» (ou l'environnement) du malade joue un rôle prépondérant dans l'apparition et le développement des maladies.

De son côté, le promoteur de la théorie de l'évolution des espèces au moyen de la sélection naturelle, Charles Darwin (1809-1882), estimait, suite à ses observations et ses voyages autour de la Terre, que «toute la nature est en guerre». Il a rappelé la loi de la jungle où les animaux les plus forts tuent et mangent férocement les plus faibles. Il a désacralisé ainsi l'idée romantique, courante à son époque, selon laquelle la nature était un refuge de paix, de silence et d'harmonie.

## Impact du début de l'ère industrielle

Préoccupés par la révolution industrielle qui commençait, des penseurs de l'école romantique comme François René de Chateaubriand (1768-1848), Alphonse de Lamartine (1790-1869) et Victor Hugo (1802-1885) appellent à une réconciliation avec la nature en raison des bouleversements du mode de vie des gens qui délaissaient la campagne pour aller travailler dans des mines et des usines polluantes bâties dans les banlieues des villes où l'on vivait de plus en plus entassés, loin de l'air pur.

La croissance démographique et ses conséquences multiples, qui se font déjà sentir au XVIII$^e$ siècle, alertent l'économiste anglais Thomas Robert Malthus (1766-1834). Il estime, dans son *Essai sur le principe de population* (1798), que l'explosion démographique menace la subsistance du monde. Il préconise la limitation volontaire des naissances.

Les ravages de la technologie se sont fait également sentir aux États-Unis et ont contribué au recul des milieux naturels. En 1739, Benjamin Franklin conteste au nom des «public rights» (droit public), en Pennsylvanie, le dépôt des déchets industriels dans les cours d'eau ou à proximité. En 1860, une association américaine voit le jour dans le but de préserver la nature. En 1872, le parc Yellowstone[55] devient le premier grand parc naturel au monde[56], déclaré officiellement zone protégée par un gouvernement.

Un naturaliste et philosophe américain, Henry David Thoreau (1817-1862), qui avait observé la disparition rapide des forêts en raison de l'essor de l'ère industrielle, afficha sa solidarité envers le monde de la flore et de la

---

55  Le parc Yellowstone dont la superficie est de 8890 km$^2$ (aussi grand que la Corse) se situe dans l'État du Wyoming et déborde sur le Montana et sur l'Idaho. Son nom vient de sa pierre jaune riche en soufre. Il compte 300 geysers, soit les deux tiers de ceux de la planète. Sa flore et sa faune sont très riches. Ce parc est reconnu comme patrimoine mondial par l'Unesco. Trois millions de visiteurs le visitent chaque année. Un nouveau Parc national vient d'être créé au Brésil, aux portes de la forêt amazonienne. Sa superficie s'étend à près de 30 000 km$^2$. Même la Chine se prépare à déclarer plusieurs de ses territoires «réserve protégée». Aujourd'hui, plus de 1500 grands parcs nationaux dans le monde ont suivi l'exemple de Yellowstone, couvrant 9% de la superficie de la planète.

56  Vers 250 avant notre ère, plusieurs pays légiféraient déjà afin de préserver leurs forêts. Le Sri Lanka serait un des premiers à avoir proclamé «réserve naturelle» une immense région de son territoire. À Ur (Mésopotamie), vers l'an 2700 avant notre ère, une déforestation sauvage a dégarni le sol.

faune. Il préconisait la sauvegarde urgente de la nature sauvage de plus en plus menacée et défigurée par l'activité humaine. Il écrivit des livres précurseurs sur l'histoire naturelle, préfigurant les méthodes de recherche de l'écologie et de l'histoire environnementale. Il vécut deux ans dans la forêt afin d'expérimenter le *transcendantalisme:* laisser l'être s'ouvrir et communier avec la nature et le transcendant. Le *transcendantalisme* est un mouvement philosophique créé par Ralph Waldo Emerson (1803-1882), qui en décrit les fondements dans un livre intitulé *Nature*. Il estime que la nature est divine, elle apprend à l'homo sapiens la raison et la beauté.

En 1866, Ernest Haeckel (1834-1919)[57] forge de toutes pièces le terme écologie et lui propose cette définition: «science des relations des organismes avec le monde environnant, c'est-à-dire, dans un sens large, science des conditions d'existence». Son contemporain Stanley Jevons (1835-1882), qui décelait déjà la dégradation de l'environnement avec l'évolution industrielle, affirme dès 1865, dans *The Coal Question:* «La conclusion est inévitable, notre présente heureuse progressive condition est une chose de durée limitée.» Cette prise de conscience écologique donne naissance au fameux Sierra Club en 1892.

Un chimiste allemand, Justus Von Liebig (1803-1873), fut le premier à découvrir que les plantes se nourrissent d'azote par le biais des microbes. Il a inventé, grâce au procédé de la synthèse chimique, l'engrais azoté. Vers 1909, Fritz Haber et Carl Bosch, fixèrent en laboratoire l'hydrogène à l'azote et commercialisèrent leurs agents fertilisants. L'usage intensif de cet engrais a aidé à améliorer, durant des années, le rendement, la croissance et la qualité des cultures. Par la suite, ce produit chimique a appauvri et détruit d'immenses terres, les a rendues stériles et incultivables. Il a pollué des nappes phréatiques, des lacs, des sources d'eau, et a fait proliférer les algues qui ont causé l'asphyxie d'une large partie de la flore et de la faune marines.

En 1878, l'Organisation Météorologique Mondiale (WMO) fait son apparition. Elle est maintenant annexée à l'ONU. En 1931, l'International Council of Scientific Unions (ICSU) regroupe une centaine de chercheurs en sciences naturelles, notamment en climatologie. Aujourd'hui, cette association œuvre conjointement avec l'UNESCO.

Au XXᵉ siècle, plusieurs penseurs dénoncent la domestication et la désacralisation de la nature. Charles Péguy (1873-1914) prône le respect de

---

57  Haeckel est un biologiste et un zoologiste allemand qui étudia le phénomène de l'embryon et celui du transformisme. Il s'est inspiré de son maître George Marsh qui avait publié en 1864 *L'homme et la nature* dans lequel il analysait profondément l'impact écologique destructeur de l'activité anthropique.

la nature, qui *doit s'étendre à toute la Création*. Il fait dire à Dieu, dans *Le Porche du mystère de la deuxième vertu:* «J'éclate tellement dans ma création que pour ne pas me voir vraiment il faudrait que ces pauvres gens fussent aveugles.» Nicolas Berdiaev affirme, dans son traité *De la destination de l'homme,* «un principe ontologique non seulement à l'égard des hommes, mais à l'égard des animaux, des plantes et même des objets inanimés». Pierre Teilhard de Chardin (1881-1955) estime que l'univers entier, incluant l'humanité, a été engendré dans le Christ, d'où son aspect sacré[58]. Le mal, phénomène historique, n'y a été introduit que par l'être humain. Paul Claudel (1868-1955) partage cette vision cosmique des éléments créés où «chaque arbre a sa personnalité, chaque bestiole son rôle, chaque voix sa place dans la symphonie». Toutes les créatures, selon lui, constituent et expriment les gestes et le langage de Dieu. Il dénonce l'élevage industriel des poules et des vaches «incarcérées et gavées scientifiquement». Il s'insurge aussi contre les *«nuages de soufre»* que crachent dans l'air les innombrables usines «qui pissent du vitriol et du chlore», polluant l'atmosphère[59].

Plus près de nous, le mathématicien et philosophe français Michel Serres fait de la question écologique un pilier fondamental qui touche l'avenir de l'humanité. Dans *Le Contrat Naturel*[60], il donne des droits à la nature qu'il exige de respecter. Les objets inertes deviennent également *sujets de droit* à protéger. Pour ne pas être «victimes de nos victoires», Serres invite à l'action ou à la réaction de la Volonté Générale face aux problèmes engendrés par les actuelles pratiques dégradantes, irresponsables et boulimiques qui saccagent l'habitat. Il appelle l'humanité à une «rectification des concepts», à une «maîtrise de la maîtrise du monde», à une signature d'un «contrat d'échange avec son entourage». Selon lui, la survie des espèces dépend des êtres humains qui façonnent un monde «au moyen de techniques dont les éléments dépendent de nos décisions». Il compare l'humain à un parasite égoïste: «Le parasite prend tout et ne donne rien; l'hôte donne tout et ne prend rien. Le droit de maîtrise et de propriété se réduit au parasitisme. Au contraire, le droit de symbiose se définit par la réciprocité: autant la nature donne à l'homme, autant celui-ci doit rendre à celle-là, devenue sujet de droit.»

---

58    Pierre Teilhard de Chardin perçoit le cosmos dans une vision christocentrique: «Celui qui aimera passionnément Jésus caché dans les forces qui font grandir la Terre, la Terre, maternellement, le soulèvera dans ses bras géants et elle lui fera contempler le visage de Dieu.»

59    Cf. Hélène et Jean Bastaire, *Le chant des créatures,* Paris, Cerf, 1996.

60    *Le Contrat Naturel* a paru la première fois aux éditions François Bourin, Paris, 1987. Il a été réédité chez Flammarion en 1992 puis en 1999.

## De plus en plus d'écologues

Le milieu naturel, qui a révélé, depuis le début de l'ère de l'industriali-sation, sa fragilité face à l'expansion de plus en plus intense de l'activité humaine, donne naissance à une science particulière appelée l'écologie. Les premiers écologues, Ernest Haeckel, Victor Ernest Shelford (1877-1968)[61], Frederic Clements (1874-1945)[62] et Charles Sutherland Elton (1900-1991)[63] étudient la difficile convivialité entre industrie, environne-ment, nature et climat. Les concepts d'écologie et d'écosystèmes sont nés. E. G. Hutchison (1930-1980), de l'Université Yale, développe les concepts d'eutrophisation (action de laisser des déchets organiques se putréfier dans l'eau) et de biosphère (1926).

En 1953, deux biologistes américains, Howard et Eugène Odum, rédigent un manuel important, *Fundamentals of Ecology*, traduit en vingt langues, dont la thèse est l'impossibilité de survie des espèces hors de leur environ-nement naturel holistique. Déjà, dès le début du XXe siècle, un écologue américain, Fairfield Osborn (1857-1935)[64], avait constaté que la planète était en danger à cause de l'activité de l'homme toujours insatisfait. Le titre de son livre posthume, *La Planète au pillage*, (traduction du titre original *Our plundered Planet*, 1948) est révélateur en lui-même.

## La conscience environnementale s'éveille

Une catastrophe naturelle, baptisée Dust Bowl (cuvette de poussière), est survenue aux États-Unis de 1933 à 1937. Elle couvrit de sable plu-sieurs grandes villes et États, comme le Colorado, le Kansas, l'Illinois, le Montana, le Nebraska, le Nouveau-Mexique, l'Oklahoma, le Texas et l'État de Washington. Des dommages majeurs furent causés à l'agriculture

---

61  Shelford était professeur de zoologie à Chicago, spécialiste de l'écologie physiologique, commu-nautaire et biogéographique. Il a étudié la bioclimatologie et influencé d'autres écologues comme H. C. Cowles, C. B. Davenport, Carl Semper, W. C. Allee et S. C. Kendeigh.

62  Clements a étudié la botanique. Il a décrit l'évolution et la succession des plantes selon les conditions locales.

63  Elton était un biologiste anglais. Il a établi l'écologie moderne de la population. Il fut un pionnier dans l'étude des plantes et des animaux dans leur environnement naturel. Il a défini le concept de chaîne alimentaire.

64  Fairfield Osborn, paléontologue, professeur de sciences naturelles et de zoologie puis doyen à l'Université Columbia, fut le lauréat de la Médaille Darwin (1918) et de la Médaille Daniel Giraud Elliot (1929). Sa réflexion se situe au milieu du débat qui se tenait au début du XXe siècle aux États-Unis sur les rapports entre le développement du progrès et la survie de la nature. Nous lisons dans la version française de son livre *La Planète au pillage*, publié chez Payot, à Paris, en 1949 (réédition: Actes Sud/Leméac, 2008): «L'humanité risque de consommer sa ruine par sa lutte incessante et universelle contre la nature plus que par n'importe quelles guerres.» Un de ses confrères, Dr Bush, avertissait aussi la communauté scientifique en écrivant un article intitulé «Men against nature» (L'homme contre la nature).

américaine et canadienne. Ce cataclysme était dû à deux décennies de culture *intensive* du coton et du maïs dans les Grandes Plaines, dont les techniques de plantation (mécanisation lourde, labourage en lanières de l'humus jusqu'à son ramollissement en vue d'une meilleure rétention d'eau) avaient favorisé l'érosion éolienne. La longue sécheresse qui sévit provoqua la déshydratation du sol et le transforma en poussière. Un demi-million de personnes ont dû se réfugier ailleurs. De nombreuses lésions des bronches, des troubles respiratoires, des infections aux yeux et aux oreilles furent relevées. Cette tragédie éveilla la conscience des Américains face aux problèmes environnementaux.

Près d'une décennie plus tard, les armes chimiques utilisées lors de la Deuxième Guerre mondiale, les bombes atomiques lancées sur Hiroshima et Nagasaki alertent davantage l'opinion publique sur la puissance que l'homme a développée pour détruire massivement et rapidement la vie sur la planète.

Face aux multiples saccages que subit la nature, plusieurs environnementalistes fondent en Suisse, en 1948, l'Union nationale pour la conservation de la nature dans le but de sensibiliser les citoyens et les gouvernements. D'autres accidents écologiques, qui seront mentionnés plus loin, les multiples rapports d'experts sur le réchauffement climatique, l'amincissement de la couche d'ozone, la pollution, la déforestation, l'entassement des déchets et les immenses nappes de pétrole déversées dans la mer ont porté la problématique environnementale au cœur de l'actualité et de la vie de chaque citoyen. Depuis, plusieurs écologues se sont levés et ont pris la parole, qui n'était pas souvent douce.

## Naissance des mouvements verts

La période de la « guerre froide » qui a régné depuis la fin de la Deuxième Guerre mondiale (1945) jusqu'à la chute du mur de Berlin (1989) et l'effondrement de l'empire soviétique tenait constamment le monde en haleine. Durant des décennies, la menace atomique était omniprésente. Rappelons-nous la crise des missiles de Cuba en 1962. L'éventualité de l'effacement de la vie sur la planète, vu le nombre d'armes atomiques disponibles, hantait les consciences. Dans les années 80, les travaux de l'astrophysicien Carl Sagan sur les retombées d'une éventuelle guerre atomique mondiale (incendies, fumées, hiver nucléaire planétaire qui éliminerait la race humaine) ont contribué à ralentir la course à l'arsenal atomique entre les deux superpuissances.

Parallèlement, la croissance industrielle effrénée a commencé à manifester ses effets désastreux sur l'environnement. La pollution industrielle faisait déjà de multiples ravages dans les communautés locales. Des centrales nucléaires furent implantées par dizaines dans plusieurs pays comme alternatives aux énergies de source pétrolière. Cette conjoncture a poussé des masses populaires à créer des partis écologistes sur les cinq continents.

Le mouvement écologiste européen *Ecoropa* a été fondé en Suisse par Denis de Rougemont dans les années cinquante. La mode hippie, hostile à la société industrielle dite de consommation, s'est propagée dans les années soixante et a trouvé des milliers d'adeptes dont plusieurs artistes. Ils prônèrent le retour à la nature. En 1971, le mouvement Greenpeace est né. En 1972, plusieurs politiciens, penseurs et chercheurs réunis sous le nom de Club de Rome[65], publient un document historique, *Halte à la Croissance,* qui en appelle à une prise de conscience des limites du développement exponentiel et à une meilleure gestion des ressources et de l'économie. Par la suite, d'imposantes manifestations ont eu lieu autour de centrales nucléaires pour empêcher la construction d'infrastructures similaires.

Des organismes écologistes internationaux indépendants voient le jour tels Équiterre, Friends of the Earth, World Resources Institute, World Widlife Fund (WWF), Natural Resources Defense Council, le Conseil de la Terre, Earth First!, l'Union internationale pour la conservation de la nature (UICN), l'Observatoire national des effets du réchauffement climatique (ONERC), la Fondation David Suzuki pour ne nommer que les plus connus.

Des partisans du mouvement radical Deep Ecology, dont John Moore, Derrick Jensen, Theodore Kaczynski, John Zerzan, Daniel Quinn et Élisée Reclus dénoncent la dégradation alarmante de l'état de la nature due aux activités anthropiques polluantes. Ils accusent l'être humain qui se prétend «démiurge» et supérieur à la nature.

Depuis les années 70, des partis verts sont présents et actifs dans près de 80 pays. Leur mission est de dénoncer les problèmes environnementaux à l'échelle de la planète et de proposer des solutions à la crise écologique. Pour eux, la paix, l'écologie, les questions de démocratie, de justice sociale, de santé humaine et de bien-être sont indissociables.

Le premier parti vert est né en mars 1972 à Hobart (Australie). La *Charte des verts mondiaux* (*Global Greens Charter* en anglais) a été promulguée

---

[65]    Cet organisme a été fondé par Aurelio Peccei en avril 1968 avec la participation d'une dizaine de scientifiques venus de différents pays. Leur mémoire, rédigé par Dennis et Donella Meadows à Cambridge (Connecticut), a été publié en 1972.

en avril 2001 à Canberra (Australie) et signée par 800 délégués de 70 pays. Cette charte, qui a notamment mis en lumière les principes de précaution et de développement durable, prônent la protection et le rétablissement de l'intégrité des écosystèmes, le respect de la biodiversité et des processus naturels de maintien de la vie, la reconnaissance de l'interdépendance des processus écologiques, sociaux et économiques, l'équilibre entre les intérêts personnels et communs, l'harmonisation entre la liberté d'action et la responsabilité, la favorisation de la diversité dans l'unité, la réconciliation des objectifs à long et à court terme, ainsi que la préservation des droits naturels et sociaux des générations actuelles et futures.

Cette charte s'inspire de l'écosophie, sagesse écologique prônée par le philosophe et naturaliste norvégien Arne Naessen (Naess), professeur à l'Université d'Oslo. Il a présenté ce nouveau concept de respect de la diversité et de justice sociale en 1973. Il préconise la modération pour mieux épargner à long terme les ressources naturelles, qui ont des droits et doivent être respectées pour leur valeur intrinsèque. Il a proposé cette formule devenue célèbre: «Des moyens simples pour des objectifs riches de sens». L'écosophie propose une philosophie de l'harmonie et de l'équilibre écologiques, une *éthique de la Terre* selon le titre d'un livre d'Aldo Leopold (1887-1948).

Même si le souci de la préservation de l'environnement remonte à la nuit des temps, puisque d'instinct nul être le moindrement conscient ne peut détruire sa «maison» ou son «jardin», la prise de conscience réelle s'est aiguisée progressivement au fil des siècles et des événements. Aujourd'hui, sauvegarder l'environnement est devenu primordial pour assurer de bonnes conditions de vie. Les écologues qui seront présentés dans les pages suivantes le démontrent.

## *Quelques écologues contemporains*[66]

**Rachel Carson**, biologiste et zoologiste américaine réputée, décrit, dans *Printemps silencieux,* devenu un classique en la matière, le combat chimique que l'être humain du XXe siècle a décidé d'entreprendre contre la nature et la vie, entraînant dans son sillage des dégâts environnementaux considérables, notamment aux États-Unis, depuis le milieu des années 40.

---

[66] Mentionnons, en plus de ces scientifiques retenus, dont le choix fut basé sur la haute pertinence de leurs discours, d'autres précurseurs, économistes et penseurs qui ont largement contribué à l'essor de la pensée environnementale actuelle: Ernest Friedrich Schumacher, Jean Dorst, Pierre Fournier, Barry Commoner, Amory Lovins, Paul Ehrlich, Aurelio Peccei, René Dubos, Nicholas Georgescu-Roegen et René Dumont.

Ses observations des pratiques agricoles, forestières, jardinières, même domestiques, l'incitent à affirmer que, dans l'usage intensif des produits biocides, «l'intervention humaine a pris une ampleur inquiétante et s'est orientée dans une direction qui l'est plus encore. L'homme, en effet, est en train de contaminer l'atmosphère, le sol, les rivières et la mer, en y répandant des substances dangereuses, voire mortelles. Cette pollution est en grande partie sans remèdes car elle déclenche un enchaînement fatal de dommages dans les domaines où se nourrit la vie et au sein même des tissus vivants. Dans cette contamination, maintenant universelle, du milieu naturel, les produits chimiques sont les dignes partenaires des éléments radioactifs[67].»

Des milliers d'animaux meurent en raison de l'épandage systématique de tonnes de substances synthétiques (insecticides, herbicides) hautement toxiques (DDT, DDD, hydrocarbures chlorurés, malathion, parathion, heptachlore, chlordane, dieldrine, aldrine, endrine, aminotriazole, amitrol), par avion, sur des millions d'hectares de forêts, de champs, de vergers, de zones d'habitation, dans le but de tuer une sorte d'insecte qui devient de plus en plus résistante après des opérations massives répétées. Des citoyens sont empoisonnés par ces pesticides disséminés par le vent. Ces poisons, dont la production a été multipliée par cinq en vingt ans, pénètrent les cellules des plantes, des animaux, des êtres humains, s'y emmagasinent et y demeurent, affectant les systèmes nerveux, immunitaire et reproducteur, provoquant aussi des mutations permanentes dans les gènes.

L'auteure a raison de s'étonner: «Les historiens de l'avenir seront peut-être confondus par notre aberration; comment, diront-ils, des gens intelligents ont-ils osé employer, pour détruire une poignée d'espèces nuisibles, une méthode qui contaminait leur monde, et mettait leur existence même en danger?»

Ce qui est plus aberrant, c'est que le Bureau fédéral du ministère de l'Agriculture ait promulgué et financé de telles initiatives malgré les avertissements sévères de plusieurs scientifiques et le non-consentement d'une grande partie de la population. Selon ces bureaucrates, conquérir la nature, préserver quelques espèces d'arbres et augmenter le rendement des sols justifiaient de tels moyens.

L'exemple de la Californie est révélateur. Le pesticide répandu uniquement dans cet État supprimerait «une population 5 à 10 fois supérieure à celle du globe»! «Sur 30 cueilleurs d'oranges, à Riverside en Californie,

---

67    Dans *Printemps silencieux*, Paris, Plon, 1972. Les autres citations de cette auteure proviennent de ce même ouvrage.

11 sont tombés malades, 10 ont dû être hospitalisés, en très fâcheux état; tous manifestaient les symptômes de l'empoisonnement par le parathion. Le verger où ils avaient travaillé avait été traité avec ce produit, de seize à dix-neuf jours plus tôt.»

L'application de ces substances entraîne, à la longue, un empoisonnement chronique du sol, et par conséquent des mises au rebut de récoltes et des pertes économiques et écologiques considérables.

L'auteure donne plusieurs exemples concrets d'hécatombes dues aux pesticides, alors que d'autres mesures inoffensives auraient pu être prises:

- À l'automne 1959, au Michigan, une croisade à l'aldrine fut menée contre le scarabée du Japon. Le lendemain, plus aucun oiseau ne volait. On trouva des oiseaux morts. Des citoyens présentaient les mêmes symptômes d'empoisonnement que les animaux qui mouraient: nausées, vomissements, frissons, fièvre, extrême fatigue, toux, maux de gorge, irritation pulmonaire.

- Malgré ces cas enregistrés par le service de santé local, l'expérience fut répétée avec les mêmes résultats dans différentes localités: dans l'Illinois, à Blue-Island et à Joliet où, «selon la société de chasse et de pêche locale, la population ailée du pays a été *virtuellement anéantie*; lapins, rats musqués, opossums et poissons ont également souffert.»

Ces actes immoraux qui consistent «à empoisonner délibérément les aliments, puis à vérifier que cela ne fera pas trop de mal aux gens» font s'interroger cette biologiste: «Une civilisation peut-elle mener une guerre sans merci contre des vies, sans se détruire elle-même et sans perdre jusqu'au droit de se dire *civilisée*?»

Une tragédie écologique similaire a eu lieu au Canada en juin 1954. Le gouvernement fédéral décida d'intervenir contre le ver du bourgeon de l'épinette dans une large zone forestière. Il largua par avion 1100 grammes de DDT à l'hectare sur des milliers d'acres autour du fleuve Miramichi (Nouveau-Brunswick). Il fallait sauver le sapin baumier, arbre vital pour l'industrie nationale du papier: «Deux jours après l'opération, des signes infaillibles ont montré que tout n'allait pas pour le mieux. De nombreux poissons, truites et saumons en particulier, étaient morts ou mourants sur le bord des ruisseaux. Le long des chemins, et dans les bois, beaucoup d'oiseaux avaient péri. Dans les rivières, toute vie s'était pétrifiée.» Les eaux douces étaient contaminées. L'industrie de la pêche au saumon, florissante dans cette région, fut compromise. De tels traitements furent appliqués par la suite dans plusieurs autres régions (le Maine, l'île de Vancouver, le Parc national Yellowstone, la Californie, le Texas et l'Alabama) avec les mêmes résultats.

D'autres disséminations aériennes de pesticides mortels mélangés à du mazout, utilisés dans l'État de New York pour combattre le zigzag, un papillon d'origine européenne, ont fait d'innombrables victimes: des enfants furent intoxiqués, des oiseaux, des poissons, des crabes et des insectes utiles ont été décimés, des végétations ont été brûlées, du lait et des produits fermiers contaminés. «Les habitants de Long Island, conduits par le célèbre ornithologue Robert Cushman Murphy, ont essayé de faire interdire à l'avance, par voie de justice, le traitement de 1957; mais les tribunaux ont refusé de se prononcer avant l'opération.»

Des recherches ont démontré l'impact négatif des pesticides et insecticides sur les cellules animales et humaines. Ils ralentissent sensiblement le processus d'oxydation de ces dernières et les transforment en cellules cancéreuses. D'importants stockages de ces produits synthétiques, dont plusieurs sont cancérigènes et provoquent la leucémie chez l'être humain, ont été retrouvés, entre autres, dans les œufs d'oiseaux et plusieurs animaux. Ce phénomène, à l'œuvre dans les tissus reproducteurs de l'être humain, constitue une grande menace. «Le péril moderne est précisément la destruction des gènes par des agents de fabrication humaine» affirme Rachel Carson, soucieuse de la transmission héréditaire et de la mutation inquiétante des chromosomes. Le médecin Malcolm Hargraves et ses collègues du service d'hématologie de la Clinique Mayo affirment que «presque tous leurs patients ont eu des contacts avec des toxiques chimiques, et en particulier des pesticides à base de DDT, de chlordane, de benzène, de lindane et de produits de distillation du pétrole.»

L'effet des pesticides est monstrueux sur la flore et la faune. Carson en cite quelques exemples bouleversants: «Des moustiques exposés au DDT pendant plusieurs générations se sont transformés en bizarres créatures, moitié mâles moitié femelles, que l'on a pour cette raison appelés gynandromorphes. Des plantes traitées avec divers phénols ont subi des pertes de chromosomes, des altérations de gènes, et un nombre impressionnant de mutations, *changements héréditaires irréversibles...* (Celles pulvérisées) à l'hexachlorure de benzène (BHC) voient leurs racines monstrueusement déformées par des grosseurs analogues à des tumeurs; le nombre de leurs chromosomes double à chaque division, faisant gonfler les cellules, jusqu'à ce que la multiplication devienne mécaniquement impossible. L'herbicide 2,4-D provoque également l'apparition de tumeurs sur des plantes.»

La solution à cette crise environnementale serait le recours à des mesures naturelles, notamment l'usage d'espèces concurrentes et prédatrices, proposées par les entomologistes. L'auteure cite plusieurs méthodes technobiologiques à succès:

- l'importation ou la culture d'espèces parasites qui élimineront l'insecte non désiré;
- la stérilisation des mâles;
- l'intervention au niveau de «l'hormone juvénile» de la larve de l'insecte, l'empêchant de se métamorphoser;
- l'attraction des mâles par des leurres (parfums, sons);
- l'usage de vibrations ultrasoniques;
- l'usage de micro-organismes qui interviendraient à notre profit;
- le repeuplement des forêts en oiseaux, en fourmis, en araignées, en petits mammifères qui nettoient les végétations et éliminent une grande quantité d'insectes.

Ces méthodes naturelles coûtent beaucoup moins cher. Elles ne sont pas nocives pour la santé de la flore, de la faune et des humains. Elles sont efficaces, durables et ne laissent pas de résidus toxiques.

**Jean-Pierre Dupuy** est professeur de philosophie sociale et politique à l'Université Stanford, spécialiste du «catastrophisme éclairé», concept qui invite à réfléchir sur les moyens éthiques, politiques et écologiques préventifs que l'humanité peut prendre face à un éventuel cataclysme. Il préconise une responsabilisation de l'humain qui, par son inertie devant les avertissements, par sa «bêtise... et absence de pensée[68]» serait la seule cause de ce qui lui arrive.

Sa réflexion met en garde les responsables qui, en toute connaissance de cause, ne s'engagent pas efficacement pour éviter l'autodestruction, «le déluge à venir»: «Il nous faut penser à la fois l'éventualité de la catastrophe et la responsabilité peut-être cosmique qui échoit à l'humanité pour l'éviter.» Si des mesures sérieuses ne sont pas entreprises d'ici peu pour traiter la crise écologique, il aurait raison d'affirmer que «l'humanité s'ingénie à mettre en péril sa propre survie.» Il serait alors question de *mal moral*, même de *mal systémique* (en lien avec le système dans son ensemble), en plus du *mal physique*.

---

68    Dans *Petite métaphysique des tsunamis,* Paris, Seuil, 2005.

**Masanobu Fukuoka** est un des plus éminents penseurs de l'agriculture contemporaine. Il a travaillé comme inspecteur alimentaire des douanes au Japon. Il a participé à des recherches sur la pathologie végétale. Il a été invité à plusieurs reprises à donner des conférences au siège de l'ONU et dans plusieurs universités américaines. Il dirige une exploitation agricole naturelle à Shikoku où il forme, depuis quarante ans, des générations d'agriculteurs. Sa méthode prône un respect de la nature en vue d'une utilisation durable des sols.

Je retiens de ses propos sa théorie sur la désertification et sa proposition quant au reverdissement des terres. Cette explication résume sa pensée sur la cause de l'appauvrissement des sols: «Au titre de la civilisation, on a abattu les arbres. Les progrès des pratiques agricoles ont reposé sur la culture sur brûlis. Tout cela a épuisé les sols, appauvri la végétation et enclenché le processus de désertification[69].»

Après une analyse de l'état du sol américain devenu un désert à plusieurs endroits, notamment en Californie, dans le Middle West et sur la côte Est, Fukuoka affirme que ce n'est pas le climat qui a bouleversé la situation, mais l'activité humaine (coupes à blanc, usage d'engrais chimiques et de pesticides, machineries lourdes, monoculture, surexploitation). La preuve, c'est qu'il y existe encore aujourd'hui un petit îlot de «forêts glaciaires» dans un immense désert. Ces arbres ont 2000 ans et mesurent 125 mètres. Ils sont toujours verdoyants et classés «parcs naturels». Des tribus amérindiennes y vivent.

Il critique l'agriculture «industrielle» et mécanisée aux États-Unis (comme en Europe) basée sur l'usage de machines géantes qui écrasent sur leur passage la terre et la transforme en poussière. À la moindre sécheresse, le vent l'emporte et l'éparpille. Le sol exposé à nu à la radiation du soleil peut atteindre jusqu'à deux fois et demie la température ambiante, ce qui accélère son processus de désertification. Il en donne un exemple: «En un point, à proximité immédiate d'une végétation en pleine sève, la température pourrait être de 30° alors qu'au même instant sur une étendue d'herbes jaunies elle serait de 70 à 80°.»

De plus, les pulvérisateurs massifs utilisés drainent, lors des irrigations intenses, les sels en surface et s'y accumulent. C'est ainsi que «le déclin de fertilité amène les taux de rendement à diminuer de moitié chaque dix ans.» Ces méthodes détruisent la nature et la qualité des aliments.

---

69    Dans *La voie du retour à la nature. Théorie et pratique pour une philosophie verte*, Paris, Le Courrier du livre, 2005.

Il préconise le retour au compost et au fumier, la conversion aux cultures biologiques ainsi que le principe suivant: «choisir le petit plutôt que le gros, ne pas développer plutôt que développer». Son exploitation agricole n'utilise ni engrais chimiques ni pesticides, et produit avec succès depuis 40 ans toutes sortes d'agrumes, du riz et de l'orge.

La problématique résiderait dans la conception même de la nature et de l'être humain: «Les Occidentaux voient dans l'homme une survivance de la nature conquise; pour eux, l'homme s'adapte en reconstruisant la nature à sa convenance. C'est ainsi qu'en Occident, les aménagements protecteurs de l'environnement sont dirigés pour le bien de l'homme, pas pour celui de la nature.» Cette vision, dit-il, contraste fondamentalement avec celle des «fermiers du Japon (qui) forment un peuple qui doit son existence à la grâce de la nature; il est donc naturel qu'ils en prennent grand soin.» Il renchérit: «Pour un Japonais, protéger la nature ne signifie pas protéger les arbres mais, bien plutôt, se protéger soi-même.»

Fukuoka pointe les ravages de l'activité de l'homme qui ne cesse, par ses pratiques abusives, de ruiner le sol qui le nourrit: «Là où l'on doit parler de véritable destruction, c'est à chaque fois que l'homme a contrecarré le cours de la nature, disons en amont entraînant par suite la ruine en aval. La destruction des sols et les récoltes artificielles sont la signature d'un démantèlement. Même si la moisson de riz est abondante, le sol sous vos pieds a été miné.»

Il craint le dessèchement rapide du sol des États-Unis: «Si la terre américaine tombe victime des pratiques agricoles et persiste à être mise en pièces à la cadence actuelle, elle ne résistera pas une cinquantaine d'années encore. Il se pourrait bien que ce soit au mieux vingt ou trente ans.»

Sa crainte s'élargit pour englober plusieurs pays comme la Corée, la Chine, les pays d'Afrique, le Brésil, la Thaïlande, et plusieurs contrées de l'Asie du sud-est et de l'Europe. Réfléchissant sur les mesures à prendre pour la protection des sols, il écrit: «Se contenter d'avoir des gens qui dans les agglomérations plantent des arbres, et engagent une politique de prêts et aides variées à la construction de digues et barrages avec systèmes d'irrigation pour les zones sinistrées, c'est chercher un résultat au lieu de soigner la cause du problème. Bien que je ne doute pas que cette politique puisse être également nécessaire, le besoin le plus pressant à l'heure actuelle est de trouver un moyen fondamental qui freine la désertification. Je crois fermement que, pour commencer, il faut mettre en lumière les raisons précises qui font que ces terres sont devenues désertiques et traiter le mal à sa racine.»

Fukuoka identifie tout d'abord plusieurs raisons qui font que l'herbe ne reprend pas malgré la présence d'eau:

- les machines lourdes agricoles carbonisent la végétation, ce qui «cuit» et enterre les herbes de surface;
- le dépouillement d'une sorte de graines désorganise l'écosystème;
- une panne se déclenche dans la biosphère et entraîne le chaos;
- l'élevage intensif de bétail détruit le sol.

Pour contrecarrer l'avancée du désert et faire reverdir les sols, il exige le respect de l'écosystème. Voilà quelques-uns des gestes qu'il préconise pour la réhabilitation des sols:

- répandre du compost, du fumier, de l'humus;
- exclure toute habitation sédentarisée;
- exclure les animaux domestiques;
- bannir tout engrais chimique ou pesticide;
- semer en une seule fois, avant la saison des pluies, sur une grande surface, un mélange de graines résistantes le plus varié et le plus nombreux possible en vue de restaurer le tissu botanique originel propre à ce lieu (graines de légumes, de céréales, de différentes sortes de plantes, d'herbes, de végétations, semences de graminées)[70];
- laisser faire la nature, les insectes, les mouches chalcides, les papillons qui constituent un antidote naturel de la contamination éventuelle.

Masanobu Fukuoka a tenté de telles expériences à plusieurs reprises, à différents endroits. Ce fut toujours un succès. Une partie des graines semées s'adaptent, enrichissent le sol, le reverdissent, le protègent et contribuent à en éliminer le sel.

**Mikhaïl Gorbatchev**, Prix Nobel de la Paix (1990), a publié un essai, *Mon manifeste pour la Terre*, dans lequel il relate sa longue expérience écologique qui l'a incité à fonder l'organisme Green Cross (Croix verte), dont le but est de prévenir et de résoudre les conflits d'ordre écologique entre les pays. Conjointement avec le Conseil de la Terre, Green Cross a élaboré, après six ans de vastes consultations internationales, la *Charte de la Terre*, publiée à Paris le 12 mars 2000. Ce document propose un cadre législatif,

---

70  Pour obtenir une re-végétation du désert, il serait impératif, d'après lui, de répandre par aéroplane la semence sur l'ensemble de la superficie désignée. L'ONU pense appliquer cette méthode. En outre, le département de l'Agriculture de l'Université Davis aux États-Unis s'intéresse vivement à cette stratégie naturelle qui est différente de celle de l'agriculture scientifique ou biologique.

économique et éthique. Ses principes sont: le respect et la protection de la communauté de la vie, l'intégrité écologique, la justice sociale et économique, la démocratie, la non-violence et la paix.

Dans son livre, Gorbatchev affirme, après avoir énuméré les différents cataclysmes naturels et l'état actuel de l'environnement: «Nous sommes entrés en conflit avec notre propre milieu d'habitation, c'est-à-dire la nature, notre terre nourricière[71].»

Il fait le procès de l'économie qui prévaut aujourd'hui: «Le marché actuel n'accorde aucun prix à ce qui, dans cent ans, aura le plus de valeur pour les hommes. Comment estimer en termes de marché la beauté d'un lac ou d'un sommet enneigé? Comment justifier en termes de rentabilité le sauvetage d'animaux ou d'insectes prétendus inutiles? Et pourtant, les biologistes et les économistes ont calculé en 1997 que la valeur des services que nous rend la nature – air pur, eau pure, terres fertiles – pouvait être estimée à 33 000 milliards de dollars par an. La nature ne nous réclame rien en échange de ces services. Mais nos descendants ne seront-ils pas contraints, eux, de dépenser des sommes comparables, sinon bien supérieures, pour tenter d'assainir la planète que nous aurons polluée?»

Selon lui, les mesures prises pour respecter l'environnement ont assurément un prix économique, mais qui sera résorbé par l'essor et les besoins des nouvelles technologies propres: «La réorientation de la consommation consécutive à l'intégration des coûts environnementaux dans les prix des marchandises et des services pourrait certes entraîner un tassement de l'activité économique dans certains domaines, mais, en contrepartie, les choix écologiques de la société seraient eux-mêmes sources de création d'emploi. L'apparition de nouveaux secteurs industriels écologiquement propres, le développement rapide d'entreprises de recyclage de déchets industriels et ménagers, la création et l'entretien de réserves naturelles, l'essor du tourisme écologique dans ces zones, réclameront une importante force de travail.» Il appelle tous les citoyens du monde à unir leurs efforts pour «donner naissance à une société civile planétaire qui exerce une influence sur les gouvernements et les cercles d'affaires du monde entier, et les force à prendre en compte les facteurs écologiques et sociaux».

Il propose la création d'un Tribunal écologique international qui «d'un côté, remplirait des fonctions d'arbitrage, et de l'autre, jugerait aussi bien les pays que les entreprises privées reconnues coupables d'avoir porté préjudice à l'environnement et aux populations».

---

71   *Mon manifeste pour la Terre*, Gordes, Le Relié, 2002.

Optimiste, il estime que la conscience écologique est en train de s'implanter graduellement, au même titre que les autres évolutions sociales de ce siècle: «À une époque de transformations accélérées, la conscience sociale se modifie, elle aussi, à toute vitesse. Notre seule génération a vu la mentalité des sociétés occidentales accomplir des progrès considérables: expansion de l'idéologie des droits de l'homme, victoire sur le racisme, égalité de sexes, reconnaissance des droits de l'enfant, tolérance plus grande aux choix de vie personnels. Je pense que *l'écologisation* des consciences n'est plus, à son tour, que l'affaire de quelques années.»

**Al Gore** a été élu sénateur des États-Unis en 1984. Il a été président de la sous-commission du Sénat sur l'espace, vice-président puis candidat à l'élection présidentielle en 2000. Il a publié deux livres sur l'environnement. Dans *Urgence planète Terre. L'esprit humain face à la crise écologique,* il lance, s'appuyant sur un large éventail d'experts, un avertissement sans équivoque: «l'orage se prépare» à cause de notre relation cupide et dévastatrice envers la Terre. Il a partagé le Prix Nobel de la Paix (2007) avec le GIEC qui, selon le Comité Nobel, ont «créé un consensus plus largement informé sur le lien entre l'activité humaine et le réchauffement climatique».

Après avoir longuement décrit la situation environnementale consternante de la planète (réchauffement climatique, couche d'ozone[72], inondations, déforestation, désertification, érosion du sol, pollution[73], crise de déchets domestiques, industriels, chimiques et dangereux, crise d'eau, fonte des glaciers, salinisation, hausse du niveau de la mer, extermination en masse d'un grand nombre d'espèces, destruction de plusieurs écosystèmes, mort

---

[72]  L'augmentation des rayons ultraviolets, à cause de l'amincissement de la couche d'ozone, surtout dans l'hémisphère sud, fait accroître le niveau de $CO_2$ dans l'air. Ils causent des cataractes. Plus de 75% des adultes du nord-est de l'Australie développent une forme de cancer de la peau. En Patagonie, des lapins et des saumons aveugles ont été repérés. *Urgence planète Terre. L'esprit humain face à la crise écologique,* Paris, Alphée, 2007.

[73]  Gore mentionne des exemples tragiques de pollution atmosphérique au temps du régime communiste: «Dans certaines régions polonaises, on faisait descendre les enfants dans les mines pour qu'ils ne respirent pas les gaz nocifs et les polluants répandus dans l'air ambiant; à Copsa Mica (Roumanie), les arbres et le gazon étaient noirs à cause de la suie; au nord de la Tchécoslovaquie qui était extrêmement polluée, l'État donnait des primes pour ceux qui y vivaient plus de dix ans; l'Ukraine rejetait dans l'air plus de polluants que l'ensemble des États-Unis.» Voici d'autres exemples de pollution des eaux aussi dramatiques: la rivière Cuyahoga (Cleveland, Ohio) est tellement polluée qu'elle s'est enflammée à trois reprises. En 1936, en 1952 et en 1969, elle brûla carrément durant 24 minutes. Les diverses huiles qui flottaient à la surface ont été probablement embrasées par des étincelles de roue d'un train; en Union soviétique, les rivières continuent toujours à s'enflammer; en Ukraine, le mégot d'un cultivateur jeté dans la rivière Noren la fit exploser et le feu dura cinq heures; la Vistule transporte tellement de polluants toxiques ou corrosifs que son eau ne peut être utilisée pour refroidir les machines-outils.

de 37 000 enfants chaque jour à cause de la faim et de la mauvaise qualité de l'eau), Gore propose une intervention urgente à l'échelle planétaire, une sorte de «plan Marshall» pour tenter de résoudre ce conflit aigu entre les présentes habitudes de nos sociétés industrielles et le système écologique.

Il invite tous les pays à adopter unanimement un nouveau mode de pensée respectueux de l'environnement. Ceux qui persisteraient à ne rien faire deviendraient, selon son expression assez dure, «les complices muets de la mort, dans l'élimination cynique de l'espèce humaine». Vu l'ampleur de la situation qui touche tous les continents, il affirme: «Nous devons trouver le moyen de faire cause commune puisqu'il s'agit d'une crise planétaire qui exige des solutions à l'échelle de la planète.»

Son «plan Marshall» universel vise cinq objectifs:

1. la stabilisation de la population de la planète, qui comptera plus de neuf milliards d'habitants en 2050, donc plus de demandes en énergie, plus de déchets, plus de déplacements, plus de $CO_2$;

2. la création et le développement rapides de technologies adéquates respectueuses de l'environnement (en matière d'agriculture, de forêt, d'énergie, de techniques de construction, de réduction des déchets et de recyclage);

3. la modification générale et universelle des règles économiques au moyen desquelles nous évaluons l'impact de nos décisions sur l'environnement (label vert, échanges dette-nature qui annulent la dette des pays pauvres si ces derniers participent à la sauvegarde de l'environnement, surtout des zones stratégiques, instauration de marchés inter-États[74] pour les quotas d'émission de GES);

4. la négociation d'une nouvelle génération d'accords internationaux en lien avec l'environnement;

5. la sensibilisation des citoyens du monde aux problèmes de l'environnement.

Al Gore demeure encourageant, tout en signalant que notre système est sur le point de basculer, de «perdre son équilibre fondamental». Néanmoins, il fait de cette situation environnementale pénible une source d'espoir. Tous les êtres humains sont appelés à retrousser leurs manches et à travailler ensemble

---

74 Un exemple réussi de cette expérience «cap and trade» a eu lieu avec les pluies acides. Ce système permettait de vendre et d'acheter des émissions de $SO_2$ (sulfure de dioxyde). Une Bourse du climat de Chicago pour le $CO_2$ est déjà en fonction. L'entreprise qui réussit à réduire ses émissions au-delà de la limite permise vend ses crédits de carbone et en tire profit. Dans le cas contraire, elle doit acheter les crédits d'autres entreprises. Le CCX (Chicago Climate Exchange) peut devenir une source rentable et pour les industries et pour le climat.

pour rétablir l'équilibre de vie. Il invite les citoyens à être eux-mêmes les agents initiateurs et promoteurs du «bouleversement que notre civilisation doit subir». Il préconise une «écologie de l'âme», un examen profond intérieur de l'agir individuel et collectif. Il en appelle à une conversion écologique générale, à une nouvelle et noble *vocation* pleine d'espérance. Les défis sont, d'après lui, stimulants et exigeants: «La crise climatique nous donne l'opportunité de vivre ce que peu de générations ont eu le privilège d'expérimenter au cours de l'Histoire: une mission pour toute une génération, la joie de poursuivre un but moral, de partager une cause unificatrice, le frisson causé par l'obligation de mettre de côté nos mesquineries et nos conflits qui trop souvent étouffent le besoin humain irrépressible de se transcender.»

**Nicolas Hulot** a créé en France la Fondation Nicolas Hulot pour la Nature et l'Homme. Avec la collaboration du Comité de veille écologique, composé de 24 spécialistes en zoologie, écologie, philosophie, énergie, communication, génie, agronomie, médecine, politique, climatologie, droit et paléoanthropologie, il a conçu un *Pacte écologique* qu'il a proposé, sous forme de lettre ouverte, aux candidats des présidentielles de 2007. L'écologie n'y est pas présentée comme *une* priorité, mais comme *la* priorité, pas comme «stratégie électorale», mais comme «cause commune».

Le *Pacte* est une sorte de thérapie urgente, vu le diagnostic grave: «Nous sommes arrivés à un carrefour de crises: un péril écologique et social majeur guette l'humanité à échéance rapide et cette menace s'amplifie et accélère toutes les tensions à l'œuvre entre les hommes sur la planète. C'est une vérité effarante à dire et à reconnaître. L'irréversible est à notre seuil. Comment l'éviter? Nous n'avons pas d'autre alternative que d'engager une vaste mutation économique, sociale et culturelle, en nous appuyant sur une mobilisation collective. Je propose qu'elle s'organise autour d'un "pacte écologique". Un nouveau contrat pour une nouvelle donne[75].»

Hulot affirme que nous sommes «à la fois responsables des avancées du progrès et victimes de ses conséquences perverses». *Responsables* de la détérioration de notre environnement à tous les niveaux (sol, eau, air) par notre participation à l'origine du problème. *Victimes* passives qui tardent à réagir, à se défendre ou à appliquer le remède salutaire, qui subissent «le changement plutôt que de l'orchestrer».

---

75 Dans *Pour un pacte écologique*, de Nicolas Hulot, Paris, Calmann-Lévy, 2006. Un autre livre de la même ampleur est à recommander: *Réparer la planète. La révolution de l'économie positive*, de Maximilien Rouer et Anne Gouyon, Paris, JC Lattès et BeCitizen, 2007.

L'outil concret et efficace qu'il propose vise dix objectifs «pour un changement de cap». La *métamorphose* qu'il prône passe nécessairement par *le moins:* «Moins de consommation d'énergie, moins d'utilisation de matières premières, moins de déchets, moins de déplacements, moins de produits chimiques…, c'est-à-dire, au final, moins d'impact écologique, alors que, de tous côtés, tout pousse *au plus.*»

Voilà les dix choix politiques qui ajusteraient, selon ce *Pacte*, différentes activités humaines aux limites naturelles:

1. économie: viser une économie dont la logique serait la durabilité du produit, la possibilité de sa réparation, de son recyclage, même de sa location au lieu de sa vente;
2. énergie: baisser la consommation de ressources fossiles polluantes et diviser par quatre les émissions des GES d'ici 2050;
3. agriculture: favoriser une agriculture qui respecterait l'environnement, le travail paysan, la qualité des produits et la santé;
4. territoire: contenir l'extension périurbaine et relocaliser les activités humaines;
5. transports: sortir du tout routier, réduire les modes de transport énergivores, augmenter les moyens de déplacement plus propres;
6. fiscalité: établir le véritable prix des services rendus par la nature;
7. biodiversité: faire entrer la nature dans l'aménagement du territoire;
8. santé: prévenir avant de guérir;
9. recherche et innovation: sortir l'écologie scientifique de l'isolement;
10. politique internationale: prendre l'initiative d'ériger en priorité diplomatique le défi écologique et les menaces qu'il constitue sur la sécurité mondiale.

**Hans Jonas** est un philosophe majeur du XX$^e$ siècle. Il a été l'élève de Heidegger, de Husserl, de Bultman et de Hannah Arendt. Il a enseigné à Jérusalem, au Canada, à New York et à Munich. Il a étudié les problèmes sociaux et éthiques créés par la technologie. Il insiste sur le fait que la survie humaine dépend de nos efforts à prendre soin de la planète et de son avenir. Il a écrit, entre autres, *Le principe de responsabilité* et *Pour une éthique du futur*. Son concept original de «responsabilité» fait interdire à l'humain une action qui pourrait mettre en danger l'existence des générations futures ou de la Terre en général. Sa recherche en éthique a inspiré le «principe de précaution».

Hans Jonas insiste sur cette responsabilité intergénérationnelle. Il s'inspire de l'assertion éthique d'Emmanuel Kant: «Agis de telle sorte que tu puisses également vouloir que ta maxime devienne une loi universelle.» Il en a rédigé plusieurs interprétations qu'il a fait siennes, dont la plus célèbre est: «Agis de façon que les effets de ton action soient compatibles avec la Permanence d'une vie authentiquement humaine sur Terre... pas destructeurs pour la possibilité future d'une telle vie[76].» Sa voix s'élève contre ceux qui ne se soucient pas d'environnement à long terme et compromettent l'intégralité des intérêts des autres: «Nous n'avons pas le droit de choisir le non-être des générations futures à cause de l'être de la génération actuelle, même pas le droit de le risquer.» C'est une éthique motivée par la compassion et la solidarité envers ceux qui ne sont pas nés encore.

Il affirme que même dans le but noble de sauver sa nation, le *politicien* ne peut nullement recourir à des moyens qui risqueraient de détruire l'humanité. Les générations futures seraient bien placées, le cas échéant, pour le tenir (nous tenir) responsable de leurs malheurs si par insouciance il avait détérioré, alors que ça aurait pu être évité, la qualité de l'environnement. Sa «loi de l'écologie» ne laisse pas de place à l'ambiguïté: «L'avenir de l'humanité est la première obligation de comportement collectif humain à l'âge de la civilisation technique devenue *toute-puissante*.»

L'essentiel de sa réflexion se situe au niveau de l'éthique de la conservation de l'espèce, de la préservation de l'environnement, de l'empêchement de l'«apocalypse», et non au niveau de l'éthique du progrès et du perfectionnement scientifique ou technologique. Le manque d'éthique écologique depuis quelques décennies, l'économie de profit qu'il faut remplacer par «l'économie de besoin», la «production de marché visant à exciter le consommateur» et autres vecteurs ont conduit l'humanité à la présente crise: «Nous vivons dans une situation apocalyptique, c'est-à-dire dans l'imminence d'une catastrophe universelle, au cas où nous laisserions les choses actuelles poursuivre leur cours.» Jonas préconise une instance internationale pour la préservation urgente de la biosphère.

**Wangari Maathai**, Prix Nobel de la Paix (2004), est une pionnière dans la reforestation du Kenya et de l'Afrique en général qui a suivi son message. Elle est biologiste de formation, directrice de la Croix-Rouge de sa nation, ardente défenderesse des droits de l'homme et ministre de l'Environnement depuis 2003. Elle a fondé, il y a 30 ans, un mouvement populaire, baptisé

---

76    Dans *Le Principe de responsabilité,* Paris, Flammarion, 1998 (ré-édition, Cerf, 1990).

Green Belt Movement (GBM, Mouvement de la ceinture verte), composé surtout de femmes qui plantent des arbres.

Nécessité oblige. Ces femmes rurales n'avaient plus de bois pour cuisiner. Elles allaient de plus en plus loin pour ramasser des branches mortes. Leur famille se nourrissait de denrées qui nécessitaient peu de combustible. Cela provoqua une crise de malnutrition chez les enfants. Wangari Maathai a aidé ces femmes à identifier leur problème, leurs causes et les éventuelles solutions. Elles ont vite compris que, aussi démunies et illettrées fussent-elles, elles détenaient une partie de la solution pour améliorer leurs conditions de vie: planter des arbres, en être les gardiennes et les bénéficiaires. Ces gens ordinaires sont devenus des producteurs de semis et des «forestiers sans diplômes». Ils ont multiplié les pépinières, aplani des terrains, creusé des tranchées pour accumuler l'eau, aménagé des terrasses.

Bientôt, cette pratique s'est répandue dans l'ensemble du pays. Des cérémonies fréquentes de plantation d'arbres collective ont lieu depuis 1977. Lors de ces plantations, on récite ce texte qui traduit l'esprit du geste: «Étant conscients que le Kenya est menacé par l'extension de la désertification, que celle-ci est le résultat d'un mauvais usage de la terre et d'une érosion du sol due aux éléments, que de tels faits mènent à la sécheresse, à la malnutrition, à la famine et à la mort, nous avons résolu de sauver notre terre en prévenant cette désertification par la plantation d'arbres partout où ce sera possible. En prononçant ces mots, nous prenons chacun l'engagement personnel de sauver notre pays des actes et des éléments qui empêcheraient les générations présentes et futures de jouir de l'abondance (de ressources) qui est le droit fondamental et le bien de tous[77].»

Les femmes ont planté des arbres dans les forêts déboisées, près de leurs habitations, dans les villes, sur des terrains publics (3000 écoles, plusieurs églises, hôpitaux, camps de chefs). En peu de temps, le sol fut protégé de l'érosion et de l'assèchement, le bois est redevenu abondant, il y eut moins de chômage, moins de malnutrition. L'excédent des fruits produits par les arbres fruitiers a été vendu. L'agriculture biologique s'est développée. L'usage du fumier, du paillage et du compostage s'est répandu. Un système de rotation des récoltes a été organisé. La culture de plantes autochtones à valeur nutritive a été réadoptée. Des voyages écotouristiques ont été instaurés. Un système d'éducation civique (par petits groupes) et scolaire a été implanté «afin de préserver et de renforcer un environnement de qualité.»

---

[77] *Pour l'amour des arbres,* Wangari Maathai, Paris, l'Archipel, 2005.

Selon Wangari Maathai, notre ère d'activités humaines dévastatrices pour l'environnement serait source de réflexion et un passage vers un niveau de conscience supérieur.

**Jean-Marie Pelt** et **Gilles-Éric Séralini** sont deux biologistes français bien engagés. Le premier a mobilisé la France et toute l'Europe face à la généralisation du marché des OGM. Grâce à lui, les OGM sont mieux contrôlés et l'ensemble des citoyens de l'Union européenne les refusent.

Ils affirment sans ambages: «Nous devons affronter une transformation radicale des milieux qui hypothèque le retour à un état sanitaire satisfaisant. Nous touchons aux rivages de l'irréversible[78]» et «la machine climatique est proche de la détérioration irréversible.» Ils pensent que l'humanité est en train de vivre sa *sixième extinction*[79] si elle ne réagit pas tout de suite et ne change pas ses modes de pollution.

Pelt et Séralini en appellent à la préservation de la biodiversité pour cinq raisons:
- parce que la biodiversité est le moteur de la santé planétaire;
- parce que la biodiversité est d'une utilité directe et quotidienne pour l'homme et les espèces qui lui sont proches, notamment en lui fournissant une multitude de plantes médicinales et de substances thérapeutiques actives;
- parce que la biodiversité est un indicateur toxicologique naturel;
- parce que la biodiversité représente la seule assurance-avenir réelle pour les générations futures;
- parce que la biodiversité est une importante source de connaissance et d'observation de la vie puisqu'elle apporte un savoir et des solutions à nos questions.

La vie sur Terre est interreliée à tout l'ensemble vivant. Son isolation entraînerait sa fragilisation. Pelt et Séralini citent un bilan de l'ONU sur l'état de la Terre, publié en 2005, qui indique que «60% des écosystèmes sont déjà dégradés ou surexploités». Ils commentent: «Ce rapport, élaboré par 1360 experts de 95 pays, n'a suscité qu'un écho fort modeste au sein de la classe politique mondiale[80].»

Ils déplorent l'usage intensif et généralisé des pesticides qui polluent les eaux de surface, du sous-sol, intoxiquent les amphibiens, les oiseaux, les

---

78    *Après nous le déluge ?* Jean-Marie Pelt et Gilles-Éric Séralini, Paris, Flammarion/Fayard, 2006.
79    Cf. Richard Leakey et Roger Lewin, *La sixième extinction,* Paris, Flammarion, 1997.
80    Voir www.milleniumassesment.org

insectes, les abeilles et autres mellifères. Ils qualifient ces pesticides (ainsi que les résidus de plastique, de pétrole et autres produits chimiques) de «bombe à retardement» qui «imprègne l'environnement, notre organisme et celui des animaux[81].» Ces substances sont cancérigènes, mutagènes, reprotoxiques, peuvent affecter le système nerveux, endocrinien, reproducteur, respiratoire, immunitaire et hormonal.

Deux études récentes, qui datent de 2005, en plus de centaines d'autres qui ne cessent de le prouver, corroborent leur assertion: des scientifiques du Maryland ont mis en relief la relation entre les nitrates présents dans l'eau potable et des cas de leucémie chez des enfants, aussi entre l'herbicide Métolachlor et le cancer des os. D'autres scientifiques de Detroit ont montré le lien entre le butadiène utilisé dans l'industrie du caoutchouc et une forme de leucémie.

Pelt et Séralini rappellent le cas de l'*agent orange*, ce pesticide répandu par les Américains sur les forêts vietnamiennes sous lesquelles les soldats vietnamiens se cachaient. Ce produit «mutagène, reprotoxique, génotoxique» cause jusqu'à maintenant «des anomalies génétiques, des malformations, des atteintes du système nerveux et des cancers».

Un article publié à ce sujet par Jean-Claude Pomonti dans *Le Monde* (édition du 27 avril 2005) affirme qu'«en dix ans de guerre, de 1961 à 1971, les avions américains ont déversé 40 millions de litres d'agent orange, contenant environ 336 kilos de dioxine, sur 3 millions d'hectares de forêts, mangrove comprise. Or, d'après une étude de l'université new-yorkaise Columbia, rapportée par le quotidien, 80 grammes de dioxine suffisent pour empoisonner une ville de 8 millions d'habitants. Pour le moment, au Viêt-nam, on évalue entre 3 et 4 millions, sur trois générations, le nombre des victimes de ce qui fut la plus grande guerre chimique de l'histoire».

Jean-Marie Pelt et Gilles-Éric Séralini prévoient trois hypothèses pour l'avenir de l'humanité: 1) l'adaptation à ces nouvelles conditions environnementales, 2) l'extinction par manque d'adaptation, 3) la spéciation (ou évolution divergente des espèces).

Ils proposent enfin, en guise de conclusion, quelques solutions:
- une «mondialisation du pouvoir politique articulée sur une régionalisation de celui-ci permettrait peut-être d'équilibrer la mondialisation économique, d'atteindre des solutions durables»;

---

81  La Conférence internationale de Dubaï, tenue en février 2006, a adopté une résolution pour «minimiser les effets défavorables importants des produits chimiques sur la santé humaine et l'environnement» en 2020. Pourquoi attendre quatorze ans ? Équiterre réclame une «liste blanche» de pesticides permis.

- un renforcement de l'ONU qui interviendrait en cette matière;
- une vision de l'avenir «en termes de préservation de la planète, de santé des générations futures, d'égalité d'accès aux ressources vitales, d'équité dans le partage des richesses»;
- un élargissement du GIEC jusqu'à y inclure des biologistes qui dénonceraient «les menaces qui pèsent sur les écosystèmes et sur la santé des êtres vivants»;
- une consultation d'organismes qui regroupent des scientifiques indépendants pour ce qui concerne l'énergie nucléaire, la radioactivité, les OGM, les pollutions génétiques, en vue de contribuer à l'émergence du développement durable;
- la création d'une Organisation mondiale de l'environnement (OME) qui ferait contrepoids à l'Organisation mondiale du commerce (OMC);
- un programme ambitieux de sortie de crise (non des «pansements»);
- une diversification des énergies (solaire, éolienne, géothermique, marémotrice, biomasse, à l'hydrogène);
- un nouvel aménagement des villes;
- la préservation de l'or vert (la végétation), de l'or bleu (l'eau), de l'or transparent (l'air), du diamant de la société (l'être humain).

**Pierre Rabhi** a fondé l'association Terre et Humanisme dont le but principal est de promouvoir l'agroécologie. Il œuvre en agriculture biologique depuis 40 ans. Sans être pessimiste, tout au contraire, son message est un hommage à la Terre et à l'univers. Il nous invite à devenir lucides quant à la grave situation qui nous attend si nous ne changeons pas d'attitude envers la nature: «Lucidité s'entend au sens de lumière éclairant nos actes. Dans l'immense discordance qui caractérise notre rapport à la planète, il est évident que la nature, même très meurtrie par nos actes, triomphera. Reste à espérer que ce triomphe ne se fera pas avec notre éradication. Après cela, il est fort probable que la nature poursuivra son chemin en direction de sa lointaine finitude[82].»

Rabhi lance un appel urgent à l'action réparatrice: «La cause de la discordance étant donc de notre seul fait, il nous incombe d'en prendre acte pour orienter et organiser l'avenir sur un changement radical. Changer ou disparaître n'est pas une métaphore mais la traduction objective et réaliste de l'enjeu.»

---

[82] *Conscience et environnement, la symphonie de la vie,* Gordes, Le Relié, 2006.

Il prévient contre la qualité de la nourriture qui se dégrade et qui peut devenir «risque de mort» au lieu de «source de vie». Il déplore que la terre ne soit plus «à faire valoir mais à exploiter comme un gisement minier pour produire du capital financier». Il se demande si l'être humain ne serait pas devenu, avec ses nombreuses exactions envers la nature, «terreur de la Création».

**Hubert Reeves** est un astrophysicien canadien bien connu. Il est directeur de recherches au CNRS et président de l'association ROC ou Ligue pour la préservation de la faune sauvage.

Il s'inquiète, dans *Chroniques du ciel et de la vie*, des rejets de carbone dans les airs qui sont maintenant de six gigatonnes par an, soit «deux fois plus que la possibilité d'absorption de la végétation et de l'océan[83]». Selon lui, ces gaz contribuent directement au réchauffement climatique: «Si tout le carbone de la surface terrestre était mis dans l'air sous forme de gaz carbonique, notre atmosphère s'échaufferait à des centaines de degrés, et toute vie disparaîtrait.»

Il met en garde contre le méthane qu'il appelle «le dragon endormi sous les neiges polaires». C'est un gaz bien plus dangereux, «sa capacité à retenir la chaleur solaire est des dizaines de fois plus importante. Mais, au contraire du gaz carbonique qui persiste dans l'atmosphère pendant des siècles, le méthane s'y dégrade en une dizaine d'années. Environ 70% des émissions de méthane dans l'air proviennent de l'activité humaine, la plupart du temps de l'extraction des carburants fossiles (pétrole), mais aussi des décharges ou encore de l'agriculture (réactions anaérobiques dans les rizières marécageuses) et de l'élevage de bovins (dégagement de l'appareil digestif des animaux). Sa concentration a triplé depuis le début de l'ère industrielle[84]». Il craint la fonte des pergélisols qui libéreraient alors de vastes quantités de méthane stockées depuis des milliers d'années.

Reeves pointe le «mauvais ozone... formé, sous l'action de la lumière solaire, par les oxydes d'azote et les hydrocarbures émis par les voitures... Par son pouvoir oxydant, il modifie la perméabilité des membranes cellulaires. Il perturbe la photosynthèse et la respiration. Il affecte ainsi la vitalité des arbres... Sur les humains, il produit une irritation des yeux, de la muqueuse nasale et de l'ensemble du système respiratoire».

Comme solutions pour freiner ce réchauffement, il propose:
- de planter des arbres;

---

83  Dans *Chroniques du ciel et de la vie,* Paris, Seuil/France Culture, 2005.
84  D'autres études indiquent que l'impact du méthane sur l'effet de serre est 21 à 23 fois plus fort que celui du $CO_2$.

- de semer des nitrates dans la mer pour fertiliser les planctons marins capables d'absorber ces gaz;
- de séquestrer ces gaz dans des cavités souterraines;
- d'utiliser des bactéries qui transformeraient ces gaz en molécules inoffensives;
- d'installer à tous les véhicules des «pots d'échappement» qui neutraliseraient l'effet nuisible de ces gaz;
- de trouver des énergies qui n'émettent pas de gaz carbonique;
- de mettre des filtres appropriés au sommet des cheminées industrielles.

Reeves fait remarquer, depuis les années quatre-vingt-dix, que trois éléments conjugués sont nécessaires pour améliorer la situation environnementale. Trois instances doivent collaborer étroitement et conjointement: 1) les scientifiques pour étudier le phénomène, en identifier les causes et proposer les solutions; 2) les gouvernements pour légiférer; 3) les entreprises pour s'engager et appliquer la loi.

Il n'approuve pas l'usage du nucléaire. Les réacteurs de la troisième génération à neutrons lents et ceux de la quatrième à neutrons rapides ne trouvent pas sa faveur à cause, entre autres, des déchets radioactifs qui peuvent durer très longtemps et hypothéquer l'avenir durant plusieurs siècles. La fusion thermonucléaire de l'hydrogène en hélium émet moins de déchets, mais produit une forte contamination radioactive, et il faudrait en démanteler les réacteurs après quelques décennies. Conscient donc de la demande d'énergie croissante, il suggère «les négawatts, c'est-à-dire les économies d'énergie».

Concernant l'avenir, il estime que cela «dépend de l'augmentation de la température et donc des émissions de gaz à effet de serre (...). L'élévation (du niveau de la mer) pourrait atteindre plus d'un mètre avant la fin du XXI$^e$ siècle. Des centaines de millions de personnes seraient forcément délogées».

Il se plaît à répéter que les espèces qui survivent sont généralement celles qui «arrivent à installer un rapport harmonieux avec les autres espèces de leur écosystème». Est-ce le cas de l'être humain? Son regard analytique sur l'agir des humains en cette crise écologique qu'ils ont créée eux-mêmes est pertinent. Parlant de leur possible extinction, il discerne: «Les humains jouent trois rôles différents. Ils en sont la cause (par leur activité et leur industrie), les victimes possibles, et les sauveurs potentiels.» Il ajoute: «La disparition de l'espèce humaine, ou son affaiblissement au point qu'elle perdrait sa puissance de détérioration, stopperait vraisemblablement les dégâts.»

Sa conclusion est dramatique. C'est l'heure des décisions cruciales: «S'humaniser ou périr: ainsi pourrions-nous présenter l'enjeu auquel nous voilà confrontés.»

Reeves interpelle sans gêne les politiciens et les met face à l'urgence d'agir pour le bien de tous: «Confrontée à un tel tragique destin, la politique arrivera-t-elle à prévoir à long terme, à prendre rapidement les décisions qui s'imposent et à accélérer son fonctionnement pour mieux agir dès à présent? Notre avenir en dépend.»

**David Suzuki** est un autre biologiste et environnementaliste canadien engagé. Il sensibilise le monde à la cause verte avec ses reportages et émissions télévisés.

Dans *L'équilibre sacré*, il affirme d'emblée: «Impossible d'être en santé sans une planète en santé[85].» Pour lui, l'être humain n'est pas fait de molécules d'air, d'eau, de sol. Il *est* l'air, l'eau, la terre. Ce qu'il fait à ces éléments, c'est à lui-même qu'il le fait. Ce qu'il apprend sur ces éléments lui révèle un peu plus ce qu'il est.

Il attribue à la crise environnementale actuelle plusieurs facteurs:
- la surpopulation qui modifie «le caractère biologique, physique et chimique de la planète à l'échelle géologique». Le nombre ayant triplé en quelques décennies ne peut que laisser une «empreinte écologique» plusieurs fois amplifiée[86];
- les innovations technologiques qui font accroître «exponentiellement la portée et l'étendue de notre capacité d'exploiter notre milieu». Nos activités prolifèrent au-delà des limites de notre environnement et s'avèrent une «force destructrice»;
- la consommation effrénée qui ne cesse d'augmenter, entraînant plus de pollution à cause de la surproduction, des effluents et des déchets générés;
- la mondialisation de l'économie qui défavorise souvent les pays pauvres et pousse à une surexploitation agricole utilisant des techniques modernes qui épuisent 30 fois plus vite la couche arable.

---

85   *L'équilibre sacré*, Montréal, Boréal, 2007, traduction de Jean Chapdelaine Gagnon.
86   Une autre étude conclut que l'augmentation de la population et du développement en 2050 va accroître de 30% la demande d'énergie (pétrole, charbon, électricité) et les GES. L'agriculture intensive ne suffira plus et produira davantage de méthane. Il serait quasi impossible de stabiliser les émissions de GES. Les surfaces cultivables et l'eau douce manqueraient. Les problèmes environnementaux et climatiques se multiplieraient.

David Pimentel propose une «économie basée sur une utilisation durable de l'énergie, du territoire, de l'eau et de la biodiversité, qui assurerait du coup un niveau de vie relativement élevé». Cependant, il faudrait viser à une décroissance de la population et à une diminution importante de l'usage de combustibles fossiles.

Suzuki estime que nous sommes «partie prenante de notre environnement et non pas séparés de lui». Selon sa lecture anthropologique et cosmique de la vie, de toute forme de vie, «notre identité ne s'arrête pas à notre peau, à notre sang, à nos gestes, à nos pensées. Notre identité inclut notre monde naturel, la manière dont nous y évoluons, dont nous interagissons avec lui et dont il nous soutient». Il va encore plus loin en ajoutant: «Nous sommes faits de la Terre que nous inhalons à chaque inspiration, que nous buvons et mangeons, et nous partageons l'étincelle qui anime la planète entière.»

Il lance un appel vibrant à la conservation de la nature: «Les éléments qui ont servi d'étincelle à la vie sur cette planète et qui continuent à l'alimenter – l'air, l'eau, le sol, l'énergie, la biodiversité – sont sacro-saints et devraient êtres traités comme tels.» Il dénonce la coupe à blanc des forêts ancestrales, geste qu'il qualifie d'«affront à la vie elle-même», malgré que les experts la considèrent comme une «saine pratique sylvicole».

Une réflexion de Thomas Berry citée à la fin de son ouvrage résume l'ensemble de ses revendications écologiques: «Le monde naturel est la source maternelle de notre être à nous, habitants de la Terre, et l'aliment fécondant de notre vie biologique, affective, esthétique, morale et religieuse. Le monde naturel est la plus large communauté sacrée à laquelle nous appartenons. Être coupé de cette communauté, c'est être dépouillé peu à peu de tout ce qui fait de nous des humains. Porter atteinte à cette communauté, c'est rapetisser notre propre existence.»

## Deux interprétations

Ce long parcours historique de la pensée verte nous permet de conclure qu'il existe deux interprétations de la nature. D'un côté, il y a des penseurs qui respectent et protègent la nature, d'un autre côté, il y a ceux qui la chosifient, la domestiquent et n'y voient que des ressources à exploiter sans limites.

Cette tension ne date pas d'aujourd'hui. Elle existe depuis toujours. L'exemple de la déforestation massive d'Ur (vers 2700 avant notre ère) et celui du Sri Lanka (vers 250 avant notre ère), l'obligation de promulguer un édit pour protéger des forêts, le geste de Benjamin Franklin qui, au nom du droit public, exige l'arrêt de la pollution des cours d'eau par les déchets industriels qu'on y déversait, déjà en 1739, sont significatifs.

J'estime que ceux qui désirent préserver la nature doivent *se battre* continuellement et efficacement contre un système économique et industriel qui sans cesse la défigure, la pollue et la détruit. Nombreux sont les penseurs et les organismes qui protestent et exigent la sauvegarde de l'environnement. Les éminents écologues présentés dans ce chapitre donnent matière à réflexion et incitent à l'action politique. L'application de ces solutions de rechange, à l'échelle planétaire, ne tolère plus de délai.

———————◇———————

*« Évaluer correctement les services que la nature nous rend,
c'est reconnaître par exemple que les forêts contribuent à empêcher l'érosion des sols,
qu'elles purifient l'air en absorbant le $CO_2$, qu'elles tiennent l'humidité
et favorisent la formation des nuages dont les pluies sont nécessaires à l'agriculture.
La valeur de ces services devrait être incluse dans le prix de tout arbre coupé. »*
LESTER R. BROWN

*« Aujourd'hui, des signaux d'alarme d'un genre différent
nous avertissent d'un massacre sans précédent de notre environnement. »*
AL GORE

*« S'il n'y avait pas d'implications politiques,
nous pourrions trouver un terrain d'entente. »*
PATRICK MICHAELS

*« Mais où est donc la vigilance morale qui nous rendrait
encore plus sensibles aux nouveaux dangers écologiques ? Une fois encore,
les gouvernants atermoient, dans l'espoir que les dangers s'évanouissent...
Que faut-il donc encore au corps politique pour se décider à agir ? »*
AL GORE

*« Consommer mieux pour vivre mieux. »*
MIKHAÏL GORBATCHEV

*« Nous sommes confrontés à un problème sérieux
qui va au-delà du principe de précaution. »*
JEAN JOUZEL

*« Notre civilisation consommatrice, à force d'insouciance,
est en passe de s'autodétruire. »*
MIKHAÏL GORBATCHEV

*« Si nous traitons le monde comme un objet, nous nous condamnons à devenir,
à notre tour, objets de cet objet. »*
MICHEL SERRES

———————◇———————

# ③ La politique verte

*«Le but des mouvements environnementalistes*
*doit être de faire advenir des ententes tripartites*
*(entre les scientifiques, les gouvernements, les industriels)*
*le plus rapidement possible.»*
HUBERT REEVES

---

Ce chapitre dresse le portrait actuel de quelques États sérieusement affectés par les changements climatiques, et présente l'historique des principales conférences sur l'environnement, ainsi que différentes positions politiques. L'implication de l'institution politique est indispensable dans la gestion de la crise écologique.

---

## Tuvalu, autre pays submergé, inhabitable

Même la «disparition» d'un État à cause du réchauffement climatique ne semble pas secouer l'ensemble des consciences humaines ni les politiciens nord-américains, chinois, indiens ou brésiliens qui continuent à laisser leurs industries lourdes et leurs pratiques polluer l'environnement d'une façon intensive.

Tuvalu, trente-huitième membre du Commonwealth, anciennement les îles Ellice, en Polynésie, est un archipel indépendant de la Micronésie, situé dans l'océan Pacifique, au nord des îles Fidji, entre Hawaï et l'Australie. Ce pays de 26 000 km², soit trois fois la Corse, n'est plus habitable. Ses neuf îles (atolls coralliens) sont submergées et rongées par la hausse de l'océan Pacifique qui a monté de près de 30 cm. La moyenne d'altitude de ces neuf îles ne dépasse pas trois mètres au-dessus du niveau de la mer. Les cultures et l'eau douce sont, depuis 2006, gagnées par la salinisation. Les conditions de vie y ont été rendues impossibles. Des atolls se sont affaissés. Les habitants ont abandonné leur pays. Leur gouvernement a demandé asile à l'Australie qui le leur a refusé. Ils ont été finalement accueillis par la Nouvelle-Zélande[87].

---

87    Les écoréfugiés (ou réfugiés climatiques) sont de plus en plus nombreux. Leur nombre ne cessera

Les inondations, qui autrefois se produisaient une fois l'an, dans plusieurs pays insulaires, surtout à l'ouest du Pacifique et à la périphérie de l'océan Indien, surviennent maintenant périodiquement à cause du réchauffement climatique et de la montée du niveau de l'eau.

Des îles et des régions côtières sont régulièrement victimes, depuis quelques années, d'inondations et de marées d'une force sans précédent. Les terres sont de plus en plus rongées par la mer qui s'infiltre dans le sol, détruit les cultures, contamine les puits d'eau douce, inonde des propriétés et cause des pénuries alimentaires chroniques. Ces phénomènes se produisent sur une base régulière en Papouasie-Nouvelle-Guinée, dans les îles Marshall, Carteret, Bougainville et autres. Une délégation de ces pays insulaires a rendu un témoignage émouvant à la *Conférence de Bali* sur l'environnement: «Nous n'avons pas de véhicules, d'aéroports, mais nous sommes victimes des rejets de gaz à effet de serre des pays industrialisés.»

D'autres îles souvent inondées ont maintenant totalement disparu. Les îles Vanuatu de la Mélanésie, au nord-est de la Nouvelle-Calédonie, font face au même sort. Les îles Lohachara[88], Bedford et Ghoramara, inondées d'une façon saisonnière, puis permanente, ont finalement disparu sous les flots du golfe du Bengale. Elles étaient situées au nord de l'île de Sagar. Des chercheurs de l'Université de Jadavpur à Calcutta ont officialisé cette disparition en décembre 2006. Les îles Kiribati, au centre tropical de l'océan Pacifique, ont également disparu. Les îles Kilinailau, aussi appelées îles Tulun, situées à 85 km au nord-est de l'île de Bougainville, dans les Salomons, n'existent plus depuis décembre 2005. Des dizaines de milliers de personnes sont déracinées et expatriées. Elles seront ajoutées à la liste toujours grandissante des écoréfugiés.

En outre, depuis 1988, plusieurs larges parties du Bangladesh et du Pakistan sont désormais immergées à cause de la crue des eaux et des pluies torrentielles. D'autres terres basses sont également en voie de disparition.

## Les îles menacées se regroupent

Cette réalité critique pour plusieurs îles sur la planète est inédite. Quarante-trois États, dont les îles se trouvent menacées par la montée du niveau de l'eau, ont décidé de se réunir et de mettre en commun leurs efforts pour

---

d'augmenter durant les décennies à venir, à cause justement de bouleversements climatiques ou de catastrophes naturelles soudaines. L'ONU les évalue à 25 millions actuellement. Ils seront 200 millions en 2050 et 700 millions par la suite. Des chercheurs estiment qu'il serait juste que les pays pollueurs (comme le Canada) leur offrent l'hospitalité.

88      10 000 hères (daims sauvages) ont été évacués in extremis de cette île.

empêcher le pire. Ils ont créé l'AOSIS (Alliance Of Small Island States), une autre agence onusienne en plus de la vingtaine déjà existantes sur l'environnement. Le triple objectif de l'AOSIS est 1) d'évaluer concrètement les dommages écologiques, 2) de promouvoir les technologies et les comportements les plus respectueux des écosystèmes et 3) de soutenir la mise en œuvre des décisions environnementales[89].

## Devoir d'investir le champ du politique

Comme on peut le constater, la sensibilisation et l'engagement *personnels* en matière d'environnement ne suffisent plus. Les élus des États sont invités à légiférer et à adopter des réglementations adéquates. Cette prise de conscience écologique est à l'origine en Angleterre du tout premier ministère de l'Environnement en 1970. L'année suivante, ce fut au tour de la France d'en créer un.

C'est l'heure des choix politiques. C'est le temps des engagements officiels pour le bien public. Les citoyens sont appelés à participer à la détermination de la voie vers laquelle leur société désire aller et à voter en conséquence. Ils sont invités à s'engager dans leur collectivité, auprès de leur parti politique, dans leur milieu de travail, dans leur municipalité pour que la cause de l'environnement devienne une des priorités actuelles, pour qu'il y ait des lois contraignantes et des mesures administratives correctives.

## Sommets sur l'environnement de Stockholm à Poznan

Le Sommet de l'environnement qui avança le concept de *développement durable* remonte à 1972 lorsque, à Stockholm, la Conférence des Nations Unies sur l'Environnement s'est réunie pour évaluer les impératifs de la croissance énergétique. Le concept de *développement durable*[90], lancé par la première ministre de la Norvège, Gro Harlem Brundltand, a vite été reconnu comme un projet de société par l'ensemble des pays de la planète. Il compte préserver à la fois la qualité de l'environnement, la croissance économique et le mieux-être des générations présentes et futures. De plus, il allie démocratie, équité sociale, besoin économique, solidarité écologique planétaire et intergénérationnelle. Cette prise de conscience de la dégradation de la qualité de l'environnement a incité les participants à créer le

---

89  Voir l'article «D'oasis à Aosis… » Hubert Reeves, *Journal de Montréal,* le mardi 17 avril 2007, page 25.

90  Le concept de développement durable proposé vise à assurer le développement économique continu sans toutefois compromettre l'avenir et les besoins des générations futures. Le plan stratégique du développement durable concilie à la fois le développement économique, l'équité sociale et la protection de l'environnement.

Programme des Nations Unies pour l'Environnement (UNEP). En 1979, une autre association fut créée, le Programme du climat mondial (WCP), qui organisa une conférence mondiale sur le climat à Genève.

En 1983, l'Assemblée générale des Nations Unies a institué la Commission mondiale pour l'environnement et le développement (CMED) présidée par Gro Harlem Bruntland.

En octobre 1985, une conférence internationale sur les changements climatiques a eu lieu à Villach, en Autriche. On y lança une alerte climatique d'envergure: changements climatiques prévus dus aux émissions de GES, fonte partielle des glaciers, réchauffement global et prévisions d'augmentation du niveau des mers. La Convention de Vienne, tenue cette même année, entreprit de lutter contre la destruction (ou l'amincissement) de la couche d'ozone.

En 1987, un Sommet réuni à Montréal interdit l'usage du CFC en vue de la protection de la couche d'ozone. L'entente conclue fut amendée en 1990, 1992 et 1997 pour la rendre plus stricte.

En 1990, une commission européenne recommande une taxation sur le carbone au niveau international. On propose l'adoption d'une écotaxe ou « système de droits à polluer ».

En 1992, la Conférence des Nations Unies sur l'environnement et le développement a eu lieu à Rio, sous le nom de Sommet de la Terre, pour examiner les enjeux du développement sur l'environnement et les changements climatiques. Les mesures de protection de l'environnement sont inspirées du principe que tous les êtres humains ont droit à une vie saine, en harmonie avec la nature, malgré la poursuite de la productivité. Maurice Strong (ex-secrétaire général de ce Sommet) avait alors annoncé: « Si nous n'agissons pas vite et fort, la nature le fera de façon bien plus brutale. »

Cette rencontre visait à « stabiliser la concentration de GES dans l'atmosphère à un niveau empêchant une influence dangereuse sur le système climatique. Ce niveau devrait être atteint dans une limite de temps suffisante pour permettre aux écosystèmes de s'adapter naturellement aux changements climatiques, pour s'assurer que la production agricole ne soit pas menacée et pour permettre un développement économique durable ». L'objectif était précis: contrôler les GES qui constituent le problème central. Les concepts de « pollueur-payeur » et de « développement durable » tinrent une bonne place dans les discussions. Les délais, les modalités d'application et l'engagement officiel demeuraient toutefois flous. Les documents du Sommet de Rio, où étaient présents 117 chefs d'État ou délégués des gouvernements de 178 pays, n'ont aucune valeur juridique. Le programme *Agenda 21*, qui proposait plusieurs mesures concrètes prêtes à appliquer, est resté lettre morte faute de financement et d'engagement.

En décembre 1997, 165 pays signent le *Protocole de Kyoto* dont la teneur principale était de recommander à 35 pays industrialisés (dont le Canada) de réduire leurs émissions de gaz à effet de serre entre 2008 et 2012 à des niveaux inférieurs de 5,2% à ceux de 1990[91].

En 2001, une rencontre à Marrakech (Maroc) fait suite au travail entamé à Kyoto. Après plusieurs tergiversations, le minimum de pays requis (55) adopte le *Protocole,* sans les États-Unis. Bush estimait que les Américains seraient perdants économiquement s'ils le ratifiaient, et prétextait, en outre, qu'il n'était pas encore convaincu du lien scientifique entre la réduction du $CO_2$ et les changements climatiques[92].

Ce traité est considéré faible par plusieurs politiciens et environnementalistes, qui prévoient son remplacement par un autre plus efficace et beaucoup plus sévère en 2012.

En 2002, le Sommet mondial du développement durable est tenu à Johannesburg, en Afrique du Sud. Jacques Chirac, alors président de la France, alerte le monde entier en lançant sa fameuse déclaration: «(Il faut) ouvrir les yeux [sur] la nature mutilée, surexploitée. La maison brûle... nous regardons ailleurs.»

En 2003, une Conférence sur le climat se tient à New Delhi. Malheureusement, à cause d'intérêts économiques nationaux, les États-Unis, la Chine et l'Inde déclinent les objectifs quantifiés contraignants et défavorables à leur croissance.

Le 16 février 2005, le *Protocole de Kyoto* entre en vigueur. 176 pays l'ont ratifié incluant la Russie. Ce Protocole est valide jusqu'en 2012. Plus de deux ans après, soit en 2008, on se rend compte que quelques pays seulement ont pu diminuer leurs émissions de GES selon le seuil établi. Les États-Unis et le Canada ont signé ce traité mais ne l'ont pas ratifié. La Chine, l'Inde et le Brésil refusent de se voir imposer des limites chiffrées à leurs émissions qui ne cessent d'augmenter.

---

91   Plusieurs experts affirment maintenant qu'il serait nécessaire de réduire les GES de 60% à 70% pour être en mesure de stabiliser efficacement les changements climatiques.

92   Malgré les rapports évidents du GIEC qui, en 1995, énonçait: «Le poids des évidences suggère une influence perceptible de l'activité humaine sur le climat global.» Son rapport de 2001 était encore plus convaincant: «Il y a des évidences nouvelles et plus fortes montrant que le réchauffement des cinquante dernières années est dû à l'activité humaine.» Ses autres rapports ont corroboré la responsabilité anthropique des bouleversements climatiques. L'administration Bush a demandé à son Académie des Sciences de vérifier la véracité de l'énoncé du GIEC. La réponse fut positive, elle confirmait l'authenticité et la scientificité de ces informations.

En décembre 2007, à Bali, 36 pays occidentaux liés à ce *Protocole,* 130 ministres de l'Environnement et 10 000 personnes dont des écologistes négocient ce qui devait être un traité international post-Kyoto. Ce nouveau traité, ou plutôt «feuille de route» minimaliste, difficilement obtenu, sera relancé et renégocié avant d'être signé en 2009 à Copenhague. Il envisagera l'évolution de l'effort international pour réduire les émissions de GES après 2012, date d'expiration du *Protocole de Kyoto.*

Ce futur plan d'entente (2012-2020) sera divisé en deux phases: des réductions réglementaires des pays occidentaux allant de 25 à 40% dès la première phase 2008-2012; les autres pays émergents ou en développement réduiraient leurs émissions de GES lors de la deuxième phase 2012-2020. Les grandes lignes d'un pacte international sur le climat seront définies, malgré le cartel de la résistance (États-Unis, Canada, Japon et Russie). Les coûts de diminution des GES seront mieux répartis. L'objectif principal, souhaité mais non obtenu à Bali, sera de stopper à 2 degrés Celsius la hausse du climat jusqu'en 2100, sinon la situation climatique pourrait devenir hors de contrôle, selon le dernier rapport du GIEC.

Vu les divisions profondes, le document final de Bali ne mentionne aucun objectif chiffré ni aucun engagement des pays industrialisés. Il recommande seulement d'importantes réductions des émissions de GES. Un calendrier de négociations est échelonné sur deux ans. Un soutien sera accordé aux pays pauvres pour les aider à diminuer leur niveau de pollution.

Placé sous l'égide de la Conférence de l'ONU sur les changements climatiques, ce «forum (était) approprié pour négocier une action mondiale», selon Ban Ki-moon (secrétaire général de l'ONU), qui ajoute que «le temps du doute est passé... une percée est nécessaire».

En mai 2008, dans le cadre de la neuvième rencontre des pays membres de la Convention sur la biodiversité de l'ONU, 191 pays adoptent le Mandat de Bonn, qui consiste en une série de mesures afin de protéger la vie sauvage et les écosystèmes.

En décembre 2008, des négociations tenues à Gdansk (Pologne) par les 27 États membres de l'Union européenne (UE) avec neuf pays de l'Est, sur le climat européen, ont enregistré des progrès. Ces derniers sont invités, entre autres, à diminuer leur consommation de charbon. La Pologne, à titre d'exemple, dépend encore à 90% du charbon pour produire son électricité. L'UE a ciblé trois objectifs à atteindre d'ici 2020: réduire de 20% ses émissions de GES par rapport à 1990, porter à 20% la part des énergies renouvelables, faire 20% d'économie d'énergie. Là aussi, des leaders politiques se sont insurgés et ont défendu leurs intérêts nationaux. Ils ont refusé de mettre en danger des emplois, des investissements et l'avenir de leurs industries gourmandes en énergie.

La Conférence sur le climat de l'ONU de Poznan (Pologne), qui a eu lieu également en décembre 2008, a attiré 10 600 délégués de 186 gouvernements, entreprises et ONG en vue de préparer un nouvel accord post-Kyoto de lutte contre le réchauffement climatique. Ce nouveau traité pourrait être signé en décembre 2009 à Copenhague. La réduction de 25 % des émissions de GES en 2030 par rapport à 2000 coûterait 500 milliards de dollars par an d'investissement, selon une déclaration du secrétariat de cette Conférence. Barack Obama qui a dépêché des sénateurs pour y être, selon son expression, « ses yeux et ses oreilles », veut s'assurer que les décisions de la délégation américaine n'iraient pas dans une direction qui ne lui serait pas acceptable.

Certains progrès sont à signaler à la suite de ces multiples Sommets, comme la relative amélioration de l'état de la couche d'ozone après l'interdiction de l'usage du CFC. Quatre rapports du GIEC ont déjà été publiés (1990, 1995, 2001 et 2007). Le cinquième paraîtra en 2013. Le dernier affirme : la probabilité que le réchauffement climatique d'origine humaine est de plus de 90 %. Une conscientisation à l'échelle de la planète a lieu. Une voie est tracée vers une gouvernance mondiale de cette problématique environnementale sous l'égide de l'ONU. Des mécanismes d'engagement contraignants et contrôlés sont élaborés. Plusieurs pays souscrivent aux mesures vertes prescrites.

Cependant, il reste beaucoup à faire. Le principal défi demeure d'obtenir que les plus grands pollueurs de la planète participent à un accord international et l'appliquent.

L'élément le plus positif à tirer de ces Sommets, malgré leurs résultats mitigés, c'est la concertation et la mobilisation de tant de pays. Laissons les chiffres parler par eux-mêmes : on comptait près de 8000 participants en 1972 à Stockholm, 30 000 en 1992 à Rio, 10 000 en 1997 à Kyoto et 80 000 en 2002 à Johannesburg. Un nombre *record* de pays, soit 190, ont participé aux pourparlers-marathon de Bali. Cent mille Canadiens ont signé, en 48 heures, une pétition en ligne qui condamnait l'attitude si peu verte de Stephen Harper, pourtant réélu quelques mois après. La dernière Conférence sur le climat tenue à Poznan traduit une conscientisation et une volonté plus fortes que jamais d'un nombre record de pays, y compris les États-Unis, désireux de diminuer leur pression sur l'équilibre de plus en plus fragile de la nature. La question épineuse demeure toujours celle de la marge de compromis *économiques* possibles en vue d'atténuer la crise écologique.

## Marché de permis et taxe carbone

Dans le but de mieux contrôler ses émissions de GES, l'Union européenne a instauré en 2005 le *marché de permis* européen pour lutter contre le réchauffement. Cette bourse permet aux industries polluantes des quotas fixes d'émission de $CO_2$, au-delà desquels des permis doivent être achetés. Celles qui auraient accumulé des excédents peuvent les vendre.

Le gouvernement français a pris l'initiative d'imposer une «taxe carbone» sur les produits provenant de pays qui ne respectent pas les objectifs du *Protocole de Kyoto*. C'est un moyen politique et économique de pression afin de conscientiser davantage les dirigeants de ces pays pour qui la rentabilité économique prime sur l'environnement.

## Charte de l'environnement

La France a adopté en 2004 la *Charte de l'environnement*, texte à valeur constitutionnelle inspiré par Nicolas Hulot. Cette charte prône le «principe de précaution», qui signifie que les autorités veilleront à prévoir et empêcher tout éventuel grave accident écologique qui pourrait survenir. La *Charte de l'environnement* fait désormais partie de la Constitution de la V$^e$ République française. La loi no 2005-205 du 1$^{er}$ mars 2005 stipule (en voici des extraits):

«Considérant que (...) l'avenir et l'existence même de l'humanité sont indissociables de son milieu naturel; que l'environnement est le patrimoine commun des êtres humains; (...) que la préservation de l'environnement doit être recherchée au même titre que les autres intérêts fondamentaux de la Nation; qu'afin d'assurer un développement durable, les choix destinés à répondre aux besoins du présent ne doivent pas compromettre la capacité des générations futures et des autres peuples à satisfaire leurs propres besoins; (Art. 1) Chacun a le droit de vivre dans un environnement équilibré et respectueux de la santé. (Art. 2) Toute personne a le devoir de prendre part à la préservation et à l'amélioration de l'environnement... (Art. 5) Lorsque la réalisation d'un dommage, bien qu'incertaine en l'état des connaissances scientifiques, pourrait affecter de manière grave et irréversible l'environnement, les autorités publiques veillent, par application du principe de précaution[93]

---

93    Ce principe de précaution, appliqué en Allemagne depuis plus de 35 ans, suggéré par le Club de Rome de 1972, fut recommandé au Sommet de Rio en 1992 et énoncé par les Nations Unies en 1994.

et dans leurs domaines d'attributions, à la mise en œuvre de procédures d'évaluation des risques et à l'adoption de mesures provisoires et proportionnées afin de parer à la réalisation du dommage...»

Force est de constater dans cette législation le lien évident entre environnement et santé. L'environnement s'avère ici, non seulement essentiel pour le bien-être commun, mais, de plus, un patrimoine commun à l'humanité. Partageant le même espace, tout drame écologique ne peut avoir que des conséquences planétaires (ex.: Tchernobyl dont les nuages radioactifs sont arrivés jusqu'au Canada). Ce texte affirme que chacun est responsable de ses gestes et de la préservation de l'environnement (engagement personnel et communautaire). Le *principe de précaution* en est un de prudence pour ne pas altérer la qualité de vie d'aujourd'hui et de demain, et pour prévenir des accidents qui feraient encore plus de dommages à la biosphère déjà assez fragilisée.

Nicolas Hulot et le Comité de veille écologique ont présenté un projet écologique à leur gouvernement: le *Pacte écologique législatif.* 346 députés français sur 577 ainsi que 52 sénateurs sur 319 ont déjà signé ce pacte[94]. Ils se sont engagés à faire des enjeux écologiques une priorité commune qui dépasse les clivages partisans.

Dans son premier discours devant l'Assemblée générale des Nations Unies tenue le 25 septembre 2007, le président Nicolas Sarkozy a plaidé pour un «New Deal écologique». L'injustice sociale et l'exploitation en font partie. S'adressant «à la conscience de tous ceux qui ont une responsabilité dans la conduite des affaires du monde», il a affirmé: «C'est d'un nouvel état d'esprit dont le monde a besoin, c'est un véritable *New Deal* à l'échelle planétaire qui est nécessaire, un *New Deal* écologique et économique.» Pour lui, l'objectif de réduction des GES de l'Union européenne de 50% d'ici 2050[95] «est une absolue priorité pour éviter une catastrophe mondiale».

Lors du Grenelle de l'environnement (2007), le très courageux Nicolas Sarkozy a lancé un «plan Marshall» écologique exceptionnel qui vise à faire de la France un pays «exemplaire» en matière de développement durable. Ce plan (qui fait l'envie de tous les verts) inclut, entre autres, la suspension de la culture commerciale des OGM; le développement des énergies

---

94  Ces chiffres datent du 5 novembre 2008. Cf. www.pacte-ecologique.org
95  L'objectif de stabilisation du climat, selon les chiffres des Amis de la Terre, exige, pour l'Union européenne, la réduction de 75% des émissions de gaz carbonique dans les trente prochaines années. Ce qui est impossible à atteindre tout en conservant le rythme de croissance économique actuel.

renouvelables, des logements et des transports propres et de basse consommation; la réduction de moitié de l'usage des pesticides agricoles d'ici dix
ans; l'augmentation de 6% de l'agriculture biologique; la création d'une
*trame verte* (couloir entre les espaces naturels pour favoriser la circulation
des plantes et des animaux); le gel des nouvelles routes; la réduction du bruit
de 50%; le développement ferroviaire; les péages urbains; l'usage plus fré-
quent d'autoroutes maritimes atlantiques et méditerranéennes; la fiscalité
écologique qui comprend la surtaxation des véhicules énergivores et polluants, une ristourne pour les voitures neuves et sobres; un taux réduit de
TVA sur tous les produits écologiques; l'interdiction des lampes à incan-
descence; l'extension de l'*étiquette énergie* à tous les appareils électriques
de grande consommation; l'interdiction de 50 substances jugées particulièrement toxiques (cancérigènes, mutagènes, reprotoxiques); le lancement
d'un *plan particules* pour contrôler le smog; la défense de construire un
nouvel incinérateur qui n'inclut pas le processus de production d'énergie
à même ses déchets. Il ajoute que désormais, toutes les décisions publiques
seront arbitrées en intégrant leur coût environnemental. Les décisions non
écologiques ne pourront être prises qu'en dernier recours.

## Peur de ralentir le développement économique

Le gouvernement de Stephen Harper[96], comme celui de Georges W. Bush[97],
ne compte pas honorer l'engagement canadien envers les objectifs du
*Protocole de Kyoto,* prétextant l'éventuel ralentissement de la machine industrielle et économique du pays, argument réfuté par Ban Ki-moon en
septembre 2007. Harper tenait à épargner, au nom du droit au développe-

---

[96]  À l'encontre du Parti libéral, du Nouveau Parti démocratique et du Bloc québécois, le Parti
conservateur n'est pas en faveur de la ratification du *Protocole de Kyoto*. Il s'est servi du Sénat et
a déposé un sous-amendement aux amendements pour retarder indéfiniment le projet de loi
C-288 (*Loi sur la mise en œuvre du Protocole de Kyoto* qui avait été adoptée par la Chambre des
communes en juin 2007). À la veille de la Conférence de Bali, Stephen Harper a déclaré que le
*Protocole de Kyoto* était «une erreur que le monde ne doit jamais répéter». La faille majeure qu'il
y trouvait était que seulement quelques pays sont engagés dans la réduction de leurs émissions
de GES. Il soutenait plutôt que *tous* les importants pollueurs doivent réduire les leurs.

[97]  Malgré le refus du gouvernement fédéral de Georges W. Bush de ratifier le *Protocole de Kyoto*,
plusieurs États américains ont développé leur propre système de surveillance et de réduction de
leurs émissions de gaz à effet de serre. L'État de la Californie en est un exemple typique. Lors de
sa visite au Canada, en mai 2007, le gouverneur Arnold Schwarzenegger a affirmé, par son porte-
parole et conseiller environnemental Terry Tamminen, que le gouvernement de Stephen Harper
commettait les mêmes erreurs que le président Georges W. Bush en ne s'attaquant pas de manière
urgente au problème de l'environnement. Il a déclaré: «Nos gouvernements fédéraux, honnête-
ment, dorment à leur poste.»

ment continu et libre, les secteurs pétrolier[98] et gazier, ainsi que le puissant lobby des groupes industriels.

La menace du ralentissement de la performance économique empêche la mise en œuvre du *Protocole de Kyoto*. Les coûts pour le Canada peuvent être assez élevés, selon les conservateurs. Les chiffres les plus bas correspondent, selon eux, aux prévisions des économistes optimistes; les plus élevés, à celles des plus pessimistes:

- perte de 60 000 à 240 000 emplois;
- perte de 5 à 21 milliards de dollars par année;
- augmentation de 0,04 à 1,4% du taux de chômage;
- baisse du PIB de 0,04 à 1,6%;
- baisse annuelle du revenu annuel de chaque foyer canadien de 1700$;
- hausse des impôts sur le revenu;
- augmentation du prix de l'essence;
- fuite des investisseurs dans le domaine énergétique.

Ces prévisions sont contredites par plusieurs économistes qui affirment qu'une croissance économique serait possible grâce à l'essor de nouvelles énergies et technologies parallèles. Plusieurs nouvelles industries *vertes* qui produiraient de nouveaux articles *biodégradables, écologiques* et *non polluants* se multiplieraient, un peu partout dans le monde, en vue de répondre aux nouvelles demandes grandissantes des écocitoyens.

## Preuves de la rentabilité économique de la réduction des GES

Trois expériences vertes, vécues par trois grandes entreprises, soit Timberland, IBM et DuPont pour ne nommer que celles-là, ont prouvé qu'il est très rentable de réduire les émissions de GES.

Timberland les a déjà réduites de 17% sans perte économique et vise zéro GES d'ici 2010, grâce à sa conversion aux énergies renouvelables. IBM déclare avoir économisé 115 millions de dollars en diminuant ses GES. DuPont dit avoir épargné 2 milliards de dollars en 15 ans à cause de sa conversion aux énergies propres.

---

[98]    Charlie Fischer, président de Nexen inc. a brandi la menace du départ des compagnies pétrolières du Canada si leurs dépenses se trouvaient augmentées par des mesures environnementales exigées par Ottawa suite à l'application du *Protocole de Kyoto*.

D'autres sociétés, comme 3M, Advanced Micro Devices, Gap, Wal-Mart[99], Pepsi[100], Johnson & Johnson, Nike, Pantagonia, Starbucks, Shell[101], se sont engagées à atteindre les objectifs de Kyoto. Shell a notamment reconnu que ses ventes ont augmenté de 350% après qu'elle a réduit ses GES de 11,5%. Son directeur international de la gestion de l'énergie a confirmé: «Réduire nos émissions de carbone ne nous a pas obligés à sacrifier la croissance[102].»

Les clients et les actionnaires des grandes entreprises apprécient ces gestes écologiques. De plus, ces initiatives permettent d'épargner, à long terme, des milliards de dollars en soins de santé.

Dès les années 1990, le Fonds mondial pour la nature (WWF) annonçait que la réduction de 21% des émissions de GES avant 2010 entraînerait des économies d'énergie de l'ordre de 136 milliards de dollars aux États-Unis, voire 227 milliards de dollars et des centaines de milliers d'emplois supplémentaires, selon la Global Climate Coalition. L'administration américaine a fait la sourde oreille.

## Politique de Washington

Si l'administration Clinton[103] était peut-être en faveur du *Protocole de Kyoto*, celle de Georges W. Bush (très liée aux industries pétrolières et qui a duré huit ans) ne l'a pas été et n'y croyait pas.

Même si un Américain produit 20 tonnes de $CO_2$ par an contre 10 tonnes par Allemand, 2,3 tonnes par Chinois et 1 tonne par Africain, le gouvernement républicain des États-Unis, menacé par les compagnies pétrolières et gazières qui finançaient le parti, prétendait que, d'un côté, le traité de Kyoto serait préjudiciable à l'économie américaine et, d'un autre côté, que c'est l'inefficacité énergétique des autres pays qui pollue l'atmosphère

---

99   L'objectif de Wal-Mart est de pourvoir aux besoins énergétiques de ses 7000 succursales avec de l'énergie renouvelable.

100   Pepsi vient d'acheter pour 1,1 milliard de kWh d'énergie verte, l'équivalent d'un an de sa consommation.

101   Shell a investi 500 millions de dollars dans un plan de développement des énergies renouvelables.

102   Selon un article du *New York Times*. Le rapport de Nicholas Stern, publié en novembre 2007, considère que l'actuel réchauffement climatique provoquerait une récession économique mondiale estimée à 5,5 milliards d'euros, soit autant que le coût des deux guerres mondiales et de la dépression de 1933.

103   Bill Clinton a voulu sensibiliser les médias en disant dans les années 90: «Beaucoup d'Américains voient venir le train, mais n'entendent pas le sifflet.» Toutefois, il n'a rien fait de constructif pour y remédier. Pourtant, à son époque, des chercheurs très sérieux comme M. Manabe et M. Stouffer de l'Université de Princeton, avaient mis en garde contre un ralentissement du Gulf Stream en cas d'une concentration de GES quatre fois plus forte. Selon eux, ce *tapis roulant* marin serait déréglé et cinq fois plus lent. Les États-Unis connaîtront alors une hausse des températures de 10 ° C.

et non le mode de vie propre des Américains. De plus, Washington refusait de commencer à réduire ses GES tant et aussi longtemps que les pays en voie de développement ne réduiraient pas[104] les leurs. Bush a refusé à chaque fois de transformer les réunions du G8 en ÉcoSommet. Il soulevait d'autres dossiers chauds, comme celui du bouclier antimissile en Europe centrale, la démocratie dans le monde, l'Afrique, la crise alimentaire, le dossier chaud de l'Iran ou du Darfour pour détourner l'attention du réchauffement climatique.

L'ancienne administration Bush, plutôt nationaliste, qui a manifesté peu d'intérêt pour une action mondiale concertée contre le réchauffement climatique, prétextant que «le mode de vie des Américains ne peut être négocié», s'est donné néanmoins, en 2007, pour calmer les opposants internes à sa politique, certains objectifs, moins contraignants que ceux de Kyoto. Des réductions de GES ont été proposées, mais sur une base de programme volontaire. D'un autre côté, des recherches et des expériences technologiques en cours visent à trouver les meilleurs moyens de séquestration et de stockage du gaz carbonique.

Des observateurs ont considéré que le plan américain de réduction de GES masquait une augmentation de 14 à 25 % de leurs émissions. Plusieurs estimaient que cette augmentation était difficilement contrôlable, à moins de *volontairement* ralentir la croissance économique, les industries et la production en général.

Face à la pression constante et mondiale sur Bush en matière d'environnement, ce dernier a convoqué son propre sommet concurrent sur le climat, trois jours après celui du 24 septembre 2007 tenu au siège des Nations Unies. Il a réuni quelques pays qui, à eux seuls avec les États-Unis, émettent presque la moitié des GES dans l'atmosphère: la Chine, l'Inde, le Japon, la Corée du Sud. Ces pays ont refusé, eux aussi, les objectifs contraignants de réduction de GES réclamés par l'ONU et les Européens, et optent pour des réductions volontaires sans engagement ni cibles sévères. Ce groupe comptait élaborer ses propres stratégies pour l'après-2012, date d'expiration du *Protocole de Kyoto.*

---

104  L'économiste Anil Agarwal (Inde) soutient que si les pays en voie de développement acceptaient de réduire tout de suite leurs GES, ce serait accepter que les pays riches qui ont une responsabilité planétaire dans le dossier des GES se libèrent de leurs responsabilités environnementales. Ce serait comme si les principaux pollueurs faisaient payer les pays victimes leur pollution. Je pense qu'il serait plus sage de mettre de côté la responsabilité première de la grave situation que nous vivons aujourd'hui et d'agir tous ensemble, sérieusement, pour préserver ce qui reste de la planète. Sinon, et les pays riches et les pays pauvres feraient preuve d'esprit mercantile. En fin de compte, ce serait malheureusement les pays pauvres qui perdraient le plus, car ils sont moins prêts à faire face à cette éventuelle crise environnementale.

Lors du 34ᵉ Sommet du G8 (2008) à Toyako (Japon), les États-Unis ont manifesté une certaine ouverture. Les dirigeants présents se sont entendus sur une réduction d'au moins 50% des émissions mondiales de GES d'ici 2050. Cependant, ils ont fait appel à la «contribution de toutes les principales économies selon un principe de responsabilité différenciée». Les 16 principales économies du monde réunies en marge de ce Sommet n'ont pas pu s'entendre sur des objectifs concrets concernant cette diminution malgré le consensus déclaré: «la lutte contre les changements climatiques passe obligatoirement par des objectifs de réduction des GES.» Les économies émergentes ont refusé de réduire les leurs.

Depuis l'élection de Barack Obama[105], un vent d'espoir souffle sur les États-Unis et sur le monde. Un virage vert à 180 degrés s'annonce. Obama a déclaré qu'il évitera les confrontations et a reconnu que «la planète est en péril». Il a ajouté dans un message adressé à un sommet international consacré à l'environnement, tenu à Los Angeles en novembre 2008, répété à la Conférence de Poznan: «Peu de défis auxquels les États-Unis, et le monde, font face, sont plus urgents que de combattre le changement climatique. La science ne se discute pas, et les faits sont clairs.» Il a affirmé: «Ma présidence ouvrira un nouveau chapitre dans le leadership américain sur les questions climatiques... Lorsque je prendrai mes fonctions, vous pouvez être sûrs que les États-Unis s'engageront énergiquement dans ces négociations et aideront à guider le monde vers une nouvelle ère de coopération mondiale sur le changement climatique... C'est le moment de faire face à ce défi une fois pour toutes. Attendre n'est plus une option. Le déni n'est plus une réponse acceptable. Les enjeux sont trop importants, les conséquences trop graves.»

Obama compte miser sur l'environnement pour relancer l'économie. Il veut promouvoir les principes du développement durable, les bâtiments écoénergétiques et les énergies vertes qui créent cinq millions d'emplois dans son pays. Il envisage d'investir 15 milliards de dollars chaque année pour promouvoir le secteur privé de l'énergie propre. Il a promis de «s'engager vigoureusement» à réduire, d'une façon prioritaire, les GES à leur niveau de 1990 d'ici 2020 et éventuellement de 80% de plus d'ici 2050. Il veut augmenter l'efficacité énergétique et développer dans son pays un système de marché du carbone. Il ne se laisse pas influencer par les puissants lobbies

---

[105] John McCain a annoncé, durant la campagne électorale présidentielle, qu'il offrira la somme de 300 millions de dollars à la personne qui inventera une nouvelle voiture fonctionnant à une autre énergie que le pétrole.

des grandes pétrolières qui ont planifié des guerres horribles uniquement pour contrôler d'autres sources premières d'énergie fossile.

Son slogan: «Le changement arrive aux États-Unis» donne à espérer. Il saura sûrement, malgré l'opposition qu'il rencontrera, conjuguer intérêts économiques et intérêts environnementaux, et souscrire aux accords internationaux en matière de politique climatique.

## Opposants à la politique de Bush

Malgré le refus de l'ancienne administration Bush de réduire les émissions de GES, le Chicago Climate Exchange (CCX) est né le 22 avril 2003. Il offre la possibilité de vendre des crédits de carbone obtenus en diminuant les GES. Plusieurs entreprises y adhèrent à titre volontaire, comme Ford, DuPont et Motorola. Les Américains s'attendent à ce qu'il y ait bientôt un marché du carbone dans leur pays. Ils comprennent de plus en plus que *polluer* finit par *coûter*.

Quarante États américains sur cinquante, dont la Californie[106], la Floride, le Connecticut et New York, plusieurs villes américaines (221)[107], dont Atlanta, Asheville, Las Vegas, Boston, Baltimore, Portland, Austin, Salt Lake City et Denver, plusieurs gouverneurs, dont Arnold Schwarzenegger, plusieurs politiciens, dont la présidente de la Chambre des représentants, à l'époque, Nancy Pelosi et le sénateur Al Gore, ont affiché leur profond désaccord avec la position du gouvernement Bush et développé leurs propres stratégies et politiques environnementales.

Le directeur de l'Environmental Protection Agency (EPA) des États-Unis, Stephen Johnson, a déclaré aux médias, en juin 2007, à la suite d'une étude approfondie, que les règles en vigueur aux États-Unis sont inadéquates pour protéger la population de l'air qu'elle respire. Il exigeait des limites plus strictes pour le contrôle du smog. Malgré cette recommandation, Bush a refusé d'accorder, par le biais de cette même agence, une dérogation au «Clean Air Act» (Loi sur la lutte contre la pollution). Arnold Schwarzenegger, gouverneur de la Californie, et son homologue Jodi Rell, gouverneur du Connecticut, appuyés de 14 autres États qui veulent adopter une loi environnementale pour imposer des normes plus strictes sur les émissions polluantes des voitures, ont poursuivi devant les tribunaux le gouvernement fédéral à cet effet et ont obtenu un jugement de la Cour suprême

---

106 Face à la pénurie d'eau, une loi californienne recommande aux agriculteurs qui ne peuvent plus cultiver de vendre leurs «droits à l'eau» aux régions urbaines en cas de sécheresse.

107 Source: *Une vérité qui dérange* de Al Gore. Voir les pages 288-289 pour l'énumération, en date de 2006, de ces 221 villes.

en leur faveur. Bush s'est obstiné à refuser de donner aux États des pouvoirs accrus pour lutter contre la pollution. Il a toutefois adopté, en décembre 2007, l'Energy Independance and Security Act qui impose une économie d'essence aux voitures, subventionne les autos hybrides et la reproduction de biocarburants.

Plusieurs écologistes américains ont publié des rapports inquiétants, dont Lester R. Brown, le fondateur du World Watch Institute et du Earth Policy Institute. Il rédige des rapports annuels traduits dans près de 30 langues. Il dénonce les nombreux essais nucléaires (près de 1850 essais depuis la seconde moitié du XXe siècle). Les armes[108] sont un gros facteur de pollution du sol, de l'eau, de l'air. Son livre *Plan B: Rescuing a planet under stress and a civilisation in trouble,* publié en 2003, propose aux gouvernements d'augmenter les taxes sur les pratiques qui détériorent l'environnement, de réorienter les subventions[109] en fonction des retombées écologiques, de stabiliser la population de la planète et le niveau d'eau des nappes phréatiques, et de protéger les sols. Il se réfère à Théodore Roosevelt qui, de 1942 à 1944, à cause de la Seconde Guerre mondiale, a décrété un moratoire sur la production et la vente de voitures particulières, sur les constructions domiciliaires et routières, en vue de fabriquer uniquement du matériel militaire. Pour épargner de l'essence, il était même défendu de se balader en auto. Les ressources étaient rationnées.

Cet exemple prouve que les États n'ont qu'à décider sérieusement de contrôler aujourd'hui la surproduction et la surconsommation. Ils n'ont qu'à imposer des mesures d'urgence pour le bien commun.

## Politique d'Ottawa

La stratégie du gouvernement conservateur est de réduire plutôt la production de GES des *individus* qui sont de grands consommateurs d'énergie en raison de leurs besoins en chauffage, en électricité et en transports, vu la grandeur du territoire et le climat canadiens. Chaque habitant se trouve invité, sur une base de participation volontaire, à diminuer d'une tonne par année ses GES.

Les industries minières, manufacturières, pétrolières et gazières, infiniment plus polluantes que les individus, sont moins ciblées. Les mesures

---

108   Des recherches sont en cours pour fabriquer des armes qui ne polluent pas ou qui polluent moins.

109   Brown s'insurge contre le fait que les contribuables dans le monde dépensent 700 milliards de dollars chaque année pour subventionner des entreprises qui provoquent la destruction de la planète.

prises à leur égard sont bien plus timides et réservées. Les 700 plus grandes industries du pays ont été invitées à réduire l'*intensité*, et non la *quantité* d'émissions de leurs GES[110]. Ces entreprises pourraient obtenir des crédits si elles investissaient dans le reboisement.

L'Alberta, province qui émet le plus de gaz polluants[111] et qui s'oppose aux objectifs du *Protocole de Kyoto* à cause de sa forte industrie pétrolière et gazière, a néanmoins mis en œuvre trois projets pilotes d'emmagasinage de gaz dans ses puits de pétrole ou de gaz naturel.

Pour calmer les opposants internes à sa politique, le gouvernement fédéral a élaboré un plan national, que plusieurs provinces trouvent très timide, visant à réduire de 20% les émissions de GES d'ici 2020 et de 270 mégatonnes les GES d'ici 2012, et ce, dans différents domaines: le tran port, les industries, les habitations, les édifices commerciaux. Un crédit fiscal est accordé au développement des énergies renouvelables.

Le 24 septembre 2007, dans son discours à l'ONU sur la lutte aux changements climatiques, le premier ministre Harper, qui semblait ne pas reconnaître la réalité des changements climatiques, a annoncé que le Canada se joignait au groupe Asie-Pacifique AP6 qui a rejeté le *Protocole de Kyoto*. Ce groupe, appelé «Partenariat Asie-Pacifique sur le développement propre et le climat» avait été créé en 2006 par l'Australie (avant sa ratification du traité de Kyoto par son nouveau premier ministre en décembre 2007), la Chine, la Corée du Sud, les États-Unis, l'Inde et le Japon. Ces six pays ont été vivement critiqués par les environnementalistes, qui les ont qualifiés de «délinquants de Kyoto». Ces pays, qui comptent parmi les plus grands pollueurs de la planète, privilégient une approche non contraignante basée sur des cibles volontaires et sur des objectifs de réduction de GES à long terme.

Lors du discours du Trône prononcé en octobre 2007, Harper a avancé que le Canada était dans l'impossibilité d'atteindre les objectifs de réduction de gaz à effet de serre et renonçait officiellement au *Protocole de Kyoto*. Il n'acceptait aucun objectif contraignant si les États-Unis, l'Inde, la Chine, n'en faisaient pas autant. Selon lui, il devrait y avoir des plafonds d'émissions appliqués à *tous* les gros pollueurs de la planète, ou alors pas d'accord du tout.

Le Canada a mérité à Bali, conjointement avec les États-Unis, le prix «Fossile» de l'année à cause de sa performance déplorable en matière

---

110  L'Institut Pembina affirme que les mesures de contrôle des GES par le gouvernement canadien sont trop faibles pour empêcher que le réchauffement global ne baisse de deux degrés.

111  Cinq fois plus de GES par habitant que le Québec. L'Alberta produit 29% des GES au Canada, suivie de l'Ontario avec 28% et du Québec avec 13%.

d'émissions de GES qui avaient augmenté de 36% depuis 1990, au lieu de diminuer de 6%.

Dans le but d'atteindre les cibles de réduction de GES d'ici 2050, la *Table ronde nationale sur l'environnement et l'économie* (TRNEE), qui inclut des hommes d'affaires, a fortement recommandé, dans un mémoire envoyé au premier ministre du Canada en janvier 2008, d'imposer une «taxe sur le carbone» à l'échelle nationale, applicable à toute production et utilisation de produits polluants. Le prix du carbone devrait être également déterminé, comme en Europe, par un système de quotas et d'échanges transigés dans une bourse du carbone. Ce serait une façon d'inciter les entreprises à moins polluer. Ces experts indépendants mandatés par Ottawa réclamaient une action urgente et assuraient qu'il en coûterait davantage à l'économie canadienne et à l'environnement si le gouvernement n'adoptait pas les mesures préconisées. Harper a rétorqué en rejetant du revers de la main cette proposition. Il prétendait que cette mesure nuirait à l'économie de l'ouest du pays et qu'elle serait peu populaire auprès des consommateurs.

## Opposants à la politique de Harper

Tous les leaders de l'opposition, ainsi que les premiers ministres de la majorité des provinces, ont contesté d'une seule voix ce manque d'engagement fédéral en matière d'environnement qui va à l'encontre des souhaits de la majorité des citoyens. Ils ont exigé le respect du *Protocole de Kyoto*.

Plusieurs politiciens (dont Phil Fontaine, chef national de l'Assemblée des Premières Nations, Gerry Barr, PDG du Conseil canadien pour la coopération internationale) et environnementalistes (dont David Suzuki, les responsables de la Coalition Québec vert Kyoto, Greenpeace, les partis verts du pays), insatisfaits des mesures très timides du gouvernement d'Ottawa, ont réclamé rien de moins que la démission du ministre fédéral de l'environnement. Pour éviter toute *partisanerie politique*, des représentants des trois partis d'opposition se sont alliés à cette demande et ont même menacé de faire tomber le gouvernement s'il ne s'engageait pas à respecter les cibles de Kyoto. Une campagne de mobilisation KyotoPlus appuyée d'une pétition est en circulation.

Le chef sortant du Parti libéral Stéphane Dion était qualifié de «vert fonceur». Déjà, comme ministre de l'Environnement en 2005, il avait introduit un projet de lutte contre les changements climatiques au pays.

Il a affirmé en 2007, à l'encontre de la politique Bush-Harper: «Il faut dès maintenant faire des gestes concrets pour combattre les effets nocifs des changements climatiques. Toute tergiversation sur la question coûtera des milliards au Canada.» Il est allé plus loin en avançant, suite à sa rencontre avec Nicholas Stern (économiste britannique et champion de la lutte aux changements climatiques): «Les réchauffements climatiques, s'ils ne sont pas contrés d'urgence, occasionneront une baisse de croissance économique généralisée de 20% du produit intérieur brut (PIB). Par contre, si le *Protocole de Kyoto* est respecté par les pays signataires – dont le Canada –, il n'en coûtera aux économies planétaires que 1% de leur PIB[112].»

Stéphane Dion voulait préparer le Canada à entrer dans le marché du carbone, qui «en 2012, va être aussi grand que le marché du café et des céréales réunis. Nous ferons partie de l'économie durable qui a crû par sept fois dans les trois dernières années». Il ajoutait, avec conviction: «Si nous n'agissons pas, nous laissons tomber tout ce secteur économique qui représente la nouvelle révolution industrielle. Nous ferions une grave erreur.»

Dion insistait, avant sa démission, auprès des médias: «Si je suis élu, tous mes ministres seront verts. Et mon programme sera basé sur la convergence naturelle entre rentabilité et développement durable. Une bonne croissance économique est intimement liée au développement durable, qui assure efficacité énergétique, productivité des ressources, recyclage au lieu de gaspillage.» Son slogan traduisait son engagement vert: «Je veux que le Canada figure parmi les champions du développement durable.»

Selon lui, les technologies vertes qui font appel au *savoir* et aux *pratiques* des citoyens feraient avancer l'économie du pays: «Les technologies environnementales (favorisées par nos recherches universitaires) peuvent alors être exportées à travers le monde et devenir sources de très importants revenus. C'est la stratégie que je veux proposer pour concurrencer des pays comme la Chine.»

L'ancien chef libéral traçait un lien direct entre la pollution, la qualité des conditions de vie et le bien-être: «La clé (pour améliorer le système de santé au Canada) est le lien entre environnement et santé. Même s'il nous faut améliorer les capacités de notre système de santé – un Canadien sur trois sera atteint du cancer à un moment de sa vie –, c'est notre environnement et nos habitudes de vie qui sont à l'origine de problèmes comme l'obésité ou l'asthme. Si nous ne réagissons pas, nos hôpitaux resteront surchargés

---

112  John Baird, l'ancien ministre de l'Environnement fédéral, estimait pour sa part, qu'on ne pouvait respecter les cibles de Kyoto sans que s'écroule l'économie canadienne. Son gouvernement a coupé plusieurs milliards de dollars dans les programmes environnementaux. Celui qui le remplace, Jim Prentice (de Calgary, capitale du pétrole canadien) était ministre de l'Industrie et connaît bien les rouages de la production et de l'économie pétrolières. Il se dit ouvert à l'adoption de cibles nationales de réduction des GES propres à chaque pays

et notre système de santé, en difficulté.» Son plan d'action en faveur du développement durable nous invite à repenser le champ politique de l'économie en fonction du respect et des limites de l'écologique.

Dion avait dévoilé en juin 2008 le «Tournant vert libéral». Il proposait une mesure fiscale afin d'inciter les consommateurs à faire des choix plus écologiques: taxer davantage les entreprises polluantes qui achètent des combustibles fossiles, comme du charbon et du gaz naturel, sauf l'essence. Cette taxe serait de 10$ la tonne la première année, pour grimper graduellement jusqu'à atteindre 40$ la tonne après quatre ans. Elle entraînerait une hausse des coûts de près de 250$ par année pour un ménage moyen, mais serait compensée par une baisse d'impôts pour ceux dont les revenus sont de moins de 50 000$. Ce plan a été critiqué par plusieurs politiciens, mais favorablement accueilli par les économistes et les analystes du marché de l'énergie. Greenpeace le jugeait encore insuffisant.

Le Parti vert du Canada[113] et celui du Québec ont élaboré une plate-forme qui fait de l'environnement, de la santé et de l'éducation leurs priorités. Ils visent un développement économique durable au sein d'une société verte et démocratique qui respecte les engagements du *Protocole de Kyoto*. La taxe proposée sur le carbone de 50$ la tonne qui enrichirait le trésor fédéral de 40 milliards de dollars permettrait, selon Elizabeth May, chef du parti fédéral, «d'offrir un allégement fiscal aux citoyens en réduisant les impôts et les charges sociales, en instaurant le partage du revenu, en fournissant un soutien additionnel aux familles à faible revenu et aux familles vivant en milieu rural, et en aidant les étudiants écrasés par le fardeau de leur dette». Cette écologisation de la fiscalité inciterait les contribuables à choisir judicieusement le type d'énergie qu'ils consomment. Leur empreinte carbonique serait ainsi réduite.

Le rapport du commissaire à l'environnement, Ron Thompson, rendu public en mars 2008, blâmait le gouvernement fédéral dans 9 des 14 dossiers environnementaux évalués, dont celui des espèces menacés, celui de la protection des écosystèmes et celui des outils de gestion de l'environnement. Trois reproches sérieux étaient adressés au gouvernement: «un manque d'engagement de la haute direction, un financement souvent inadéquat, le gouvernement viole sa propre loi.»

Dans le dossier de la chasse aux phoques du Groenland installés sur la côte est du Canada, le gouvernement Harper a autorisé, pour la saison

---

113   Durant l'été 2008, un député libéral, Blair Wilson, est passé chez les verts, devenant ainsi le premier représentant vert au Parlement canadien. Cela ne dura que quelques mois, jusqu'aux élections.

2008, l'abattage de 275 000 phoques sans tenir compte de l'avis négatif du «total admissible de captures» (TAC). *Actualités News Environnement* avait alors déclaré: «Le mépris éhonté affiché envers les principes de gestion préventive démontre au monde entier que le (présent) gouvernement canadien n'accorde aucune valeur à la science ni à la protection de la nature. (Ce geste) ne soutient rien d'autre que l'avenir politique de quelques décisionnaires canadiens». Les experts d'International Fund for Animal Welfare (IFAW) affirment que l'absence de volonté d'Ottawa de réduire le nombre de phoques à abattre n'est pas seulement inappropriée, mais tout simplement irresponsable.»

Face à cette conjoncture et devant l'inaction d'Ottawa en matière de lutte contre les changements climatiques, les provinces réunies à Moncton en août 2007 ont décidé (à l'exception de l'Alberta) de prendre dès maintenant des mesures adéquates: réglementer les émissions de GES du secteur industriel, adopter les normes californiennes d'émissions réduites sur les véhicules et mettre en œuvre des normes d'efficacité énergétique dans la construction de bâtiments.

Lors des élections fédérales de l'automne 2008, remportées par les conservateurs en dépit de leur approche politique si peu verte, les médias ont estimé que les enjeux environnementaux occupaient les premiers rangs et constituaient un problème épineux. Le Parti vert était, pour la première fois, présent avec ses candidats partout au pays, même au débat des chefs. Comme d'habitude, Harper a refusé de participer à une quelconque discussion télévisée qui tournerait surtout autour des grands dossiers verts. L'opinion publique, aujourd'hui alertée, questionne de plus en plus les candidats sur leurs programmes et promesses en lien avec la gérance de la problématique écologique au pays. Malgré l'éveil environnemental grandissant des citoyens, le Parti vert n'a recueilli que 7% des votes et demeure sans représentant.

## Politique actuelle du Québec

Au niveau provincial, le gouvernement de Jean Charest a annoncé, vers la mi-août 2008, l'instauration éventuelle d'une écotaxe de 20 cents pour chaque sac de plastique non biodégradable distribué dans les supermarchés. Cette «plastax» dissuasive est inspirée de l'Irlande qui impose 15 cents sur chaque sac de plastique fourni dans les magasins[114]. Ce projet de loi devait être débattu à l'Assemblée nationale.

---

114 Cette mesure a diminué de 90% la consommation de sacs en plastique non recyclables dans ce pays. En Australie, le Code volontaire de bonnes pratiques sur l'utilisation des sacs en plastique a permis de réduire de 40% en trois ans leur utilisation. Le Québec a adopté un Code volontaire

Une nouvelle «taxe verte» sur le carbone, première du genre au Canada, est entrée en vigueur le 1er octobre 2007 (Loi 57). Dans le but de réduire ses émissions de gaz à effet de serre d'ici 2012, Québec impose cette taxe aux sociétés d'énergie qui importent 25 millions de litres de pétrole ou de produits du charbon par an. Reste à savoir si ces grands «distributeurs» et «consommateurs» d'énergie (une cinquantaine d'entreprises) accepteront d'absorber cette taxe ou s'ils l'ajouteront au prix du carburant à la pompe. Cette taxe sera de 0,8 cent par litre d'essence vendu et de 0,9 cent par litre de diesel vendu. Elle rapportera près de 200 millions de dollars par an. Ces redevances au Fonds vert du Québec l'aideront à atteindre ses objectifs de réduction de GES.

Ces redevances au Fonds vert financeront en partie le projet bien controversé du port méthanier Rabaska[115] (à Lévis). Ce projet vise notamment à encourager le passage du mazout vers le gaz naturel dans la province. L'usage progressif de gaz, qui remplacerait l'utilisation de 25% de mazout lourd, pourrait réduire d'un million de tonnes par année la quantité d'émissions de GES d'ici 2012. Plusieurs villes côtières américaines ont refusé l'implantation d'un tel terminal méthanier sur leur territoire à cause, entre autres, de son potentiel dangereux pour l'environnement, la sécurité et le risque d'explosion.

Ce mégaprojet sera très coûteux en infrastructures et en transport. Il faudra importer[116] par voie maritime des centaines de millions de mètres cubes de gaz naturel liquéfié (GNL), le traiter sur place, le regazéifier et l'acheminer par gazoduc chez les consommateurs ou le revendre à l'extérieur du pays, surtout aux États-Unis. Le Québec a-t-il vraiment besoin d'implanter un port méthanier pour promouvoir cette énergie? Selon André Bélisle, de l'Association québécoise de lutte contre la pollution atmosphérique, les «besoins en gaz ne sont pas assez grands au Québec pour justifier un tel projet,

---

similaire et souhaite réduire de 50% l'usage de ces sacs d'ici 2012. La Belle Province consomme plus de deux milliards de sacs en plastique par année et n'en récupère que 6200 tonnes par rapport à 42 000 qui se retrouvent aux ordures. Déjà plusieurs grands magasins proposent à leurs clients des sacs recyclables, biodégradables (faits d'amidon) ou réutilisables. Quatre millions de sacs réutilisables ont été vendus au Québec en 2005. 500 milliards sont utilisés chaque année dans le monde. Notons que les additifs qui rendent le polyéthylène biodégradable, photodégradable ou compostable coûtent cher.

115 Sur les 286 hectares acquis par le consortium Rabaska, 116 sont boisés. Il faudra donc abattre 65 000 arbres pour réaliser le projet. Les promoteurs ont promis de reboiser une superficie de 28 hectares autour des futures installations. Il est étonnant de constater qu'il n'y a pas eu encore d'étude d'impact sur un tel projet. Ce dossier est contesté devant les tribunaux.

116 Les principaux pays exportateurs de gaz naturel sont la Russie, l'Algérie, l'Iran, l'Indonésie, la Malaisie, la Norvège, le Nigeria, Oman, le Qatar et le Brunei. L'Ouest canadien en produit également. Le gaz constitue la troisième source d'énergie dérivée de combustibles fossiles (23%) après le pétrole (36%) et le charbon (26%).

surtout avec tous les risques qu'il comprend». D'autres opposants ne craignent pas de rétorquer tout haut qu'avec ce terminal méthanier et ses déchets, le Canada servira de «poubelle» aux États-Unis.

Pour renoncer au mazout lourd et promouvoir le virage vers d'autres formes d'énergie plus douces, pourquoi ne pas maximiser et bonifier plutôt les moyens actuels d'exploitation hydroélectrique bien établis et plus conformes à la configuration géographique du Canada et à ses richesses naturelles? Vu le peu de consommateurs de gaz au Québec (seulement 12%), l'achat de ce gaz serait bien plus avantageux que la construction et la gérance de tout un port méthanier (au coût de 840 millions de dollars) implanté à seulement 500 mètres des habitations, alors que dans d'autres pays, ces ports méthaniers sont installés sur des plates-formes, en pleine mer et à une vingtaine de kilomètres des régions habitées. Tout compte fait, la consommation de l'électricité serait bien plus appropriée et moins onéreuse.

D'un autre côté, différentes mesures environnementales ont été adoptées pour contrer la vague d'algues bleues qui ont envahi les lacs de la province, notamment en raison du phosphate. Trente-cinq mesures ont été annoncées, qui coûteront 195 millions de dollars en dix ans. Plusieurs nouveaux règlements à caractère écologique ont été adoptés:

- interdire les détergents contenant 0,5% ou plus de phosphore (à l'instar du Manitoba);
- contrôler les eaux usées rejetées par les embarcations;
- resserrer l'inspection des fosses septiques des résidences (surtout riveraines);
- aider les agriculteurs à adopter des méthodes moins polluantes.

Ces actions législatives sont importantes mais insuffisantes. Un objectif crucial a été ciblé et ajouté par les municipalités, soit l'application de bandes riveraines protectrices obligatoires en milieu rural et urbain.

Par ailleurs, Line Beauchamp, ministre de l'Environnement du Québec, a refusé publiquement de suivre la position d'Ottawa concernant le *Protocole de Kyoto* et l'après-Kyoto. Elle avait annoncé un nouveau Programme de capture ou de valorisation des biogaz qui proviennent de la décomposition des déchets. Elle entendait légiférer pour, entre autres, forcer les fabricants de produits électroniques, de piles et de lampes fluorescentes à suivre un programme de récupération et de recyclage de leurs produits[117], comme c'est le

---

117  Sony Canada propose deux centres à Montréal, un à Sherbrooke et un à Québec où ses produits usagés seraient recueillis pour être ensuite recyclés.

cas en Europe. Dans une de ses déclarations, elle a affirmé que les émissions de GES du Québec avaient baissé de 4% entre 2003 et 2006 et de 7% par habitant depuis 1990. La Belle Province est en voie d'atteindre les objectifs de Kyoto d'ici 2012.

Lors des dernières élections provinciales de 2008 qui ont reconduit le parti libéral au pouvoir, les écologistes ont observé, durant la campagne électorale, que les engagements pris par les partis politiques n'étaient pas à la hauteur en environnement. Une dizaine de groupes environnementaux leur avaient expédié un questionnaire. Seuls Québec solidaire et le Parti vert ont obtenu une bonne note. Dans un autre questionnaire préparé par CAA-Québec, seul le Parti vert avait une note parfaite. Les candidats, à l'exception de ceux du Parti vert, sont tous restés muets face à la polémique qui entoure le port méthanier de Rabaska. Au débat des chefs, le terme *environnement* a été soigneusement évité.

## Nécessaire implication de l'institution politique, droit de vote écologique

L'heure est venue de mettre pleinement à profit son *droit de vote écologique*. Les écocitoyens font ainsi valoir leur priorité en matière politique: un leadership visionnaire qui vise un développement vert, équitable et durable.

Au nom du bien commun, les gouvernements sont invités à introduire et à appliquer un *plan écologique efficace* dans leurs politiques. Par exemple, un contrôle du système de subventions qui encourageraient plutôt les entreprises locales et vertes; une gérance étroite des allègements fiscaux, des crédits et des permis à polluer échangeables; des mesures spéciales pour encourager l'essor des nouvelles énergies non polluantes et pour favoriser le compostage; le maintien public de la gestion de l'eau; le changement de régime forestier; l'abandon du projet de port méthanier et de la réfection de la centrale nucléaire Gentilly-2.

Malgré le fait que le Parti vert du Québec n'a pas encore d'élu à l'Assemblée nationale, il demeure un phare pour le pays, pour le gouvernement et pour la population. Sa prise de parole et de position espère éveiller les consciences. Il a proposé, lors des élections de 2008, un Programme axé, entre autres, sur:

- la qualité de vie du citoyen et de son environnement;
- la justice sociale;
- la démocratie;

- la technologie verte qui crée des emplois;
- une économie orientée vers le développement durable, vers l'écoproduction et l'écoconsommation;
- une utilisation viable et équitable des ressources (eau, forêts, énergies propres);
- une éducation qui vise la formation d'écocitoyens solidaires avec les autres générations;
- un meilleur service au niveau de la santé afin de prévenir et de maintenir les citoyens en forme;
- un plan de transport écologique étalé sur vingt ans;
- l'écoconditionnalité qui est un système de subvention de l'agriculture à condition qu'elle respecte certaines pratique écologiques;
- le respect de la totalité des mesures environnementales préconisées par le *Protocole de Kyoto*;
- le développement et le rayonnement de la culture.

Les élus[118] sont appelés à conclure des accords politiques qui garantissent la diminution de la pollution atmosphérique et à les mettre en œuvre. Ils doivent s'entendre sur des mécanismes juridiques provinciaux, nationaux et internationaux communs, et s'acquitter de leurs obligations environnementales. Ils doivent s'engager concrètement dans la surveillance du taux d'émissions de $CO_2$ selon des dispositions et barèmes fixes.

## Quelques solutions proposées aux politiciens

David Suzuki, qui va dans le même sens que le Plan environnemental des libéraux et des partis verts, exhorte le gouvernement fédéral à imposer une taxe sur les émissions de GES qui pénaliserait les gros émetteurs industriels et avantagerait économiquement ceux qui épargnent l'énergie. Un tarif de 100$ par tonne d'émissions carboniques peut engendrer plus de 50 milliards de dollars par an d'ici 2020 et réduire les émissions de 20% par rapport aux niveaux de 2006.

De son côté, F. Pierre Gingras, spécialiste en planification et en estimation des grands projets d'aménagements hydroélectriques, rappelle que

---

118  Ces mêmes élus, au lieu de défendre les intérêts et le patrimoine de la nation, vendent des permis de coupe à blanc, détruisent des ressources naturelles avec l'argent des contribuables et acceptent des projets polluants, rentables à court terme. Cf. le film *L'erreur boréale* de Richard Desjardins. Des chercheurs de l'Université de Toronto ont conclu que l'exploitation de la forêt boréale canadienne empêche le retrait naturel de 36 millions de tonnes de carbone de la stratosphère. De plus, le sol des forêts rasées qui a séquestré le carbone le relâche pendant plusieurs années.

la production annuelle d'un mégawatt d'une centrale thermique implique la consommation de 2500 à 2700 tonnes de carburant et entraîne l'émission de quelque 10 000 tonnes de gaz à effet de serre dont 7500 tonnes de $CO_2$.

Advenant la mise sur pied d'une « bourse pour les crédits de pollution » au Canada, au prix européen actuel de l'ordre de 30 à 40 euros par tonne de GES, et au taux de change de 1,6 euro par dollar canadien (en date de septembre 2008), une tonne de GES aurait une valeur de 50 à 64 dollars canadiens à une telle « bourse ». Ce coût implique que la production d'un mégawatt d'énergie hydroélectrique, permettant d'éviter annuellement l'émission de ces 10 000 tonnes de GES, aurait une valeur en « crédits de pollution » de 500 000 à 640 000$ engendrée autrement que par une centrale thermique, ce qui permettrait à Hydro-Québec d'augmenter d'autant son prix d'énergie à l'exportation sans créer de pression sur les marchés.

Considérant qu'Hydro-Québec exporte en moyenne l'équivalent de 2000 mégawatts à plein temps, le manque à gagner du Québec, en l'absence de cette « bourse de crédits de pollution », s'élève à approximativement 1,25 milliard de dollars par année.

Pleinement conscient des possibilités actuelles dans ce monde de l'énergie, P. Gingras propose au gouvernement du Canada et aux gouvernements provinciaux d'investir dans les technologies de développement durable et non polluant telle la réalisation d'un réseau de transport d'énergie électrique de 735 kV transcanadien[119] qui provoquerait la réalisation de multiples projets hydroélectriques et éoliens trop éloignés actuellement des centres de consommation. De nouvelles centrales hydroélectriques remplaceraient les centrales thermiques au charbon, au mazout et au gaz, qui produisent environ 14 960 mégawatts (en date de mars 2007, à l'exception de l'Alberta et de la Colombie-Britannique)[120] et qui émettent 90 millions de tonnes de GES par année, soit environ 12% des émissions du Canada, chiffrées à 747 millions de tonnes en 2005.

Une énergie de type hydroélectrique et/ou nucléaire remplacerait avantageusement l'énergie thermique utilisée pour extraire le pétrole des sables

---

[119] La longueur de ce réseau serait de 12 000 à 15 000 km, son coût de près de 15 à 18 milliards de dollars, excluant les postes de sectionnement et de relais. Ces frais seraient répartis sur une décennie. Les tarifs de « crédits de pollution » seraient de près de 12 milliards par année pour le Canada. Ce serait donc plus rentable économiquement et plus écologique d'investir dans ces projets hydroélectriques transcanadiens. Mentionnons qu'au Québec, 97,3% de la production d'électricité est de source hydraulique.

[120] Voici un bref bilan de ses recherches sur la production des centrales thermiques canadiennes: Nouvelle Écosse 1778 MW; Nouveau Brunswick 2429 MW; Québec 600 MG; Ontario 8569 MG; Saskatchewan 2193 MW; Terre Neuve 856 MW.

bitumineux[121], soit le tiers de la ressource, rendant ainsi disponible quelque 1 million de barils additionnels (un baril = 159 litres de pétrole), dont la combustion engendre plus de 200 millions de tonnes de GES ou 27% environ des émissions du Canada. Au coût récemment établi de 100$ US le baril, cette énergie représente en plus une perte de l'ordre de 100 millions de dollars par jour. L'élimination de ces deux sources de pollution estimées à 290 millions de tonnes de GES (90 + 200 millions) aiderait le Canada à les réduire de près de 30%, ce qui lui permettrait d'honorer les objectifs de Kyoto avec des moyens moins dispendieux, intelligemment investis et sans nuire à l'économie.

D'autre part, dans le but de contrer le phénomène de la montée du niveau de la mer, P. Gingras propose de réaliser des projets qui récupèrent l'eau des fleuves dans une très large proportion plutôt que de laisser ces eaux si importantes se perdre en mer et contribuer à son rehaussement[122]. On pourrait, sur une durée d'un siècle, réaliser une multitude de projets d'irrigation, d'hydroélectricité et autres. Il fournit l'exemple des eaux du Colorado qui ont été déviées et qui ont servi à irriguer les déserts. Selon ses estimations, pour rehausser d'un mètre les 359 millions de $km^2$ d'océans, en un siècle il faudrait y verser 359 000 $km^3$ d'eau, soit 3590 $km^3$ par an, c'est-à-dire 11 360 $m^3$ d'eau par seconde ou 13 fois le débit moyen du fleuve Saint-Laurent sous le pont Mercier. Il ajoute: «C'est à ce rythme étourdissant que l'homme détruit actuellement sa planète.»

Gingras suggère aussi de charger d'eau douce des fleuves déviés les pétroliers qui desservent l'Amérique. Ils pourraient ainsi retourner dans les pays du Golfe persique remplis d'eau de nos rivières qui se jettent inutilement dans la mer. Cela réduirait les émissions des GES des usines de désalinisation des pays exportateurs de pétrole qui manquent régulièrement d'eau douce.

La rivière aux Outardes, par exemple, retourne à la mer un débit moyen de 390 $m^3$ par seconde, soit 434 tonnes d'eau par seconde. Elle pourrait théoriquement remplir un pétrolier de 200 000 tonnes en moins de 8 minutes. En répartissant ce remplissage sur six heures, on ne dévie que 1,6%

---

121 L'exploitation des sables bitumineux rapporte plus de 4 milliards de dollars par année, mais produit plus de 70 millions de tonnes de GES annuellement. Elle consomme une grande quantité d'eau (alors que l'eau se fait de plus en plus rare dans l'ouest du pays) et pollue les nappes phréatiques.

122 Cette solution pourrait rendre service à l'agriculture et résoudre le grave problème de raréfaction, même de pénurie, de l'eau potable dans le monde. Cette eau pourrait alimenter les nappes phréatiques dont le niveau ne cesse de baisser sur les autres continents. Par contre, d'autres aspects moins positifs pourraient résulter de la retenue de ces eaux: inondation de villages, de milieux naturels et de terrains fertiles.

du débit. Les pétroliers pourraient transporter cette eau soit dans l'entre-coque conçue à cet effet, soit dans un réservoir-membrane inséré dans les réservoirs, ou, enfin, dans le nettoyage des réservoirs (processus onéreux et polluant).

## Autres exemples d'efficacité politique

On a relevé au cours des dernières années diverses initiatives politiques intéressantes, qui constituent autant de solutions intelligentes à la crise environnementale. La municipalité de Leaf Rapids au Manitoba aurait été la première ville d'Amérique du Nord à interdire, en avril 2007, les sacs de plastique non recyclables dans les commerces; ceux qui offrent de tels sacs sont passibles d'une amende de 1 000$. San Francisco a emboîté le pas à Leaf Rapids. New York, Boston et Los Angeles prévoient également adopter cette mesure. De plus, tous les édifices de la mairie de San Francisco ont banni l'eau en bouteilles de plastique grosses ou petites. Des pressions sont exercées même auprès des dépanneurs et des supermarchés visant à l'éradication de ces bouteilles[123].

La Ville de Rotterdam (Pays-Bas) s'est engagée à diminuer de 50% d'ici 2025 ses émissions de GES. Elle utilise des dirigeables au lieu d'hélicop-tères (qui contribuent au réchauffement climatique) pour surveiller son large territoire.

Pour réduire à la source la pollution des eaux et de l'air, le Service de l'en-vironnement de la Ville de Montréal exige désormais des 800 cabinets de dentistes en service sur son territoire de garder les vieux plombages dans des contenants prévus à cet effet. Ces amalgames émettent des particules à l'incinération des boues issues du traitement des eaux usées. Cette mesure compte faire diminuer de 60% la quantité de mercure sortie de l'inciné-rateur. De plus, un nouveau règlement municipal interdit de laisser fonc-tionner pendant plus de trois minutes par heure le moteur d'un véhicule immobilisé. Cet article ne s'applique cependant pas lorsque la tempéra-ture est inférieure à –10°C. Le contrevenant est passible d'une amende qui varie entre 50 et 100$. Cinq minutes de moins de moteurs en activité rédui-raient de 67 000 tonnes les GES. Une autre initiative du Conseil régional de l'environnement de Montréal, en partenariat avec Emploi d'été Canada et d'autres organismes écologiques, a remis sur pied des patrouilles vertes pour la quatrième année consécutive. Cinquante-quatre jeunes sillonnent,

---

123    Une compagnie suédoise embouteille son eau de source dans des contenants cartonnés recyclables
et biodégradables, comme c'est le cas depuis plusieurs années pour le jus et le lait.

durant la saison estivale, les rues de la ville pour informer les citoyens sur différentes mesures environnementales (compostage, recyclage, etc.).

Le gouvernement du Costa Rica a annoncé, par la voix de son ministre de l'Environnement Roberto Dobles, que le pays sera libre d'émissions de GES d'ici 2030. En effet, son énergie est presque totalement d'origine hydroélectrique (78%), éolienne et géothermique (18%). Des incitatifs fiscaux encouragent l'utilisation de véhicules hybrides.

## Exemples d'inefficacité politique

Il reste beaucoup à faire. Voici quelques lacunes graves à divers niveaux de compétence gouvernementale:

- Pourquoi, en plein milieu urbain, plusieurs locataires qui demeurent dans des immeubles, dont les HLM gérés par le gouvernement, n'ont-ils toujours pas accès à des bacs de recyclage?
- Pourquoi les restaurants, les industries, les institutions et les grands magasins ne sont-ils toujours pas tenus de recycler?
- Pourquoi plusieurs grands établissements (dont des commissions scolaires) ne recyclent qu'uniquement le papier, jetant ainsi à la poubelle des tonnes de bouteilles de plastiques et autres matières recyclables?
- Pourquoi les subventions allouées aux organismes à caractère environnemental sont-elles si minces?
- Pourquoi ne pas investir dans la publicité verte qui met en garde contre la pollution et la dégradation de l'environnement, comme on le fait, à titre préventif, pour la cigarette, l'alcool, la drogue ou la vitesse qui tue?
- Pourquoi tant de laxisme dans les plans d'urbanisme et les développements sauvages en milieu rural, loin des villes et des transports en commun?
- Pourquoi ne pas généraliser les pompes de biocarburants?
- Pourquoi les voitures hybrides sont-elles livrées au compte-gouttes?
- Pourquoi permettre à des administrations peu vertes de continuer à causer des dommages collectifs irréversibles à l'environnement?
- Pourquoi financer des projets qui vont à l'encontre de l'environnement?
- Pourquoi persister dans la poursuite de la croissance à tout prix alors que les ressources naturelles, disponibles en quantité limitée, ne peuvent plus suivre?
- Pourquoi ne pas imposer le «marché du carbone» à l'échelle planétaire?
- Pourquoi ne pas implanter, d'une façon généralisée, la politique fiscale du pollueur-payeur?

- Pourquoi ne pas investir dans les énergies renouvelables (l'énergie solaire, les cuiseurs solaires, les capteurs solaires mixtes photovoltaïques pour produire la chaleur et l'électricité, l'éolien, la géothermie, l'énergie cinétique, la biomasse, les biomatériaux, l'hydrogène, le biogaz... notamment dans des pays comme Haïti)?
- Pourquoi ne pas mettre des limites à la croissance industrielle et économique?
- Pourquoi l'environnement est-il encore, au Canada et au Québec, un sujet occulté chez plusieurs politiciens (et citoyens) alors qu'il constitue le cheval de bataille des campagnes électorales dans d'autres pays?
- Qu'attendent les politiciens pour dépolluer au plus vite le site superpollué du Technoparc situé au centre de Montréal ?

## *Pourquoi tant de lenteur dans l'action?*

Comment expliquer l'hésitation de plusieurs politiciens à s'engager pour l'environnement? Pourquoi attendre aussi longtemps avant de remédier efficacement à la crise de pollution environnementale et aux changements climatiques?

Quelques chefs de gouvernement ne sont pas encore convaincus du lien entre la dégradation de l'équilibre écologique et les activités anthropiques. Est-ce par manque de bonne volonté, par intérêt économique ou financier, par souci de maintenir à tout prix le régime de production et de consommation, pour plaire aux pétrolières qui financent leur parti, pour être réélu? L'entraide humanitaire spontanée et généreuse qu'organisent plusieurs nations en quelques jours pour venir en aide à un pays soudainement dévasté par une calamité naturelle (par exemple, le tsunami de décembre 2004 en Asie) n'est qu'un pansement, puisque la cause réelle de ces bouleversements climatiques intenses et brusques n'est pas encore traitée.

Il n'y a pas «d'adversaires» dans le dossier de la pollution et du réchauffement climatique. Il y a plutôt de l'insouciance, de l'irresponsabilité, de la cupidité et de la négligence à plusieurs niveaux:

- de la part de quelques dirigeants politiques qui ne font rien de sérieux pour réduire le degré de pollution malgré les avertissements de la communauté scientifique;
- de la part de plusieurs grands industriels qui refusent d'investir dans l'amélioration de leurs techniques de production ou dans le traitement de leurs déchets, préférant le profit immédiat le moins coûteux au bien-être de la planète à long terme;

- de la part de divers individus qui continuent à surconsommer, à gaspiller l'énergie et à refuser de recycler, malgré les avertissements.

Nous, les êtres humains, sommes responsables de ce *mal* planétaire, et comme l'écrit si bien Al Gore: «Nous devons livrer et gagner une guerre contre nous-mêmes. Nous sommes nos propres ennemis et en même temps nos seuls alliés.»

Persister à ne pas agir, ou différer délibérément son agir alors qu'on est averti, est un choix irresponsable puisque cet agir où ce non-agir concerne la survie de l'humanité entière. C'est comme connaître le bon remède qui va guérir un malade et ne pas le lui administrer.

## Mobilisation civile

Même si quelques politiciens tardent à croire en l'urgence d'agir et à s'engager sérieusement, rien n'empêche les citoyens de conjuguer leurs actes en faveur de l'environnement. Nous n'avons pas besoin d'une loi pour recycler, pour consommer moins, pour acheter local, pour planter des arbres, pour limiter nos empreintes négatives sur la nature, pour initier les autres aux problèmes réels de l'environnement. Tout citoyen est responsable de l'environnement et peut contribuer à la sauvegarde de l'avenir.

Nous décidons de notre avenir. Nous avons la possibilité de choisir ce qui est le mieux pour nous et pour la collectivité. Nous pouvons faire connaître aux gouvernements, aux industries, aux patrons et à notre entourage nos souhaits en matière de politique environnementale. Nous pouvons utiliser notre *droit d'achat* (boycotter les produits polluants), notre *droit de vote* et élire des représentants qui ont résolument le souci de la santé de la biosphère. Nous pouvons exiger de tous les responsables en poste une gestion écologique de la croissance industrielle et de l'environnement.

Sommes-nous majoritairement prêts à une gouvernance verte?

———————○———————

« *La crise de l'environnement a pris de telles proportions
que nous devons considérer notre civilisation comme dysfonctionnelle.* »
AL GORE

« *La totalité des services rendus à l'humanité par les écosystèmes
est évaluée à 33 000 milliards de dollars (minimum) par an.* »
ROBERT COSTANZA

« *Le contribuable subventionne lourdement la déforestation du domaine public,
ce qui entraîne à la fois un déficit budgétaire et une tragédie écologique.* »
AL GORE

« *Les avantages d'une action rapide et déterminée dépassent,
et de très loin, les coûts économiques de l'inaction.* »
STÉPHANE DION

« *En ce moment, on traite l'atmosphère comme un dépotoir gratuit.* »
DAVID SUZUKI

« *La croissance économique ne se poursuit qu'au prix d'une décroissance écologique.* »
JEAN-MARIE PELT

« *Pour un spécialiste de l'eau, regarder vers l'avenir est comme jeter un coup d'œil
par la fenêtre d'une locomotive dix secondes avant un déraillement.* »
DAVID SCHINDLER

« *Le malheur de l'homme est d'avoir oublié que la science, mal orientée,
mal utilisée, pouvait le tuer. À cause de sa confiance illimitée en la science,
il se retrouve aujourd'hui dans un monde pollué où sa vie est menacée.* »
MARCEL CHAPUT ET TONY LESAUTEUR

———————○———————

# ④ L'école verte

*« Après le pain, l'éducation
est le premier besoin d'un peuple. »*
DANTON

> L'école constitue, par excellence, le lieu de formation d'écocitoyens. Plusieurs modèles d'intervention sont analysés ici dans le but de développer chez l'apprenant une sensibilité, des compétences et des valeurs vertes.

## La mission de l'école

La mission première de l'école, conjointement avec la famille et la communauté, est de former un *écocitoyen* cultivé, responsable, autonome, fonctionnel, muni d'outils nécessaires à sa réalisation personnelle et sociale, respectueux de la différence des autres et attaché aux valeurs intrinsèques. Ces qualités l'aideront à bâtir, en union avec ses concitoyens, un avenir meilleur.

Deux indices de réussite et d'accomplissement réels de la mission de l'école s'inscrivent, premièrement, *dans le besoin et le désir* qu'elle a semé chez l'apprenant de toujours chercher à apprendre plus, tout au long de sa vie; deuxièmement, *dans le degré d'éveil intégral* mental, intellectuel, sensoriel, civique, analytique, créatif et socio-environnemental qu'elle aura suscité en lui.

La compétence[124] de réflexion et d'analyse développée chez l'apprenant, acquise graduellement à l'école grâce à l'étude des sciences humaines et appliquées, l'assistera ultérieurement dans ses prises de décision face aux défis majeurs de la société.

La mission de l'école ne se limite pas au devoir historique d'instruction ni au développement du mécanisme cognitif (lire, écrire, compter, savoir,

---

124 La compétence est l'aptitude de bien agir dans une condition déterminée avec tout le savoir requis pour le bon accomplissement de l'acte en question.

communiquer). D'autres aptitudes (savoir-faire, savoir-être) sont à cultiver, celles personnelles, culturelles, humaines, psychologiques, communautaires, sociales, interculturelles, intergénérationnelles, nationales, internationales et environnementales. Apprendre à se connaître, à trouver sa place dans la société, à choisir un métier qui correspond à ses talents propres, devenir *acteur performant* et non simple observateur de sa vie sont les défis à intégrer et à relever lors du parcours scolaire.

Pour préparer un tel écocitoyen à l'exercice d'une citoyenneté responsable, l'école est invitée, entre autres, à inclure dans son projet éducatif des moyens pour affronter le problème majeur du XXI$^e$ siècle: la qualité de l'environnement qui ne cesse de se dégrader jour après jour.

Plus qu'enseigner et récupérer le savoir antérieur, l'école se doit de développer des valeurs, entre autres, écologiques, une certaine sagesse chez l'apprenant, une solidarité avec le prochain, un «art de vivre ensemble», une capacité de trier la somme phénoménale d'informations qui nous entourent, un esprit critique pour transformer l'information en connaissance, en jugement et en action réfléchie, éclairée, responsable, capable de reconnaître ce qui est prioritaire et déterminant pour le bien-être personnel et collectif.

Le mandat de l'école est, entre autres, de préparer l'apprenant à s'adapter au continuel progrès de la société et aux continuels changements environnementaux mondiaux qui affectent déjà nos *modes de vie* locaux. Aussi, à modifier nos *modes de vie* locaux qui affectent les changements environnementaux mondiaux.

## Modèle d'intervention par matière

Toutes les matières peuvent se prêter à l'approche cognitive, créative, interactive de la problématique environnementale, peu importe le niveau d'enseignement, que ce soit au primaire[125], au secondaire ou aux adultes, en francisation, en alphabétisation ou dans le secteur scolaire régulier, collégial ou universitaire. Cette approche environnementaliste relève de la responsabilité de chaque formateur selon sa discipline.

À part le cours d'écologie, qui se donne au niveau secondaire et qui lui est exclusivement consacré, les autres programmes constituent un terrain fertile et propice à l'implantation d'activités, d'exercices de renforcement

---

125  Des élèves de 4$^e$ année du primaire ont lancé un projet de sensibilisation des garagistes pour qu'ils recyclent les vieux sacs de pneus. Ils ont compilé des statistiques du nombre de garagistes, par région, qui ont répondu à leur appel.

ou de projets pédagogiques en rapport avec l'environnement. Sans bouleverser les programmes établis, le respect de la Terre peut être intégré dans tout enseignement.

Le professeur de français, d'anglais ou d'une autre langue peut mettre l'environnement au cœur de la compréhension de textes, proposer des dictées, des thèmes de composition, des exposés oraux ou d'autres moyens d'expression d'opinions sur ce sujet.

Le professeur de mathématiques peut initier ses étudiants aux statistiques, aux graphiques ou autres calculs qui traitent les données en se référant, par exemple, à la croissance du nombre des écoréfugiés, des victimes de la soif, de la faim, des maladies, des ouragans, des tremblements de terre, des inondations, de plus en plus fréquents.

Le professeur de géographie peut signaler les îles disparues, les côtes submersibles, les régions de l'Arctique et de l'Antarctique qui reculent, l'emplacement et la formation des glaciers, leur fonte, les divers courants marins, les cyclones, le processus de désertification visible sur la carte, les différences géographiques, topologiques et démographiques entre les pays, l'emplacement critique des grandes villes près des deltas, la diversité climatique et agricole, les richesses naturelles des pays, leur densité, leur altitude.

Le professeur d'histoire peut mettre en évidence la progression et la disparition des civilisations en lien avec les facteurs climatiques, l'étude des continents selon les glaciers originels, les famines et les sécheresses qui ont mené à des révolutions populaires, à des changements de régime, à des guerres à cause de l'eau, de la terre arable, du bois, du pétrole, des ressources (pierres précieuses, gisement de métaux et de charbon).

Le professeur de sciences (biologie, physique, chimie) peut expliquer le rôle du $CO_2$, du $SO_2$, de l'oxygène, de l'hydrogène, du chlore, du plomb, du mercure, des dioxydes, des hydrocarbures, du phosphate, du phosphore, des nitrates et du méthane; la composition de l'eau et du sol; la genèse des pluies acides; le processus de compostage, de fermentation et d'anaérobie. Un projet de station météo, avec un bulletin quotidien qui donnerait les conditions météorologiques aux élèves, peut être réalisé comme projet, à coût minime, sur le toit de l'école. L'observation et l'analyse de la température, de la pression atmosphérique, du vent et de l'hygrométrie effectuées sur place par des apprenants familiariseraient efficacement l'ensemble de la population étudiante à la « santé de l'atmosphère » et donneraient peut-être le goût à plusieurs élèves de s'investir plus tard dans les métiers de l'environnement. Toutes sortes d'expériences scientifiques peuvent être entreprises, comme effectuer des tests de l'air ou de l'eau en laboratoire, examiner la poussière ou la prolifération de bactéries au microscope.

Le professeur d'informatique peut lancer une vaste recherche sur les sites Internet écologiques, sur les mouvements verts, sur les blogues consacrés à l'environnement. Internet constitue une banque d'informations colossale à ce sujet. Ce serait une occasion de découvrir ces mines infiniment riches en connaissances, de les trier, de les répertorier, tout en apprenant la technique de manipulation des systèmes de recherche.

Une musique environnementale peut être jouée à l'interphone durant les périodes de lecture et entre les cours. Les bienfaits d'une telle musique sont nombreux: l'apprenant se trouve alors dégagé de son stress, de son agressivité et de ses angoisses, donc plus *disponible* au processus d'apprentissage.

## Modèle d'intervention parascolaire

Outre l'intégration de l'environnement *dans* l'enseignement même, toutes matières confondues, je suggère la création d'un comité environnemental parascolaire dans chaque école. Je le nommerai DASE, acronyme pour Découvrir, Aimer, Soigner l'Environnement.

Un ou deux formateurs initiés à l'environnement et *engagés* peuvent mobiliser toute l'école. Ils pourraient animer ledit comité qui serait composé surtout d'élèves. Ces derniers étant les sujets à former et à mobiliser, de même qu'ils sont les premiers artisans de leur milieu, il leur reviendrait de prendre en main un tel projet.

Les objectifs du comité DASE seraient de:

- sensibiliser l'ensemble des élèves aux problèmes actuels de l'environnement;
- développer leur conscience écologique, leur sens de la responsabilité, leur solidarité avec les éléments de la nature;
- favoriser un agir socio-environnemental;
- viser, d'une façon pratico-pratique, des compétences cognitives, affectives, sociales et comportementales en lien avec l'environnement;
- rapprocher les élèves entre eux et leur milieu;
- développer chez eux un sentiment d'appartenance;
- veiller à ce que leur école respecte la récupération des matières résiduelles et l'esprit du développement durable.

Un plan d'action, avec trois approches pédagogiques, peut être échelonné, par trimestre, sur l'ensemble de l'année scolaire.

**Approche cognitive:** l'automne pourrait être consacré à la découverte et à la connaissance de la crise écologique actuelle (état de la question; recherche sur la qualité du sol, de l'eau, de l'air, de la nourriture; étude du compostage, de la flore et la faune; visite du Centre d'interprétation de la nature, de la Biosphère, de l'Insectarium, du Planétarium, du Biodôme, de l'Observatoire de la Tour de Montréal, du Jardin botanique, d'un zoo, d'un centre de tri et de recyclage, d'un site d'enfouissement, d'une usine de traitement des eaux qui utilise la nouvelle technologie de désinfection aux rayons ultraviolets).

**Approche réflexive:** après cette première prise de conscience, l'hiver convient au mûrissement de la réflexion, à la compilation et à l'analyse des données recueillies, à l'expression de ses craintes, de ses espoirs, de son amour pour la Terre, à l'évaluation des enjeux graves.

**Approche pratique:** le printemps serait favorable à l'action concrète, aux *soins* de la Terre (plantation d'arbres et de fleurs, campagne de propreté, ménage de la cour d'école ou autour de celle-ci, plantation et soin de semis, vente de pousses pour financer d'autres projets écologiques).

## Stratégies organisationnelles

Un *plan de communication des informations* peut être établi par le biais d'une grande exposition ou d'une foire qui aurait lieu au gymnase ou à la cafétéria. Les élèves partageraient leurs découvertes et connaissances en matière d'environnement. Il y aurait plusieurs kiosques regroupés par thématique (eau, désertification, forêts, faune menacée, couche d'ozone, fonte des glaciers, pollution, santé environnementale, énergies renouvelables). Tout au long de l'année scolaire, un babillard de l'école réservé à DASE verrait à l'alimenter chaque semaine par de nouvelles informations. Le journal étudiant peut être exploité à cet effet. Des capsules de bonnes nouvelles encourageantes peuvent être annoncées à l'interphone, concernant, à titre d'exemples, le taux de recyclage qui augmente à l'école, ce qu'il advient des matières résiduelles récupérées, etc.

Un *plan de valorisation* peut être envisagé: un certificat d'engagement et d'implication active serait décerné par la direction à ceux et celles qui se seraient illustrés dans le comité DASE.

Un *plan d'évaluation* ferait, en fin d'année, le bilan des résultats obtenus: l'impact de ces activités environnementales sur l'agir éthique individuel et collectif de l'ensemble des élèves; leur degré de sensibilisation et de réceptivité concernant la nécessité de réduire l'empreinte humaine négative sur l'environnement; leur niveau de développement intégral (travail d'équipe, solidarité, créativité, éco-socio-responsabilité, pensée critique, gestion de projet); leurs compétences développées (savoir-faire, savoir-être, savoir-agir, pouvoir-faire, capacité de résolution de problèmes); la quantité de papier, de cannettes, de verre, de plastique recyclés; le nombre de gestes environnementaux effectués; l'amélioration du sentiment d'appartenance, de l'estime de soi; les points positifs ou négatifs notés par les organisateurs et par la population étudiante; les succès, les difficultés ou les échecs rencontrés; les points à améliorer.

## Exemples d'activités environnementales

Il y aurait, en outre, une foule d'activités à caractère environnemental à proposer:

- visionner des films qui portent sur l'environnement[126];
- présenter des conférences sur la foresterie, le recyclage, la valeur de l'eau, la biodiversité, la géothermie, la capture et le stockage du carbone, l'écosystème, la gestion des déchets, l'écoentreprise, le lien entre environnement et santé, entre environnement et alimentation, l'interdépendance des peuples, l'ornithologie;
- visiter le Salon de l'environnement ou assister au Festival mondial de la Terre, rédiger un compte rendu sur un kiosque, une pratique, une découverte ou une nouvelle invention;
- entreprendre une tournée verte du quartier ou un court voyage d'écotourisme;
- lancer un concours d'objets recyclés ou revalorisés;
- exposer des œuvres d'art créées avec du papier, du carton ou du matériel récupéré;
- installer sur les murs de l'école des courtepointes, des sacs, des cravates, des nappes confectionnés par des élèves avec des bouts de tissus offerts par la population étudiante;
- installer un composteur près de la cafétéria et une mangeoire dans la cour de l'école pour nourrir les oiseaux;
- transformer un local peu utilisé en salon vert où il y aurait beaucoup de plantes, un aquarium, des cages d'oiseaux, de lézards ou de lapins; y diffuser une musique environnementale (chants d'oiseaux ou de baleines, bruit de l'eau qui coule, déferlement des vagues de la mer, chants des criquets et des grenouilles, bruit du vent);

---

126   Voir la liste à la fin de ce livre.

- lancer un concours de slogans et d'illustrations sur le thème de l'environnement;
- aménager un jardin intérieur entretenu par les élèves;
- leur demander de mener un sondage ou une enquête sur un thème environnemental après en avoir rédigé eux-mêmes les principales questions;
- participer à un projet Afrique ou Haïti: envoyer, par exemple, à ces pays des semis achetés grâce au profit de campagnes de financement vertes;
- cibler des partenaires potentiels pour financer l'achat et l'installation d'un système de chauffage solaire ou d'un panneau solaire à l'école.

De telles activités mettent en valeur le rôle primordial de l'environnement dans la vie de tous les jours. Elles rapprochent toutes les ethnies, suscitent une dynamique de fierté et de plaisir à fréquenter l'école dont l'image se trouve bonifiée et inspirante pour son milieu. Elles diminuent le taux d'absentéisme, de morbidité, de vandalisme. Elles développent l'enthousiasme, la motivation, l'estime de soi, l'engagement, l'esprit d'initiative, la communication, le sentiment d'appartenance et de responsabilité de l'apprenant. Ce dernier transporte ces apprentissages verts, cette culture verte dans son milieu de travail, social et familial. Peut-être qu'il sera tenté de faire carrière dans l'industrie de l'environnement. C'est un secteur en plein essor qui recrute. Nombreux sont les postes à pourvoir en ce domaine. Le champ de spécialisation qu'il choisira répondra à ses convictions profondes et à sa conscience environnementale.

L'école est le terreau par excellence où les générations futures sont formées, sensibilisées aux problématiques du monde. Une éducation[127] solide les rend performantes, aptes à faire les meilleurs choix sociaux, politiques, environnementaux. Une éducation appropriée, en matière d'environnement[128] et de développement durable, devrait être disponible également pour les personnes responsables[129] qui gèrent des programmes sociaux, culturels, politiques et éducationnels, afin qu'elles soient bien outillées. Une administration verte favorise l'émergence de nombreux nouveaux écocitoyens.

---

127   Selon son sens étymologique, le mot éducation (de *ducere* en latin, qui signifie *conduire*, et *e* qui veut dire *hors de*) signifie l'action de conduire en douceur hors des sentiers de l'ignorance.

128   Plusieurs organismes militent en faveur de l'implantation d'un projet éducatif environnemental dans le milieu scolaire, notamment: Écoles Vertes Brundtland (ÉVB), la Fondation Réussite Jeunesse, Environnement Jeunesse (ENJEU), la Fondation Shell, Réseau Environnement de la CSQ, l'AQPERE (Association québécoise pour la promotion de l'éducation relative à l'environnement), Insertech Angus, Greenpeace.

129   Des activités comme Unis-Vert RÉPAQ (Réseau des écoles publiques alternatives du Québec), organisées lors de journées pédagogiques, permettent aux agents éducateurs (enseignants, directeurs et employés de soutien) d'être mieux informés et mieux équipés en la matière.

## L'éducation continue

Les médias écrits et électroniques, les lectures personnelles, voire les annonces publicitaires, contribuent à former l'opinion de la population et à l'éduquer, positivement ou négativement, à la fragilité de l'environnement, au binôme consommation-production, aux conséquences de certaines habitudes polluantes à repenser.

Plusieurs conférences et sommets internationaux ont souligné l'urgence d'éduquer l'ensemble des peuples de la planète sur le savoir-agir et le savoir-être en harmonie avec l'environnement. La résolution 57/254 de l'Assemblée générale des Nations Unies a décrété officiellement, le 20 décembre 2002, rien de moins qu'une «décennie pour l'éducation en vue du développement durable» à partir du 1er janvier 2005. L'UNESCO a été mandaté pour la conception d'un programme planétaire en vue de la sensibilisation de tous les peuples aux actions éclairées et respectueuses de l'environnement.

La *Charte de l'environnement*, devenue loi constitutionnelle en France le 1er mars 2005, stipule à l'article 8: «L'éducation et la formation à l'environnement doivent contribuer à l'exercice des droits et devoirs définis par la présente Charte.» Cette charte affirme, entre autres, que «la diversité biologique, l'épanouissement de la personne et le progrès des sociétés humaines sont affectés par certains modes de consommation ou de production et par l'exploitation excessive des ressources naturelles». L'éducation des citoyens devrait donc les inciter à plusieurs pratiques vertes telles que la modération dans la consommation, le recyclage, éviter les abus d'exploitation, par respect pour l'environnement et les générations futures.

Au Québec, le gouvernement provincial, qui légifère en matière d'éducation, a adopté, en 1998, le *Plan d'action québécois sur la gestion des matières résiduelles 1998-2008*. La promotion de la protection de l'environnement au niveau législatif (Loi sur la qualité de l'environnement) rend *tous* les citoyens *responsables* de la gestion intelligente de leurs résidus. Tous sont invités à prévenir et à réduire la pollution, à s'engager dans la conservation et l'utilisation rationnelle des ressources.

## Fiches ludiques

La société d'État Recyc-Québec (en partenariat avec le mouvement des Écoles vertes Brundtland, ÉVB) a conçu, dans le cadre de sa campagne scolaire entamée en 1997 «Recycler, ça rapporte!», des fiches illustrées, à la fois ludiques et éducatives, qui réussissent à «accrocher» l'attention des jeunes du primaire et du secondaire. Ces fiches s'inscrivent dans une pédagogie de

la conscientisation et de l'apprentissage coopératif. Par des jeux d'association, l'élève découvre le lien qui existe entre des objets qu'il utilise dans sa
vie quotidienne et les matériaux récupérés qui ont contribué à sa fabrication.
C'est une excellente stratégie «d'éducation pour un avenir viable».

Voici quelques exemples de questions et d'informations proposées aux
élèves dans le cadre de cette campagne de sensibilisation:

- Savais-tu qu'on peut fabriquer des casquettes avec certains tissus contenant du plastique recyclé? Environ quatre bouteilles de deux litres sont
nécessaires pour fabriquer une casquette comme celle que tu portes.
- En mettant 25 bouteilles au recyclage, tu obtiens un sac à dos tout
neuf.
- Environ 35 contenants de deux litres servent à fabriquer une paire
d'espadrilles.
- Avec environ 90 bouteilles de deux litres de plastique, on fabrique une
tente à deux places qui te protège des moustiques.
- Avec l'aluminium recyclé, on peut fabriquer divers objets, comme un
bâton de baseball.
- Sais-tu que des micro-billes de verre recyclé permettent de réfléchir la
lumière sur les lignes de la route?
- Les matières plastiques (dérivées du pétrole ou du gaz naturel) occupent une place importante dans nos vies. Les jouets en polystyrène, la
poêle à frire en téflon, le T-shirt en dacron, le tapis en nylon, la perruque
à cheveux en acrylique, les sacs de couchage, les cordes, les cordages, les
courroies, les casques à vélo, les cassettes vidéo, les articles de bureau, les
pneumatiques sont autant de plastiques qui nous entourent.
- Les bouteilles de verre récupérées sont utilisées pour fabriquer d'autres
bouteilles, des pots, des matériaux isolants de fibre de verre, des carreaux
de céramique, du sablage au jet, des agrégats pour les fondations de route,
des blocs de béton, de l'asphalte et de nombreux autres produits utiles.
- Sais-tu, par exemple, que fabriquer une cannette à partir de l'aluminium
recyclé demande 95% moins d'énergie que de la fabriquer à partir de sa
matière première?
- Sais-tu qu'une cannette d'aluminium peut être recyclée à l'infini sans
perdre ses propriétés?
- Les avantages environnementaux de son recyclage sont nombreux.
Rapporter ses cannettes chez le détaillant permet non seulement de les
détourner de l'enfouissement, mais également de préserver nos ressources
naturelles.

- Recycler un kilogramme d'aluminium permet d'économiser environ huit kilos de bauxite, quatre kilos de produits chimiques et 14 kWh d'électricité.
- Les cannettes récupérées sont utilisées dans la fabrication de produits divers: autres cannettes, papier d'emballage, meubles de jardin, contenants divers, matériaux de construction, constituants d'automobile (culasses, jantes, boîtes de vitesse).
- Le recyclage de l'aluminium augmente chaque année d'environ 10%. Seulement 50% des cannettes sont actuellement recyclées. Avec le reste, on pourrait fabriquer 6000 avions.
- Plus d'un milliard deux cent cinquante millions de contenants à remplissage unique de bière et de boissons gazeuses sont mis en marché chaque année au Québec. Le quart, 17 millions de dollars de consignes, ne sont ni rapportées ni mises au recyclage. Mis bout à bout, ces contenants font plus de trois fois le tour de la Terre.
- Recycler, ça rapporte aux consommateurs, donc à chacun de nous, à l'environnement, à l'industrie du recyclage et à l'économie locale.
- La récupération et le recyclage constituent un moyen de redonner une nouvelle vie aux contenants à usage unique.

## Suggestions écologiques, logiques et économiques des ÉVB

Recyc-Québec présente plusieurs moyens pour gérer les matières résiduelles à l'école. Voici quelques exemples: promouvoir la «boîte à lunch zéro déchet»; utiliser un verre ou une tasse durable; économiser le papier en utilisant le recto verso; penser au réemploi de plusieurs articles qui serviraient dans le bricolage; récupérer les vêtements devenus trop petits pour les enfants, les passer aux autres qui en auraient besoin.

De tels gestes permettent d'inculquer très tôt le respect, la conscience et l'amour de l'environnement, ce qui peut devenir vite une habitude pour toute la famille.

## Actions environnementales scolaires au Québec

Le document *Guide de gestion environnementale en milieu scolaire*, publié en 2000 par le ministère de l'Environnement, adressé aux gestionnaires scolaires et à tous les intervenants sur le terrain, propose différents outils pour «intégrer l'environnement à la gestion d'une organisation scolaire». La responsabilité environnementale devient le fondement essentiel de l'éducation globale de la personne: «La gestion environnementale institutionnelle fait appel à la responsabilité individuelle et collective en faveur de la conservation des ressources, par opposition à la surconsommation de celles-ci. Ce principe d'économie doit être un des fondements majeurs de l'éducation dispensée à l'école. Les comportements respectueux de l'environnement acquis par les jeunes seront alors transmis au milieu familial et, au fil du temps, ils gagneront l'ensemble de la société[130].»

Ce guide estime que l'implication des jeunes dans la protection de l'environnement de leur école est cruciale pour leur formation intégrale: «Pour ces jeunes, c'est aussi une démarche éducative qui développe leur leadership, stimule leur sens du travail, le tout dans un contexte d'implication sociale. Ce sera pour eux l'occasion de mettre en pratique certaines compétences environnementales acquises en théorie dans les cours.»

Les collèges de Rosemont et Montmorency, l'Université Laval, Concordia et plusieurs autres établissements d'enseignement suivent ces directives et se montrent des chefs de file en matière d'éducation à la conscience environnementale. Ils prônent une politique claire et sévère. En voici quelques exemples:

L'article 3 de la *Politique environnementale du Collège de Rosemont* stipule: «La politique s'applique à toute personne qui pénètre le territoire du Collège de Rosemont soit pour y étudier, soit pour y travailler; chacun est aussi gardien de la politique. Le Collège de Rosemont s'attend à ce que toute personne qui se trouve au collège souscrive aux principes de cette politique et s'engage à se conduire en citoyen responsable et respectueux de l'environnement.»

La clause 5.1, qui traite des objectifs de cette politique, spécifie: «Dans la formation scolaire qui mène à l'obtention d'une sanction, la Direction des études donnera son appui à l'émergence de programmes et de projets reliés à la politique relative à la protection de l'environnement et ce, au niveau tant régional, national, qu'international.»

Cette politique poursuit, dans 5.2: «Le Collège, en concertation avec l'organisme partenaire, verra à mettre en place des programmes ou des activités de sensibilisation en vue d'améliorer la qualité de vie à l'intérieur de l'institution, afin de développer chez les usagers des comportements écociviques.»

---

130  *Guide de gestion environnementale en milieu scolaire*, publié par Recyc-Québec, en collaboration avec Action environnement, le Collège de Rosemont et Environnement Jeunesse. Depuis 1985, la CEQ et Recyc-Québec coordonnent, selon le mandat du FÉRE (Fonds d'Éducation Relative à l'Environnement), le projet ÉVB. De plus, un autre projet, ÉRE (Éducation Relative à l'Environnement), a été mis sur pied au Québec en 1991.

Au sujet des objectifs de gestion, on lit dans 5.3: «Chaque service et chaque département ont l'obligation de viser le respect de trois principes fondamentaux d'une saine gestion environnementale, à savoir la réduction, la réutilisation et la récupération... L'objectif de la gestion de l'énergie consiste à appliquer des choix éclairés en matière de source d'énergie, de technologie et de méthodes d'exploitation et d'utilisation de ces technologies dans le respect des besoins des usagers en assurant une meilleure protection de l'environnement dans un contexte viable... Malgré que l'eau soit une ressource renouvelable, les coûts pour la société sont très élevés. Les objectifs poursuivis par la gestion de l'eau potable sont d'enrayer le gaspillage, d'en réduire l'usage tout en respectant les besoins des utilisateurs et en protéger la qualité en prévenant la contamination.»

La Commission scolaire de la Riveraine rappelle les fondements de l'élaboration de son *Cadre de référence sur l'éducation relative à l'environnement et au développement durable*. Sa politique est fondée, entre autres, sur le rapport Brundtland *Notre avenir à tous* (1989)[131] qui a suivi la création de la Commission mondiale de l'ONU sur l'environnement et le développement (1983) et sur le programme Écoles vertes Brundtland. Cette commission scolaire affirme, à l'article 2.1 de son cadre: «Le citoyen ne peut vivre en marge de la préoccupation écologiste du développement durable.»

Les objectifs sont définis dans 3.1 et 3.2: «La Commission scolaire se préoccupe du développement durable et de la protection de l'environnement dans les orientations et les priorités de ses établissements scolaires de façon à développer des attitudes auprès de son personnel et de sa clientèle jeune et adulte; la Commission scolaire s'assure: a) Que les activités, menées par la Commission scolaire et son personnel dans chacun des établissements soient réalisées dans le respect d'une perspective basée sur le principe d'un développement durable. b) Que chaque établissement fasse la promotion et réalise des activités conséquentes à ce principe. c) Que chaque établissement intègre l'Éducation Relative à l'Environnement (ÉRE) et l'éducation pour un avenir durable (EAD) dans les pratiques éducatives, notamment dans le projet éducatif et dans les programmes scolaires. d) Que chaque établissement pose régulièrement des gestes concrets et réels en vue d'un développement durable et de l'amélioration de la qualité de l'environnement, notamment, en sensibilisant les jeunes et les adultes aux 6 R[132]: réduire la consommation des ressources; réutiliser les biens; recycler et réemployer;

---

131 Ce rapport incite à informer les citoyens (dont les apprenants) de la gravité de la situation environnementale globale en vue d'une action locale de leur part.
132 Ces 6 R sont les critères exigés pour qu'un établissement soit reconnu ÉVB.

réévaluer nos systèmes de valeurs; restructurer nos systèmes économiques; redistribuer (partager) les richesses.»

Les principes généraux de sa politique environnementale sont résumés dans 5.1 et 5.2: «Une préoccupation constante de la qualité de l'environnement favorise un monde écologique, pacifique et solidaire; la Commission scolaire a un rôle de partenaire privilégié de par sa mission éducative auprès des jeunes: elle ne peut pas vivre en marge d'une préoccupation éminemment importante pour le destin de l'humanité.»

La Commission scolaire de Montréal (CSDM), où 7 millions de berlingots de lait sont consommés par année, a mis sur pied, pour ses écoles primaires, un programme de récupération des berlingots dont les fibres de papier sont de très haute qualité, et ce, en partenariat avec Natrel, Lassonde et la Ville de Montréal qui exige qu'«aucune matière recyclable ne fasse partie des déchets».

La Commission scolaire de Laval inclut, depuis septembre 2007, dans ses grandes orientations pédagogiques, l'objectif principal de former des *écocitoyens*, et ce, dans tous ses services de formation.

Le Collège Montmorency s'engage dans sa *Politique environnementale* à «faire de la qualité de l'environnement un facteur de qualité de vie et d'acquisition de saines habitudes». Il intègre donc dans ses activités quotidiennes des actions reliées au développement durable, c'est-à-dire un développement répondant aux besoins du présent sans compromettre la capacité des générations futures de répondre aux leurs et en faisant sienne cette devise: «Penser globalement, agir localement.»

Dans ses *Principes généraux,* il vise à «appliquer le principe des 3R (Réduire, Réutiliser, Recycler) à l'ensemble de ses activités; adopter la prévention, la vigilance et la sensibilisation comme mode de gestion visant à minimiser les impacts négatifs sur l'environnement; adopter annuellement des objectifs environnementaux mesurables dans une perspective d'amélioration continue; maintenir un environnement physique de qualité.»

Ce collège entend orienter ses actions dans les champs suivants: «gestion de la qualité de l'air, de l'eau, de l'énergie, des matières dangereuses ou toxiques; développement de l'aménagement extérieur; sensibilisation et formation des élèves et du personnel aux objectifs ici poursuivis; transmission d'exigences environnementales aux fournisseurs des biens et services; implantation de la récupération pour le plastique, verre, fluorescents, métal; élargissement du cadre de la récupération pour le papier et les canettes;

diminution dans le niveau d'utilisation du papier; traitement des matières compostables.»

Quant à l'Université Laval, une collecte sélective des matières recyclables est implantée depuis 1994 sur l'ensemble du campus fréquenté par 35 000 personnes (les 19 pavillons d'enseignement, les cafétérias et les 4 pavillons de résidences). Tous ont accès au service de récupération multi-matières.

L'Université Concordia dispose d'un des plus importants systèmes de compostage du Québec. En cinq ans, elle compte composter 100 tonnes de déchets organiques et produire entre 30 et 50 tonnes de compost qui serviront à l'entretien de ses espaces verts. Trois unités de compostage ont même été installées sur le toit de leur édifice au centre-ville. Les restes de table des cuisines, des cafétérias, des garderies et des 40 000 étudiants qui fréquentent les deux campus contribueront à alimenter, entre autres, le plus grand des composteurs qui vaut 30 000 $, muni d'un cylindre électrique tournant aux deux heures afin d'assurer l'aération nécessaire. Avec la production d'un bon compost toutes les deux semaines, des économies seront réalisées sur les coûts d'enfouissement des déchets (180 $ par tonne) et sur les engrais biologiques qui coûtaient 4000 $ chaque année.

L'écologie universitaire, tant en Europe qu'en Amérique, implique les cadres, le corps professoral, les étudiants et tous les intervenants. Elle vise, par différentes stratégies, à permettre aux générations futures de vivre sur une Terre hospitalière.

## L'UNESCO et l'éducation environnementale

L'UNESCO recommande le type permanent d'éducation ÉRE qui préconise la préparation d'une population mondiale consciente et préoccupée d'environnement. Ce programme a pour buts, entre autres, d'expliciter l'interdépendance entre les problématiques économiques, sociales, politiques et environnementales, de donner à tout citoyen les compétences pour protéger et améliorer son milieu, et d'inculquer à tous de nouveaux modes de comportements verts.

———————○———————

*«Les activités d'éducation relative à l'environnement
et d'information sur les nouvelles façons de participer
à la gestion durable des matières résiduelles sont essentielles.
Des outils d'éducation et d'information doivent être élaborés,
adaptés aux différents intervenants et diffusés auprès
du plus grand nombre possible de personnes et de groupes. »*
LOI SUR LA QUALITÉ DE L'ENVIRONNEMENT,
GAZETTE OFFICIELLE DU QUÉBEC, 30 SEPTEMBRE 2000

*«Si on n'agit pas tout de suite pour sauvegarder l'environnement...,
on viole les droits de ceux qui nous succéderont. »*
AL GORE

*«Pillage toujours plus effronté de la planète jusqu'au moment où
celle-ci prononcera son verdict et se dérobera à la surexploitation.
Combien de morts et de génocides accompagneront une telle situation
du "sauve qui peut!" Cela défie toute imagination. »*
HANS JONAS

*«Nous en sommes à un stade pathologique de l'idolâtrie du progrès. »*
JEAN-MARIE PELT

*«L'impact cumulé sur l'environnement global fait peser sur la sécurité
de toutes les nations du monde une menace plus mortelle que n'importe quel adversaire
hypothétique que nous pourrions avoir à affronter militairement. »*
AL GORE

*«La seule œuvre collective qui puisse être économiquement définie
est l'exclusion de toute destruction d'êtres et de choses
dont l'usage peut être bénéfique à l'ensemble des hommes. »*
FRANÇOIS PERROUX

———————○———————

# ❺ La santé verte

*« Il n'est pas irréaliste de prévoir que nous aurons exterminé*
*la moitié de toutes les espèces vivantes au milieu du XXIᵉ siècle. »*
MICHAEL NOVACEK
DE L'AMERICAN MUSEUM OF NATURAL HISTORY
DE NEW YORK

L'environnement est un facteur déterminant pour la
santé et les conditions de vie de la collectivité. Plusieurs
exemples illustrent ici l'impact de la qualité du sol,
de l'eau, de l'air sur l'état holistique de la personne.

## L'environnement affecte la santé

Il n'est pas étonnant de voir l'Organisation mondiale de la santé (OMS)
choisir comme slogan pour l'ensemble de sa mission: «Environnement
d'aujourd'hui, santé de demain.» En effet, en donnant un coup de pouce
à la santé de l'environnement, nous privilégions notre santé et celle des
générations futures. La pollution atmosphérique, les pluies acides[133], les
gaz à effet de serre, l'amincissement de la couche d'ozone[134], la dégradation de la qualité de l'air, l'enfouissement de résidus dangereux, la
contamination des sols dans certaines régions[135], la prolifération des
insectes porteurs de microbes, les canicules, le smog[136], l'eau contaminée,

---

133   Ce phénomène a des retombées désastreuses sur la santé des forêts, des lacs, des cours d'eau, des
      nappes phréatiques, des poissons et des végétaux qui deviennent plus vulnérables aux insectes,
      aux maladies et aux champignons.
134   Quand les molécules d'ozone n'absorbent pas les rayons ultraviolets du soleil, ces derniers peuvent
      causer le cancer de la peau, des déficiences immunitaires, des mutations génétiques, des problèmes
      respiratoires, une augmentation des mélanomes malins, des cataractes nombreuses, des irritations
      des yeux et des narines, et aussi, sur le plan écologique, une détérioration de la vie végétale due à
      leur influence négative sur la photosynthèse.
135   Le sol du Technoparc de Montréal est contaminé. L'analyse d'échantillons montre des concen-
      trations de BPC jusqu'à 8,5 millions de fois plus élevées que les normes prescrites. De fortes
      concentrations d'autres polluants toxiques ont été aussi détectées. De quatre à huit millions de
      litres de carburants diesel et une à deux tonnes de biphényles polychlorés s'y retrouvent dont
      une partie s'échappe dans le fleuve Saint-Laurent.
136   Une crise majeure de smog a tué plus de 4000 personnes à Londres en décembre 1952. Plus près
      de nous, la qualité de l'air à Montréal se dégrade. Les journées de smog augmentent année après

les herbicides, les pesticides, les déchets laissés au grand jour, les eaux usées éjectées dans les fleuves ou dans les rues (dans certains pays) constituent des facteurs de risque, même des dangers graves pour la santé des êtres humains, aussi pour la vie végétale et animale. Des millions de personnes en meurent chaque année. La santé dépend, en général, de la salubrité de l'environnement[137].

Si dans les pays occidentaux, les services hospitaliers sont généralement gratuits, ce n'est pas le cas dans la majorité des pays du sud, qui souffrent du manque de médecins, d'hôpitaux et de médicaments trop dispendieux pour la grande majorité des personnes malades. Ces pays ont très peu de politiques d'hygiène publique.

La santé environnementale renvoie généralement à l'usage de peintures ou d'essences contenant du plomb, à l'occupation d'habitations insalubres, au manque de systèmes sanitaires, à la consommation d'eau non potable, à l'environnement malsain des travailleurs, à la prolifération de bactéries, de bacilles et de spores à cause de moisissures répandues dans les bâtiments, à l'habitat près de sols contaminés, aux bureaux munis de fenêtres fixes (syndrome des bâtiments malsains[138]). Quelques-unes de ces conditions

---

année depuis plus de 15 ans. Avant, il y avait du smog un jour par mois. Maintenant, c'est une moyenne d'un jour par semaine, même plus: 64 jours par année selon les dernières publications de la Ville de Montréal. L'OMS fixe le seuil de toxicité du smog à 100 ug/m$^3$. Parfois, le niveau prélevé atteint 7 fois la limite tolérée.

137 Le site *Indicateurs canadiens de durabilité de l'environnement* affirme dès les premières lignes de son introduction: «La santé des Canadiens ainsi que leur bien-être social et économique sont intimement liés à la qualité de leur environnement. Devant ce constat, le gouvernement du Canada s'est engagé, en 2004, à élaborer les indicateurs nationaux de la qualité de l'eau douce, de la qualité de l'air et des émissions de gaz à effet de serre.» www.statcan.ca Cf. *Santé et environnement*, William Dab, Paris, PUF, 2007, pp. 18-21, pour la nomenclature détaillée des maladies, du nombre des victimes et du lien spécifique avec l'environnement. (L'auteur est médecin, professeur au Conservatoire national des arts et métiers et ancien directeur général de la Santé). Voici quelques autres extraits: «Quatre milliards de cas de diarrhées surviennent annuellement et plus de deux millions de personnes en décèdent, 75% des décès étant liés à l'environnement... Les infections respiratoires aiguës sont les maladies infectieuses les plus meurtrières du monde. Environ 45% des cas d'infection pulmonaire dans les pays en développement ont une composante environnementale... Le paludisme (malaria), transmis par un moustique, affecte environ 500 millions de personnes, la mortalité étant de plus d'un million par an dont la moitié pourrait être évitée par un management environnemental approprié. La maladie est endémique dans les zones tropicales et subtropicales... Les maladies cardiovasculaires (infarctus du myocarde, insuffisance cardiaque, hypertension...) constituent la deuxième cause de mortalité sur la planète, après les maladies infectieuses, causant la mort de plus de 15 millions de personnes par an. Les facteurs de risques environnementaux concernés sont la pollution de l'air...»

138 Jean-Pierre Thouez décrit les symptômes du «sick building syndrome»: irritation oculo-nasale, pharyngée et cutanée, maux de tête, troubles de la concentration, sécheresse de la peau survenant lors de séjours dans des tours climatisées. Il mentionne encore les *légionelloses* (polluants biologiques), maladies modernes des hôpitaux, des grands hôtels et des gratte-ciel. Dans *Santé, maladies et environnement,* Paris, Economica, 2005.

dégénèrent en plusieurs maladies infectieuses et parasitaires qui peuvent devenir épidémiques, comme la tuberculose, la malaria[139], le choléra et la peste. Notons, comme cas de figure, l'épidémie de choléra qui débuta en Amérique centrale en 1991 et remonta jusqu'au Texas à cause d'immondices qui s'amoncelaient.

L'OMS a recensé 12 millions d'enfants de moins de cinq ans qui meurent chaque année des maladies citées ci-dessus. Sur les 55 millions de décès enregistrés dans le monde en 2001, 16,4 millions étaient dus à ces maladies.

L'hantavirus, inconnu avant le printemps 1993, a fait plusieurs morts et des centaines de personnes contaminées en 2006 aux États-Unis. Ce virus, directement relié par les spécialistes aux changements climatiques, est répandu par les moustiques et les souris qui se multiplient dix fois plus après une longue période de sécheresse et de chaleur. Il cause la fièvre dengue et la fièvre jaune ainsi que des maladies pulmonaires.

La bilharziose, causée par le contact avec l'eau polluée, tue des millions de personnes en Afrique, notamment au Burundi où une personne sur huit en est atteinte.

Plus près de nous, le rapport de la Fondation David Suzuki, publié au printemps 2007, affirme que, chaque année, environ 6000 Canadiens, dont la moitié sont des enfants de moins de six ans, sont intoxiqués par l'usage des pesticides au pays. Dans le monde, 20 000 personnes meurent, chaque année, à cause d'un manque de précaution envers les pesticides. Près de trois millions de cas d'intoxication[140] ont été signalés par l'OMS en 1980. Au Sénégal, un fleuve, des puits d'eau, des animaux ont été contaminés, des mortalités généralisées ont été observées chez les riverains et chez le bétail. En outre, l'eau pluviale conduit ces pesticides jusqu'aux fleuves et jusqu'à la mer, fait tuer plusieurs poissons et mammifères, puis se retrouve, au bout de la chaîne alimentaire, dans l'organisme humain. Ce taux élevé d'empoisonnements montre l'impact de nos gestes sur l'environnement et leurs conséquences sur la santé publique.

### Exemples de la canicule européenne en 2003, 2005 et 2007

La canicule meurtrière qui a sévi au cœur de l'Europe, notamment dans la région parisienne, en août 2003, est encore présente dans toutes les mémoires. Cette longue vague de chaleur inhabituelle a causé, en France seulement,

---

139   La malaria tue plus de deux millions d'enfants chaque année dans le Tiers-monde.

140   La plupart des pesticides sont cancérigènes, affectent le système immunitaire, causent des hépatites, des anémies, des maladies respiratoires et ralentissent le développement des enfants. De plus, ils polluent la nappe phréatique qui contient 97 % de l'eau douce de la Terre.

près de 15 000 morts en un mois, et près de 70 000 morts de plus que d'habitude en Europe, surtout parmi les personnes du troisième âge qui souffraient d'asthme, de problèmes respiratoires ou cardiovasculaires.

Une autre vague de chaleur aussi intense a envahi l'Europe en 2005, causant la mort de presque 35 000 citoyens.

La chaleur torride de l'été 2007 a également causé des milliers de décès. La température a atteint 43°C en Grèce, en Italie et en Roumanie où la distribution de l'eau par les villes fut réduite à deux heures par jour. Des feux ont consumé des hectares de forêts, notamment en Grèce. Des inondations ont ravagé des villes en Angleterre. Les météorologues font remarquer, chaque été, que ces chaleurs battent des records. Ces paroxysmes météorologiques provoquent de nombreux risques climatopathologiques.

L'Organisation météorologique mondiale (OMM) a annoncé à Bali que 1998-2007 avait été la décennie la plus chaude depuis 12 000 ans. La moyenne de 2007 est supérieure de 0,41°C à la moyenne de 1961-1990 chiffrée à 14°C. Ce réchauffement climatique accentue la température des océans, et, par conséquent, l'intensité des ouragans.

## Le milieu urbain

La situation est particulièrement préoccupante dans les zones urbaines et industrielles (raffineries, métallurgies lourdes, centrales thermiques, industries de solvants). Leur atmosphère contient une concentration permanente de particules polluantes, très dommageables pour la santé (métaux lourds comme le plomb, le cuivre, le zinc, le cadmium; particules de sels comme les nitrates et les sulfates). Mentionnons quelques villes où l'air est extrêmement pollué: New Delhi, Bangkok, Los Angeles, Detroit, Datong, Lima, Mexico (dans cette ville, les cancers sont la deuxième cause de mortalité enfantine)[141].

Les statistiques indiquent que sur les 30 villes les plus polluées du monde, 20 se trouvent en Chine. L'Organisation mondiale de la santé a déclaré que, chaque année, plus de 1,56 millions d'Asiatiques meurent des effets de la *pollution de l'air* des villes qui contient deux à cinq fois plus de dioxyde de soufre que les normes établies.

Autre cas très grave est à signaler, toujours en Asie, le maire d'une ville russe de la Volga, Tchapaïevsk (70 000 habitants), a proposé, en avril 2008, l'évacuation et la fermeture définitive de sa ville qui se trouvait confrontée,

---

141 Cf. N. Kunzli, I. B. Tager «Air pollution: from lung to heart», *Swiss Med Wkly.* N° 135, 2005, pp. 697-702.

depuis des décennies, à une intense pollution provoquée par quatre usines militaires pourtant toutes fermées dans les années 1990.

Les mégapoles sont appelées à se multiplier dans les années à venir, vu le nombre croissant de la population mondiale. Le transport et les industries qui sont des sources potentielles de pollution vont augmenter pour répondre aux demandes à la hausse et détériorer du même coup la qualité de l'air, celle de l'eau et de l'environnement.

Pour remédier à cette crise environnementale qui ne cesse de s'amplifier en milieu urbain, on implante de plus en plus des programmes Villes et villages en santé dans plusieurs régions. Des moyens de transport hybrides, non polluants, s'avèrent indispensables.

## L'impact de l'industrialisation sur la santé

La pollution produite par les industries est néfaste pour la santé de la population riveraine à cause du rejet de déchets toxiques riches en cadmium, dioxines, furannes de l'arsenic, mercure, chrome et PCB dans un cours d'eau ou dans l'air. Par exemple, le contact chronique avec le plomb en milieu de travail, sous forme de vapeur ou de sels, cause le saturnisme, une toxicité hématologique, neurologique et rénale (cette maladie fut la première à être indemnisée en France). Le contact avec l'amiante, selon la concentration, la durée et la fréquence de l'exposition, cause l'amiantose (maladie qui gêne la respiration par la formation de tissus cicatriciels dans les poumons), ainsi que le cancer de la paroi thoracique de la cavité abdominale et du poumon.

Présentons quelques cas de figure qui illustrent ce couplage industrialisation-santé:

- Minamata (sud-ouest du Japon): La compagnie Chisso, une usine pétrochimique, a déversé plus de 400 tonnes de résidus de métaux lourds, surtout du mercure, de 1932 à 1966, dans la baie de Minamata. La flore et la faune ont été contaminées, et c'est entré dans la chaîne alimentaire par le biais de la consommation de poissons intoxiqués. Des signes graves de maladies sont apparus vers 1949, surtout dans la population d'un petit village de pêcheurs, à proximité de la baie, avant de se répandre dans la région: pertes de motricité, convulsions, perte du champ visuel, surdité, troubles sérieux de coordination. Le gouvernement a interdit la pêche dans cette « mer de la mort ». Il y a eu 900 décès de 1949 à 1965, 140 morts en 1975. C'est devenu une maladie congénitale. Trente pour cent des enfants sont nés arriérés mentaux. D'autres enfants malades sont morts avant l'âge de quatre ans. Le gouvernement et le maire cachaient la vérité. La rentabilité, l'expansion économique et la place du Japon dans le rang des pays les plus industrialisés *devaient* passer avant le bien-être des citoyens. Les médias furent sévèrement contrôlés. En 1966, un procédé de synthèse plus économique fut mis en place pour traiter les déchets toxiques de l'usine. En 1977, les boues contaminées ont été traitées et stockées. En 1988, la Cour suprême a confirmé la culpabilité de Chisso. En 1995, le premier ministre Tomiichi Murayama a présenté des excuses publiques aux victimes. En 1996, des indemnités ont été octroyées. Néanmoins, Chisso est toujours considéré comme un modèle de réussite économique. Ce fut la seule usine qui n'interrompit pas ses activités durant la Seconde Guerre mondiale. Chisso a reconnu enfin 220 cas de malades officiels et a versé près de 22 000 dollars en indemnités à 10 000 personnes pour qu'elles arrêtent leurs poursuites judiciaires. En somme, 2 millions de citoyens ont souffert directement ou indirectement de cette pollution.

- La vallée basse du Mississippi (la Nouvelle-Orléans et la Louisiane) est une région fortement industrialisée. Le quart des industries pétrochimiques des États-Unis s'y trouvent implantées, soit 138 usines extrêmement polluantes. Cette vallée est composée majoritairement d'Afro-Américains à faibles revenus. Ils l'ont baptisée Cancer Alley (Ruelle du Cancer) à cause du taux de cancer le plus élevé des États-Unis. Les habitants proches des usines ont régulièrement des malaises respiratoires et ophtalmologiques. Le taux de cancer du poumon est parmi les plus hauts au monde. Selon les données publiées en 1988 par EPA Statistics, la Louisiane est l'État numéro 1 aux États-Unis qui déverse des déchets toxiques dans les cours d'eau et numéro 4 dans la pollution de l'air. Le lac Capitol, adjacent à Bâton Rouge, est fermé à la pêche à cause de la haute pollution en PCB. L'air, l'eau, le sol sont contaminés par des agents mutagènes, par des embryotoxins et par des carcinogènes. Les industries auraient déchargé plus de 196 millions de tonnes de polluants. Les habitants de Cancer Alley estiment que le racisme aurait créé un climat environnementalement injuste, conséquence d'une «justice inégale». Si les premiers gouverneurs noirs ont autorisé l'implantation de ces «industries à haut risque d'empoisonnement», c'est parce que c'était mieux que le chômage. Ils pensaient que «le bon a été supérieur au mauvais». Un des habitants de cette localité, Pat Bryant, a créé une association d'écologistes, Louisiana Toxic Project, pour alerter l'opinion publique et le gouvernement qui ne bougeaient pas. Il proclamait: «Cancer Alley... demeure une des régions les plus empoisonnées au monde. Le taux de cancer y est plus élevé que la moyenne nationale. Presque chaque famille est touchée. Cette région est devenue une zone de sacrifice national. C'est un génocide à son meilleur et c'est une honte nationale.» Ses efforts ont finalement abouti. Une première loi a été votée, en Louisiane, contre la pollution de l'air. Des analystes ont essayé de réduire au minimum l'ampleur de cette pollution.

- À Altgeld (banlieue sud de Chicago), plus de 1,1 million d'Afro-américains vivent isolés, entourés de sept remblais de déchets dangereux, d'incinérateurs, d'émanations toxiques, entre autres de PCB, d'installations de traitement des eaux d'égout et d'autres industries polluantes. Les niveaux de DDT y sont 14 fois plus hauts que la moyenne nationale. Les résidents sont souvent malades, souffrent de problèmes respiratoires, de cancers et d'asthme. Ils affirment que pour rien au monde ils ne mangeraient les produits du sol qui auraient poussé dans leur jardin. Ils accusent les autorités de discrimination environnementale, d'écoracisme, de génocide environnemental. Ils y restent pour l'emploi et répètent la même phrase qu'à Cancer Alley: «Mourir de faim maintenant ou être plus tard malade.»
- Depuis 2003, en Chine, 1,1 million de plaintes ont été déposées concernant les problèmes de pollution. En 2005 seulement, plus de 15 000 manifestations ou affrontements très sérieux avec les autorités ont eu lieu à cause de la qualité désastreuse de l'environnement.

Notons que plusieurs industries de transformation et plusieurs activités minières comme l'orpaillage (extraction de l'or) utilisent une très grande quantité de mercure dans le processus d'amalgamation. L'usage du mercure sans traitement contamine les populations locales. Les citoyens de la Guyane se sont regroupés et ont protesté contre la pollution par le mercure dans leur région. Différents pays renferment des mines d'or dont l'exploitation peut avoir de graves conséquences écologiques et sanitaires. Nommons-en quelques-uns dont l'activité en orpaillage est florissante: l'Afrique du Sud, la Chine (Shandong), l'Indonésie, la Nouvelle-Guinée, la Russie (Oural), les États-Unis (Le Nevada), l'Ouzbékistan, le Ghana, l'Australie, le Pérou, le Canada (l'Ontario et le Québec).

## *Nécessité de l'air pur*

L'air pur est indispensable pour tout être vivant. Il constitue une partie importante du milieu ambiant dans lequel nous vivons. Il maintient tout être en vie.

L'air que nous respirons est essentiel pour notre organisme. Il transmet l'oxygène qui nourrit notre cerveau et nos cellules. Nous consommons près de 15 m³ d'air par jour (15 000 litres). Ceux qui font de l'alpinisme ont vécu des expériences de vertige et d'engourdissement, des malaises multiples parvenus dans les hauteurs où l'oxygène se raréfie. D'ailleurs, à ces hauteurs, nous ne rencontrons presque aucun animal ni végétal.

L'air est composé d'un cinquième d'oxygène et de quatre cinquièmes d'autres gaz, dont l'azote et un peu de gaz carbonique. Une trop forte concentration de gaz carbonique peut devenir toxique, d'où la nécessité des végétaux qui l'absorbent, rejettent l'oxygène et purifient constamment l'atmosphère.

Respirer un air pollué d'une façon chronique peut avoir une multitude de conséquences néfastes sur les systèmes immunitaire, nerveux, digestif, hormonal, respiratoire et cardiovasculaire, de même que sur la gorge, la peau et différents organes (foie, reins, poumons). Il peut provoquer ou empirer les problèmes d'allergies et d'asthme. L'Institut de veille sanitaire (INVS) a publié en avril 2008 une étude indiquant la probabilité d'une relation directe entre le cancer et le fait de vivre à proximité d'une usine d'incinération d'ordures ménagères.

Le Front commun québécois pour une gestion écologique des déchets a énuméré les risques sur la santé humaine liés à l'exposition aux odeurs libérées par le biogaz qui se dégage d'un site d'enfouissement ou de poubelles accumulées. Les risques biologiques associés aux composés sulfurés sont: les troubles cardiaques, nerveux et respiratoires, le potentiel mutagène, les effets sur la reproduction et la tératogénicité. Les risques psychosociaux sont: la nuisance au sentiment de bien-être, l'absence de motivation, la diminution des activités extérieures, la réduction des rencontres sociales, l'interférence et la nuisance à la communication, la diminution du seuil de tolérance, les colères plus fréquentes, le déclenchement ou l'exacerbation des tensions familiales.

Les émissions de monoxyde de carbone, d'oxyde d'azote, de plomb, de benzène, de dioxyde de soufre et d'hydrocarbures des voitures, surtout dans les embouteillages et dans des aires de stationnement fermées ou mal aérées, causent des irritations des yeux et de la gorge, des bronchites, des migraines, la leucémie, le cancer du poumon et une irritation de la muqueuse nasale.

Comment ne pas mentionner cet immense nuage toxique, vingt fois plus grand que la France et épais de trois kilomètres, qui flotte au-dessus de l'océan Indien depuis une dizaine d'années et se promène d'un pays à l'autre dans le sud-est de l'Asie? Ce nuage est le produit de gaz polluants rejetés dans l'air par l'industrie massive de l'Inde et de la Chine. En cas de précipitations, ce nuage se transforme en pluies acides et endommage des cultures et des forêts entières (au Japon, par exemple), pollue les cours d'eau, la flore et la faune. Ces particules toxiques sont intégrées, via les voies respiratoires et la chaîne alimentaire, dans les corps humains.

La pollution radioactive des centrales nucléaires se répand sans couleur ni odeur dans l'air. La quantité phénoménale de déchets radioactifs, comme le plutonium-239 qui demeure actif près de 100 000 ans, constitue un problème majeur d'entreposage, d'élimination et de legs aux générations futures. Ces résidus sont dangereux, et la nature ne pourra pas les résorber avant plusieurs siècles.

Des produits chimiques toxiques répandus dans l'air par l'épandage d'herbicides et de pesticides, des particules fines, des composés organiques volatils (colles, solvants, peintures, vernis, produits de nettoyage et cosmétiques), se retrouvent dans l'organisme[142], perturbent les systèmes hormonal, nerveux et reproducteur, et causent le cancer. Ils pénètrent dans les gènes et dans le lait maternel. Ils sont transmis aux nouveau-nés.

De plus, les incendies de forêt, les éruptions volcaniques extrêmement polluantes, les terres dévastées par l'abattage sauvage d'arbres dégagent également plusieurs gaz qui contribuent davantage à la pollution de l'air.

Une Journée de l'air pur se tient une fois par année, en juin, invitant les citoyens à utiliser les transports collectifs, à ne pas fumer et à sortir en plein air pour entreprendre toutes sortes d'activités, dans le but d'apprécier la qualité de l'air *qui fait vivre*. Ce jour-là, il ne devrait pas y avoir d'avions (près de 600 à 800 mouvements d'arrivées et de départs quotidiennement) traversant le ciel de la métropole montréalaise, crachant sur les citadins leurs GES, sachant que chaque avion émet une tonne de $CO_2$ toutes les cinq minutes!

---

142 Le Fonds mondial pour la nature (WWF) a lancé une série de tests Detox en 2004. Soixante-seize produits chimiques toxiques ont été décelés chez les nombreux volontaires (400) dont des parlementaires européens. Des produits interdits depuis plus de trente ans ont été retrouvés dans leur sang.

Ce facteur de trafic aérien intense, depuis le transfert des vols internationaux de Mirabel à Dorval en 1997 (en 2004 pour les charters), a détérioré sérieusement la qualité de l'air de la région métropolitaine et contribué à la formation de smog, sans mentionner la pollution sonore non négligeable qui n'a cessé de s'accroître elle aussi.

Signalons en terminant que Montréal fut la première ville canadienne à adopter, le 13 mars 1872, un règlement pour contrôler la pollution de l'air par la fumée du charbon de mauvaise qualité, très nuisible pour la santé, utilisé dans les appareils de combustion.

## Nécessité de l'eau pure

Comme l'air, l'eau est vitale pour tout organisme vivant. Notre métabolisme en dépend. Notre cerveau contient 70% d'eau, notre sang, 60% et nos os, 30%. Il est recommandé d'en boire au minimum un litre et demi par jour.

La masse d'eau est la même sur la Terre depuis plusieurs milliards d'années. Elle s'évapore, se condense, puis tombe sous forme de pluie ou de neige.

Même si 74,35% de la planète est recouverte d'eau, seulement 6% de cette eau est douce et liquide. L'autre partie est salée. Deux pour cent se présente sous forme de glaciers[143]. 99,8% de l'eau douce se trouve dans les calottes glaciaires et dans les nappes souterraines. Seulement 0,0001% de cette eau potable est accessible. Sur cette infime partie, 73% est utilisée par l'agriculture et l'irrigation, 21% par le secteur industriel et 6% par la population.

Boire une eau contaminée est extrêmement nocif pour la santé. Or, aujourd'hui, plus de la moitié des lacs et des rivières sont pollués. Plusieurs pays rejettent encore leurs eaux souillées, et d'autres matières résiduelles, dans les fleuves et dans la mer, devenus de vrais dépotoirs[144]. Le manque de budget pour la construction d'usines de traitement des eaux constitue un problème toujours actuel[145]. À titre d'exemple, même au Québec où, en principe, les municipalités traitent leurs eaux usées avant de les rejeter dans les cours d'eau, une analyse récente a montré que le fleuve Saint-Laurent est une « soupe d'hormones et de médicaments pour les poissons et la faune aquatique ». Les usines de filtration ne sont pas toutes outillées pour intercepter

---

[143] 7% des 25% de terre sèche (portion de la planète qui n'est pas recouverte d'eau) est arable. Le manque d'eau pour irriguer la culture contribue de plus en plus à son assèchement.

[144] Malgré la Convention de Londres en 1972 qui a interdit de jeter les déchets solides dans la mer. De nouvelles règles de l'ONU, en vigueur depuis le 1er mai 2009, interdisent le rejet d'ordures en Méditerranée.

[145] Exemple: la Hongrie jette encore ses eaux non traitées dans le Danube rendu pollué par l'azote, le phosphore et autres substances toxiques (déchets de l'agriculture, des industries et des villes).

une douzaine de médicaments comme l'ibuprofène, les antibiotiques, les analgésiques et quelques substances anovulatoires[146]». Les croisiéristes du Vieux-Port n'ont arrêté de déverser le contenu de leurs toilettes dans le fleuve qu'en juin 2008.

Près du quart de l'humanité n'a pas accès à l'eau potable. Chaque jour, la pénurie d'eau se fait sentir de façon encore plus aiguë (exemples: quelques pays du Moyen-Orient et de l'Afrique du Nord[147]). Quatre-vingts pour cent de la population rurale d'Afrique, ainsi que la moitié des Chinois, des Pakistanais, des Indiens et des Vietnamiens ne boivent que de l'eau contaminée. Toutes les huit secondes, un enfant meurt d'avoir bu une eau souillée, ce qui signifie un total de 10 000 enfants morts chaque jour. En 2003, une étude publiée par l'UNICEF indiquait que plus de 1,6 million d'enfants meurent annuellement en raison de maladies contractées après avoir ingurgité de l'eau polluée. Deux cent cinquante millions de personnes sont atteintes de maladies reliées à la consommation d'eau contaminée et près de 7 millions en meurent chaque année dans le monde. Plus des trois quarts des maladies (choléra, diarrhées bactériennes ou virales, dysenterie, typhoïde) dans les pays en développement sont causées par la consommation d'eau porteuse de bactéries ou de virus.

On estime qu'en 2025, plus de 65% des habitants de la Terre manqueront gravement d'eau et qu'en 2050[148], les deux tiers des habitants de la Terre développeront des maladies dues à la mauvaise qualité de l'eau.

---

146  Ces substances chimiques, dont des hormones, sont à la source de la féminisation d'environ 30% des poissons mâles attrapés près de Longueuil et de Repentigny. D'autre part, une enquête américaine publiée le 25 septembre 2007 a découvert que des niveaux élevés d'azote et de phosphore dans les engrais agricoles font proliférer des parasites à l'origine d'infections responsables de malformations croissantes chez les grenouilles. Pieter Johnson, un biologiste de l'Université du Colorado, souligne dans les *Annales de l'Académie nationale américaine des sciences* (PNAS): «Il s'agit de la première recherche montrant que des composants chimiques des engrais sont responsables de la prolifération de ces parasites microscopiques appelés trématodes qui accroissent le taux d'infection chez les batraciens, conduisant à des malformations. Cette recherche peut potentiellement expliquer le déclin des batraciens dans le monde ainsi qu'un vaste éventail de maladies, peut-être liées à la pollution par des engrais, telles que le choléra, le paludisme, le virus du Nil occidental ou d'autres parasites affectant les récifs coralliens.» Des grenouilles léopards d'une mare du Minnesota ont été trouvées avec un membre manquant ou en surplus au milieu des années 1990.

147  Ces pays n'ont plus assez d'eau pour entretenir leurs cultures. Ils appellent «eau virtuelle» l'eau qu'ils auraient dû utiliser pour arroser leurs champs et plantations. À défaut de pouvoir cultiver, ils importent leurs céréales et font ce calcul: une tonne de blé nécessite 1000 tonnes (mètres cubes) d'eau pour la faire pousser. Importer 1 million de tonnes de blé revient à importer 1 milliard de tonnes d'eau. Cette stratégie devrait être temporaire, sinon les agriculteurs sont sacrifiés et le pays n'est plus autosuffisant, mais tributaire des politiques étrangères.

148  Depuis quelques décennies, des bateaux transportent quotidiennement de l'eau de l'Alaska et de la Colombie-Britannique aux côtes desséchées de la Californie. La Floride, l'Alabama et la Géorgie ont asséché leurs nappes phréatiques. Le quart des villes américaines feront face à un sérieux manque d'eau d'ici 2015 selon le Urban Water Council.

Il est donc primordial de bien connaître la valeur, les limites et les enjeux reliés à cette ressource naturelle première[149]. Des prévisions annoncent la diminution de 40% de la masse des glaciers de l'Arctique d'ici 2050, ce qui veut dire moins d'eau potable pour les 9,1 milliards d'êtres humains que nous serons sur la Terre cette année-là.

La contamination par les algues et les cyanobactéries de plusieurs lacs, rivières et mers dans le monde rend l'eau encore plus rare et la consommation des produits de la pêche très risquée[150].

Une technique de désalinisation de l'eau de mer, selon le principe de la membrane d'osmose inverse, est pratique courante depuis des décennies, notamment dans la région du Golfe persique. Un filtre semi-perméable laisse passer les molécules d'eau et retient le sel. Une usine de désalinisation a été installée en 2007, près de la capitale du Royaume-Uni, destinée à alimenter en eau potable un million de Londoniens. Elle fonctionnera en cas de sécheresse ou de faible pluviosité, soit 40% de l'année. Cette usine de traitement des eaux salées a un coût financier et énergétique considérable. L'Australie puise également son eau dans l'océan Indien depuis 2006, notamment dans la région de Perth, pour combler le cinquième de ses besoins en eau potable.

## La position de la communauté scientifique

Jean-Pierre Thouez, spécialiste en géographie de la santé, a résumé ainsi les études de plusieurs scientifiques qui ont fait un lien direct entre les composantes de l'environnement et la maladie: «Dans la littérature, nombreux sont les exemples historiques des problèmes nutritionnels liés à la géochimie des sols et de l'eau. Par exemple, on peut mettre en évidence les régions déficientes en éléments essentiels comme le fer (anémie), en calcium-magnésium-sodium (maladies cardiovasculaires, hypocalcémie), le chrome (régulation du glucose, diabètes), le cobalt (anémie pernicieuse), le zinc (perakeratosis, systèmes enzymatiques moins performants), le fluor (carie dentaire, ostéoporose) et l'iode (crétinisme, surdi-mutité), ou les régions où certains éléments sont trop abondants et parfois toxiques, comme le cadmium (dysfonctionnement rénal, hypertension, maladie ischémique), le plomb (neuropathies, désordres psychiques, hypertension), l'aluminium

---

[149] Le XXᵉ siècle a consommé sept fois plus d'eau potable à cause de l'industrie croissante, de l'agriculture et de l'explosion démographique.

[150] Exemples: la mer Baltique (Suède), la marée rouge de la Floride, plusieurs lacs du Québec et de l'Ontario, la côte de la ville de Qingdao (Chine) aux prises avec de très graves problèmes d'algues bleues.

(démence de type Alzheimer?) et des éléments radioactifs comme le radon (cancer du poumon).»

Le chercheur I. Rapoport a effectué une étude sur 687 cas et établi que «le risque de mongolisme était deux fois plus élevé dans les villes où la concentration en fluor de l'eau était de 1 ppm et plus». Il s'appuyait sur les recherches de F. T. Flaten, P. French, F. Ramade et autres pour affirmer: «La mauvaise qualité de l'eau, la pollution des sols d'origine agricole (phytosanitaires, nitrates...), la pollution atmosphérique sont autant de menaces potentielles pour l'humanité. L'environnement est par conséquent devenu un des grands vecteurs du risque, puisque c'est par la voie de l'eau, de l'air ou indirectement du sol que peuvent se propager de très nombreuses maladies.»

D'autres études, entreprises cette fois par Fontan sur les grandes villes industrielles, «ont démontré un schéma régulier de mortalité élevée pendant les jours et les semaines où les taux de pollution par $SO_2$ (dioxyde de souffre) et par matières particulières furent très importants», et ce, surtout en hiver quand il y a une présence prolongée de brouillard et de nuages.

J.-P. Thouez poursuit la nomenclature des maladies causées, à long terme, par les innombrables composés toxiques rejetés par l'humain dans l'environnement: «Donnons quelques exemples d'effet sur la santé humaine de certains polluants atmosphériques. Pour le $SO_2$, les effets aigus, lors de pics de pollution, ont été estimés par des tests de fonction pulmonaires et des études sur la fréquentation des services de santé, par exemple, accroissement du taux d'attaque de crises d'asthme, en particulier chez les enfants, aggravation de la condition respiratoire de bronchitiques, diminution de la fonction respiratoire des personnes âgées, augmentation de la fréquence des visites pour les pharyngites, les amygdalites, les bronchites, les rhumes.»

## Quelques accidents écologiques

Au Québec, des accidents écologiques comme des déversements de déchets toxiques ont contaminé des lagunes et des nappes phréatiques (exemples: à Mercier, 20 km² de nappe phréatique ont été infectés; à Sainte-Julie, des eaux de surface ont été contaminées dans les années 1980). Un autre genre de désastre écologique a eu lieu à Saint-Basile-le-Grand le 23 août 1988. Un entrepôt de BPC (biphényles polychlorés) a explosé et brûlé.

Mentionnons un désastre écologique d'un autre type, programmé, délibéré et autorisé cette fois-ci par les élus eux-mêmes, pour le fric, fiers de conserver le rang de premier producteur et d'exportateur de papier (jusqu'à quand?): la coupe à blanc de la grande majorité des forêts boréales[151] du Nord du Québec, lesquelles forêts produisent 90% de la biodiversité et retiennent le tiers du carbone terrestre, soit 48 milliards de tonnes de $CO_2$. Ce carbone séquestré est retourné dans l'atmosphère lors de l'abattage[152] et constitue 20% des émissions de GES.

Au Canada, à l'est comme à l'ouest du pays, plusieurs collisions, échouages accidentels de pétroliers ou déversements délibérés de quantités énormes d'hydrocarbures dans la mer ont provoqué une pollution chronique des eaux, du rivage et la mort de milliers d'oiseaux. Exemples : le pétrolier Arrow en février 1970 au large de la Nouvelle-Écosse, Irving Whale en mars 1970 en face de l'Île-du-Prince-Édouard, le navire Kurdistan en mars 1979 encore au large de la Nouvelle-Écosse, Nestucca en décembre 1988 au Sud-Est de la Colombie-Britannique, Exxon Valdez en 1989 sur les côtes de l'Alaska, le Gordon C. Leitch en mars 1999 sur la côte est du Saint-Laurent.

À l'échelle internationale, d'autres catastrophes environnementales se sont produites au cours des années, laissant derrière elles leur lot de dommages considérables, entre autres sur la santé :

- Dust Bowl dans les années 1930 (aux États-Unis, cas cité plus haut).
- Minamata dans les années 1960 (au Japon, cas cité plus haut).
- Le pétrolier Torrey Canyon s'échoue le 18 mars 1967 entre les îles Sorlingues et la côte britannique, libérant 121 000 tonnes de pétrole brut. Les produits chimiques utilisés pour gérer les nappes noires qui ont atteint les rives de la Bretagne se sont avérés encore plus toxiques que le pétrole. Les séquelles écologiques sur la flore et la faune furent énormes. Des soldats et des bénévoles, plongés le long de la plage dans les hydrocarbures, sans protection pour leur santé, nettoyaient le rivage avec une pelle et un seau. Cet accident mobilisa l'opinion publique en France. Quelques années plus tard, le gouvernement institua un ministère de l'Environnement. Ce désastre a entraîné la destruction de 100 000 tonnes d'algues et de près de 350 000 tonnes d'animaux dont la valeur marchande était estimée à plusieurs millions de dollars.
- Explosion dans un centre de production d'armes nucléaires de Tchelyabinsk (Russie) en 1970, qui a irradié plusieurs villages avoisinants.
- Découverte d'odeurs de produits chimiques et infiltration de ces produits dans le sous-sol de maisons à Love Canal (du nom de son premier propriétaire William Love), situé dans la ville de Niagara Falls (New

---

151 Présentement, 4,6% des aires du Québec sont protégées alors que la norme mondiale est de 12%.
152 Seulement 10% des forêts sont protégées au Canada.

York) en 1970. Près de 950 familles ont été évacuées. Love Canal était un ancien site de déchets toxiques. La compagnie Hooker Chemical y a déversé plus de 21 000 tonnes de liquides et solides toxiques vers 1941. D'autres milliers de tonnes de déchets toxiques s'y sont ajoutées vers 1950. Le tout a été recouvert de plusieurs pieds d'argile. Cette décharge a été fermée en 1953, puis un vaste lotissement de maisons et une école primaire furent construits à proximité. Selon la théorie des baissières («Swale theory»), le mouvement des eaux de la nappe phréatique a entraîné les contaminants de dioxines de Love Canal vers la rivière Niagara, ce qui affectait directement l'écosystème des Grands Lacs (lac Ontario, lac Érié et rivière Niagara). La pêche est toujours interdite dans la rivière Niagara. Aucune mesure d'assainissement des déversements dans les lacs n'a encore été entreprise. Cette eau est récupérée pour usage domestique dans des centaines de milliers de foyers.

- Destruction d'une usine chimique par une explosion de gaz à Flixborough (Angleterre) en 1974, contaminant des habitants d'une grande région.
- Explosion d'un réacteur d'une usine chimique (Icmesa) qui produisait des herbicides à Seveso (près de Milan, en Italie) le 10 juillet 1976. Un nuage cancérigène contenant de la dioxine, semblable à celle contenue dans l'agent Orange déversé au Viêt-nam, s'est répandu en Lombardie. Les feuilles des arbres ont jauni. 3300 animaux domestiques sont morts. Il a fallu abattre 70 000 têtes de bétail. 193 personnes ont été atteintes de chloracné. 37 000 eurent différents malaises graves, entre autres hépatiques et cutanés. Les habitants les plus proches de l'usine ont été évacués. Des maisons et des fermes furent rasées, les sols agricoles durent être décontaminés.
- Naufrage du pétrolier Amoco Cadiz en 1978, au large des côtes bretonnes, en face du village de Portsall, libérant sur 400 km 223 000 tonnes de pétrole brut, de forte toxicité à long terme.
- Explosion d'un réacteur nucléaire à Three Mile Island (Pennsylvanie) en mars 1979. Cet accident a tellement bouleversé les politiciens américains qu'ils ont décidé alors d'abolir les réacteurs nucléaires sur leur territoire.
- Découverte d'huiles d'olive contaminées aux hydrocarbures en mai 1981 en Espagne, suite à une épidémie d'origine inconnue nommée «syndrome toxique» qui a fait 1742 morts et provoqué des malaises chez 20 000 personnes.

- Fuite de gaz toxique d'un réservoir qui servait au stockage de méthyli-socyanate (MIC). Un nuage mortel recouvrit la ville de Bhopal (Inde) le 2 décembre 1984, faisant en l'espace de quelques heures des milliers de morts et des centaines de milliers de personnes malades.

- Explosion et incendie d'un réacteur nucléaire à Tchernobyl le 26 avril 1986. Cette catastrophe a fait déplacer 400 000 personnes. Kofi Annan, secrétaire général de l'ONU de 1997 à 2006, avance le chiffre de 7 millions de personnes affectées par cette tragédie. Le nombre de morts va de 50 000 à 150 000 personnes. Le nombre de handicapés s'élève à 165 000. Plusieurs de ceux qui ont eu une forte exposition aux radiations (au césium 137) ont souffert de nausées, de diarrhées, de cancer de la thyroïde, de cancer du poumon (à cause du plutonium), de leucémie, de maladies épidémiologiques, coronaires, cardiovasculaires, immunitaires et nerveuses. Il y a eu, de plus, 10 000 malformations sur des nouveau-nés. Les radiations ont contaminé des sols, des végétaux et des animaux. Les humains s'en sont nourris.

- Découverte d'une importante pollution de la nappe phréatique et des étangs de Montchanin (France) en 1987. Les décharges de Montchanin ont accepté, de 1977 à 1987, près de 800 000 tonnes de déchets industriels non autorisés. Les hautes autorités régionales (Bourgogne) étaient de connivence. De nombreuses pathologies respiratoires et cutanées ont été enregistrées.

- Accident nucléaire à Goiânia (capitale de l'état de Goias, au Brésil) en 1987 avec contamination par la manipulation de césium 137 trouvé dans un hôpital abandonné.

- Découverte de petites traces de benzène dans 13 bouteilles d'eau Perrier le 4 février 1989 en Caroline du Nord par la Food and Drug Administration (agence d'inspection des aliments). Un filtre utilisé pour le processus de gazéification n'avait pas été remplacé à temps. Immédiatement, un rappel de 72 millions de bouteilles a été ordonné.

- Naufrage du pétrolier Braer, en janvier 1993 au large des îles Shetland, au nord de l'Écosse, qui a entraîné un déversement de 80 000 tonnes de pétrole, lequel a causé des ravages très graves à l'écosystème, aux poissons et aux oiseaux du littoral.

- Le 12 décembre 1999, le pétrolier Erika demande de l'aide pour évacuer ses 26 membres d'équipage. Il était à 50 km de Penmarch (département du Finistère en France). Il allait du port de Dunkerque (sur la mer du Nord) à Livourne (Italie). Il transportait 14 cuves de 30 000 tonnes de fioul lourd. 19 800 tonnes furent déversées. Une marée noire de plusieurs kilomètres se répandit au large de la Normandie. Tout l'hiver 2000, des soldats et des bénévoles nettoyèrent les côtes avec des outils rudimentaires, mais un peu mieux protégés qu'en 1967: le haut taux de risque de cancérogénicité de ces hydrocarbures ne faisait plus de doute. 61 403 oiseaux de mer furent trouvés morts sur la côte. (À cause de son emplacement géographique, la France a connu 13 marées noires dont 10 en Bretagne).

- Explosion à l'usine pétrochimique AZF, le 21 septembre 2001, à Toulouse. La raison demeure toujours inconnue: défaillance technique ou erreur humaine? Un ouvrier de 27 ans a été happé et déchiqueté par une presse compacteuse de cartons d'emballage. Un stock de plusieurs centaines de tonnes de nitrate d'ammonium a explosé, causant 30 morts, des milliers de blessés et des dégâts qui se chiffrent à deux milliards d'euros.

- En janvier 2002, Esther Hinostroza alerte l'opinion publique sur la pollution qui sévit dans la ville de La Oroya (Pérou), déclarée un des dix sites les plus pollués au monde. Plus de 97% des enfants (près de 12 000) ont été contaminés par le plomb dont le niveau était six fois supérieur à celui permis par l'Organisation mondiale de la santé. Ils ne pouvaient plus se concentrer ni étudier à l'école. Ils affichaient des problèmes de comportement. Leur intelligence et leur croissance furent réduites. Une industrie implantée depuis 1997 était à la source de cette pollution. Des mouvements religieux se sont unis pour défendre cette cause. Un jugement de la Cour suprême du pays a blâmé le ministère de la Santé pour avoir négligé de protéger la santé des citoyens de cette localité. Des mesures de nettoyage ont été entreprises.

- Le glacier Maili (au nord du Caucase, en Russie) est en expansion. Il tue, le 20 septembre 2002, 150 personnes et en blesse des centaines d'autres dans le village de Kami. Un mur de glace de 500 pieds grossit depuis six ans. D'autres villes dans la région ont été ensevelies.

- Naufrage du pétrolier Prestige le 19 novembre 2002, au large de la Galice (nord-ouest de l'Espagne), relâchant 70 000 tonnes de fioul lourd dix fois plus toxique que le fioul léger qui s'évapore.

- Déchets toxiques du cargo Probo Koala déchargés en 2006 à Abidjan dans 17 sites dont certains à quelques mètres de quartiers résidentiels. Seize personnes en sont mortes et 100 000 ont été malades.

- Le tremblement de terre, de magnitude 6,8 sur l'échelle de Richter, qui a eu lieu le 17 juillet 2007 à Kashiwasaki-Kariwa, au Japon, dont l'épicentre était situé à 9 km d'une centrale nucléaire, a remis en question la sécurité de telles centrales. Elle fut fermée momentanément même si les réacteurs n'avaient pas été touchés. Cependant, les murs du bâtiment ont été endommagés.

- Déversement de 2000 tonnes de mazout dans le détroit de Kerch, qui mène à la mer Noire en Russie, le 11 novembre 2007. Le pétrolier Volganeft-139 qui transportait ce fioul s'est brisé en deux lors d'une tempête où les vagues atteignaient huit mètres de haut. Deux autres navires qui contenaient des cargaisons de soufre ont également coulé dans ce même détroit. C'est une des grandes catastrophes écologiques en Russie.

- Pollution de l'estuaire de la Loire par 400 tonnes de fioul lourd échappées de la raffinerie Total de Donges (Loire-Atlantique en France), le 16 mars 2008. Quelque 250 à 300 oiseaux ont été souillés ou tués au large de l'île de Ré. La dépollution totale des sites a pris plusieurs mois et coûté au moins 10 millions d'euros.

- Une dizaine d'explosions dans un dépôt de gaz propane, au nord-ouest de Toronto le 10 août 2008, ont causé la mort de deux personnes et plusieurs blessures à d'autres en raison des éclats de vitres à 1,6 km à la ronde. Cet accident a provoqué une évacuation préventive de près de 12 500 personnes. Les installations de Sunrise Propane Industrial Gases ont flambé. Le nuage de fumée noire qui a envahi le ciel de la ville ne contenait pas d'émanations toxiques selon les tests de qualité de l'air effectués par les autorités(!).

- L'ouragan Ike qui a envahi le sud des Etats-Unis en septembre 2008 a causé d'importants dommages à l'environnement. Des plates-formes pétrolières, des réservoirs de stockage et des pipelines ont été gravement touchés. Près de 2 millions de litres de pétrole brut ont été déversés dans le Golfe du Mexique, les marais et les baies du Texas et de la Louisiane. Près de 450 rejets de pétrole, d'essence et de substances chimiques toxiques ont été signalés. 3000 rapports de pollution grave ont été remplis par les autorités.

- Déversement de diesel en novembre 2008 dans l'Atlantique, à 70 km de la côte de la Nouvelle-Écosse. Une barge y a coulé. Des mesures de haute surveillance sont prises pour minimiser les dégâts. Cette barge transportait 70 000 litres de diesel, 1000 litres d'huile hydraulique et 5000 litres d'huile usée lors du naufrage.

Ces désastres ont pollué l'environnement par la migration, entre autres, de nuages de molécules chimiques, de liquides et de poussières toxiques sur une large périphérie. Leurs incidences négatives sur l'eau, le sol, la végétation, la faune, la santé et le bien-être des citoyens sont extrêmement difficiles à évaluer.

## Le phénomène de la désertification

Le phénomène de la sécheresse provoque de minables récoltes, appauvrit et stérilise le sol d'une façon irrémédiable. Des milliers d'Africains sont morts durant les 50 dernières années à cause de la désertification, du manque d'eau et des conditions climatiques.

Des dizaines de pays et de régions du monde risquent la désertification : l'Afrique du nord et du sud, l'Espagne, l'Italie, la région centrale de l'Asie, l'est de l'Australie, l'ouest des États-Unis, l'Amérique centrale et l'ouest de l'Amérique du sud. Ce phénomène n'est pas seulement dû au réchauffement climatique ou au réchauffement des eaux de surface des océans. L'être humain en est également responsable. Des facteurs comme la déforestation, le détournement de rivières et l'élevage intensif de bétail qui détruisent le couvert végétal y contribuent.

La coupe à blanc des végétations sauvages qui formaient des nuages (évapotranspiration), amenaient la pluie, protégeaient le sol, et son remplacement par une agriculture intensive qui laisse le sol absorber les rayons du soleil constituent des facteurs importants dans le processus de son assèchement puis de sa stérilisation, prélude à sa désertification.

Ces changements climatiques affectent également la biodiversité. Plusieurs espèces végétales sont en train de disparaître, ce qui crée un manque flagrant de plantes médicinales recherchées par plusieurs laboratoires et médecines traditionnelles[153].

À cause de cette conjoncture de plus en plus généralisée sur la planète, des environnementalistes prévoient, dans un très proche avenir, des guerres juste pour s'approprier des sources d'eau et des terres fertiles[154].

---

153  Une étude de l'OMS affirme que 40 % des médicaments vendus en pharmacie contiennent un composant dérivé d'une plante sauvage médicinale, et que 80 % de la population de la planète est soignée par des médicaments traditionnels.

154  Au Québec, l'étalement urbain fait perdre à l'agriculture environ 4 000 hectares de terres fertiles chaque année (sans compter les boisés) alors que seulement 2 % des terres du Québec sont cultivables.

## Les organismes génétiquement modifiés (OGM)

Ce sont des plantes, des animaux ou des bactéries qui ont eu des gènes étrangers introduits dans leur génome, et ce, d'une façon permanente. Ce transfert ou ajout de gènes, pratiqué depuis le début des années 1980 par les nanosciences, devrait, en principe, selon les défenseurs de cette cause, protéger l'organisme traité des maladies, renforcer son système d'autodéfense contre les agents pathogènes, l'enrichir de vitamines, le rendre plus résistant et lui assurer une meilleure qualité de vie.

Plusieurs chercheurs craignent des conséquences négatives sur la santé de ceux qui les consomment et sur l'environnement. Il faudrait élargir les recherches à long terme afin de tester scientifiquement leur innocuité avant de les adopter.

## Le droit à une psychologie verte

La pollution ne se traduit pas uniquement par la contamination du sol, des eaux, de l'air, et du son, elle affecte également les personnes dans leurs relations intra et interpersonnelles. Le respect de l'environnement n'est que le reflet du respect de soi et du prochain. Jacques Salomé[155] met en garde contre le système courant de communication ou plutôt d'incommunication S.A.P.P.E. (qui veut dire: dialogue ou monologue qui est Sourd, Aveugle, Pernicieux, Pervers, Énergivore). Ces relations malsaines de domination, de persécution et d'exploitation entre les individus et les États, et envers la nature, soit par une déclaration, un geste, un regard, une parole, un jugement, un préjugé négatif racial ou religieux, souillent l'atmosphère.

Le système de communication E.S.P.E.R.E. (qui veut dire: Énergie Spécifique Pour une Écologie Relationnelle Essentielle) est une méthode intègre et saine de relations intra et interpersonnelles. Les interlocuteurs sont reconnus dans leur dignité et leurs valeurs, dans leurs particularités et leur diversité.

L'OMS reconnaît qu'une bonne santé ne peut être qu'intégrale, holistique, englobant les dimensions physique, psychique, spirituelle, sociale, environnementale et relationnelle. Donc, la *santé verte* ne se réalisera que loin de l'exploitation et de l'oppression de l'autre, seulement dans un environnement sain, équilibré, où les différences et les conflits éventuels seraient harmonieusement acceptés. Que dire alors des enfants de plus en plus rejetés, des personnes de plus en plus délaissées, mises de côté, des individus étiquetés et jugés inutiles malgré leur potentiel?

---

155  Voir *Pour ne plus vivre sur la planète TAIRE*, Jacques Salomé, Paris, Albin Michel, 2003.

## Solution: prévenir avant de guérir

Ne peut-on pas conclure, dans la foulée de cette réflexion, que *santé envi-ronnementale* rime avec *santé humaine intégrale*, et que les coûts de l'amélio-ration immédiate de la qualité de l'environnement seraient, tout compte fait, bien moindres que ceux nécessaires à sa réfection après sa *dégradation*?

De nobles efforts de *conscientisation générale* se poursuivent. L'environnement en lien avec la santé constitue sept des huit objectifs de l'ONU adoptés en 2000 pour les décennies à suivre. Le premier article de la *Charte de l'environnement* préconise: «Chacun a le droit de vivre dans un environnement équilibré et favorable à sa santé[156].»

Une nette priorité est aujourd'hui accordée à la santé. Démocratie, jus-tice sociale, santé humaine et hygiène environnementale ne peuvent plus être dissociées.

---

156  C'est la reprise du premier des 27 objectifs de l'Agenda 21 du Sommet de la Terre tenu à Rio en 1992 qui stipulait: «Les êtres humains sont au centre des préoccupations relatives au dévelop-pement durable. Ils ont droit à une vie saine et productive en harmonie avec la nature.»

————————○————————

«*Nous sommes lents à comprendre ce que signifie la destruction
de tant d'éléments de notre environnement essentiels à notre survie.*»
AL GORE

«*D'ici 2025, les deux tiers de la population mondiale
n'auront pas accès à l'eau potable.*»
FAO

*Objectifs du Développement du Millénaire:* «*Que d'ici 2015,
le nombre de personnes n'ayant pas accès à l'eau potable soit réduit à 1,2 milliard
de personnes dans le monde. En 2015, un objectif similaire sera adopté
concernant les 2,4 milliards privés d'installations sanitaires.*»
ASSEMBLÉE GÉNÉRALE DE L'ONU, 2000

«*La moyenne d'eau nécessaire pour produire un kilo de pommes de terre
est de 1000 litres; de maïs, 1400; de riz, 3 400; de poulet, 4 600; de bœuf, 42 500.*»
PRESSE D'AMÉRIQUE LATINE, FÉVRIER 2000

«*La typhoïde, la malaria, la dengue, le choléra et les autres maladies
propagées par l'eau sont responsables de la mort de 5 millions de personnes
par an dans le monde, spécialement des enfants.*»
NEW INTERNATIONALIST MAGAZINE, MARS 2003

«*Si nous n'optons pas pour une transformation radicale de notre civilisation
et de notre manière de penser la relation entre l'espèce humaine et la Terre,
nos enfants n'hériteront plus que d'une immense poubelle planétaire.*»
AL GORE

«*Chaque recul de la nature sauvage a pour effet
de réduire la santé physique et morale des êtres humains.*»
REX WEYLER

————————○————————

# ⑥ La controverse verte

« C'est parce que l'homme peut dire non
que son oui prend une pleine résonance. »
                              PAUL EVDOKIMOV

> L'ensemble de la communauté scientifique ne s'entend pas sur la responsabilité anthropique du réchauffement climatique. Quelques experts croient que ces changements météorologiques sont indépendants de l'activité humaine et dus à des variations cycliques naturelles. Le réchauffement actuel se transformera éventuellement, selon d'autres, en refroidissement atmosphérique dans plusieurs parties du globe.

## Le camp des sceptiques

Le discours sur le réchauffement global dû au $CO_2$ et autres gaz en lien avec l'activité anthropique ne semble pas faire l'unanimité dans la communauté scientifique. Plusieurs ont accusé les tenants d'une telle théorie d'idéologues irrationnels récalcitrants au progrès scientifique, hostiles au développement économique et industriel.

Ces opposants ont créé en 1989 l'association Global Climate Coalition (GCC). Des hommes d'affaires du secteur manufacturier, des constructeurs automobiles, des centrales d'énergie thermique, des mines et des pétrolières, dont ExxonMobil, y ont adhéré et ont contesté les mesures préconisées pour diminuer les émissions de GES. À la suite du troisième rapport du GIEC qui, en 2001, affirmait très sérieusement que l'activité humaine est déterminante dans le processus du réchauffement climatique, plusieurs entreprises ont quitté le GCC, notamment Beyond Petroleum, Texaco, Shell, General Motors, Chrysler et Ford. Peu de temps après, la coalition GCC a été dissoute.

## L'opposition continue

Si la grande majorité des scientifiques reconnaît et admet la réalité des bouleversements climatiques actuels, quelques sceptiques[157] continuent d'en donner une lecture différente: ils attribuent plutôt ces changements aux activités du soleil qui est plus chaud qu'il y a 70 ans. Ils estiment que, selon le modèle de Milutin Milankovitch[158], ces variations sont naturelles et cycliques, que le climat de la planète est toujours en changement, indépendamment de l'influence anthropique, avec ou sans le taux élevé de concentration de $CO_2$, qui peut même être produit par les éruptions volcaniques, comme ce fut le cas à quelques reprises dans l'histoire de la Terre. Ils reprochent au GIEC de publier des conclusions guidées par la politique et l'économie dans le but de déclencher une propagande contre la croissance industrielle, de freiner le progrès des pays en développement, comme ceux de l'Asie et de l'Afrique, et d'attirer davantage de subventions pour les recherches sur le climat.

Les graves changements atmosphériques que nous vivons seraient, selon ces scientifiques, un cycle régulier et récurrent, un phénomène historique d'alternance de réchauffements et de refroidissements. Selon l'équipe de recherche du professeur de paléontologie Meave Leakey, de l'Université Stony Brook (New York), l'humanité a frôlé l'extinction il y a 70 000 ans. Des conditions climatiques extrêmes (entre autres la sécheresse) ont réduit la population humaine à seulement 2000 personnes. Une autre série de sécheresses sévères aurait décimé l'Afrique il y a 135 000 et 90 000 ans.

---

157 Voici les noms de quelques sceptiques: Tim Bell, Patrick Moore, Piers Corbyn, Paul Reiter, Roy Spencer, Lord Lawson of Blaby, Bert Boiln. Carl Wunsh, Ian Clarck, Patrick Mikhaels, Richard Linzden, John Christy, Philipp Scott, Frederic Singer, Jan Veiser, Nir Shavir, Paul Driessen, Syun-Ichi Akasolu. Ceux-là ont été interrogés par le producteur Martin Durkin dans son documentaire *The great global warming swindle*, 2006. Plusieurs autres groupes et penseurs, financés par la pétrolière ExxonMobil, continuent de contester l'hypothèse de la responsabilité anthropique dans le phénomène des changements climatiques, comme l'Institut Fraser, l'Institut américain du pétrole, Cooler Heads Coalition, Competitive Entreprise Institute, Marlo Lewis, Chris Horner, Fred Smith, Steven Milloy, Sallie Baliunas et David Bellamy. Ils estiment qu'il n'y a toujours pas assez de preuves convaincantes attestant le lien entre les GES et le réchauffement global. À cette liste, s'ajoutent Benny Peiser, Timothy Ball, Steve McIntyre, Ross McKitrick, le Cercle zététique, Joe Barton et Micheal Crichton avec son livre *État d'urgence* (*State of Fear*) qui a remporté le Prix des médias en 2006, décerné par l'Association américaine des géologues du pétrole. Dans ce livre, l'auteur estime que les changements climatiques ne sont qu'une projection de quelques scientifiques. Claude Allègre, Christian Gerondeau, Bjorn Lomborg, trois célèbres écosceptiques, ont finalement reconnu l'ampleur des bouleversements climatiques.

158 Milutin Milankovitch (1879-1958) est un astronome et mathématicien qui a découvert la théorie suivante (confirmée plus tard par la communauté scientifique): les activités variées du soleil, les changements de l'orbite (rotation) et de l'axe (nutation) terrestres affectent la température de la Terre et entraînent des variations climatiques cycliques. Selon lui, la Terre se dirige vers une nouvelle ère de glaciation depuis déjà 16 000 ans.

Les temps très froids qui ont sévi en Europe avant 900, puis de 1450 à 1850, période appelée «petit âge glaciaire», surtout à la fin du règne de Louis XIV, les temps très doux qui ont sévi au sud du Groenland devenu vert et habité par les Vikings entre 900 et 1300 seraient des exemples éloquents de ces périodes glaciaires et interglaciaires, de réchauffement et de refroidissement planétaires. Le Groenland s'est réchauffé il y a a 14 700 ans, puis s'est refroidi il y a 12 900 ans, soit 1800 ans après.

Quelques opposants prévoient que le présent réchauffement climatique va en effet s'accentuer, mais pour une courte période, avant que la planète sombre dans une autre ère glaciaire. Les GES qui retiennent davantage la chaleur du soleil dans l'air seraient alors avantageux. Leur action produirait, par l'évaporation de l'humidité du sol, davantage de nuages qui agiraient comme régulateurs de la température et source de pluviosité.

Certains scientifiques pensent que l'atmosphère est encore capable de se nettoyer elle-même, comme elle l'a toujours fait, par le processus d'oxydation: des gaz carboniques et du méthane interagissent avec des radicaux hydroxyles, ce qui provoque l'autonettoyage. Mais les radicaux hydroxydes ne semblent plus suffire maintenant pour remplir cette tâche de purification. Richard Linzden, qui croyait jusque dans les années 1990 que la nébulosité participait au processus d'annulation de la progression des GES, a abandonné cette théorie.

D'autres chercheurs ne croient pas que la température va augmenter de beaucoup ni que le niveau de la mer va monter sérieusement. Les régions froides deviendraient peut-être plus chaudes, ce qui constituerait, selon eux, un point positif: économie de l'énergie, meilleures conditions de vie, meilleures cultures. De plus, ils affirment que l'être humain n'aura qu'à s'adapter, comme il l'a toujours fait.

Deux scientifiques danois, Knud Lassen et Eigil Friis-Christensen, de l'Institut de météorologie de Copenhague, proposent un compromis dans cette controverse. D'après leurs études, la longueur du cycle solaire et d'autres variations cosmiques seraient responsables de 80% des changements climatiques terrestres. L'autre 20% serait dû à l'activité humaine intense et serait accrue depuis quelques décennies. Un chercheur de l'Université d'Oslo, le climatologue Tom V. Segalstad[159], a réduit, en 1992, la responsabilité humaine à seulement 4%. Cette théorie a été contestée.

---

159   Tom V. Segalstad est également le directeur du Musée géologique de l'Université d'Oslo et un ancien membre du GIEC qu'il a quitté en affirmant que ces scientifiques manquent de connaissances centrales à la compréhension du changement climatique. Il a ajouté: «Le GIEC a besoin de leçons de géologie pour ne pas faire des erreurs fondamentales... La majorité des géologues

## Quelques exemples d'opposants

**André Fourçans** est professeur d'économie à Paris. Il a enseigné dans deux universités américaines et fut durant quelques années député européen. Il a publié une douzaine de livres sur l'économie, la mondialisation et le libéralisme. Son livre *Effet de serre: le grand mensonge?* réinterroge la propagande exagérée, selon lui, qui entoure les gaz à effet de serre. Il avance des chiffres qu'il estime plus exacts.

Il commente le rapport du GIEC qui a publié ces prévisions en 2001: la température du globe va augmenter de 1,4°C à 5,8°C, soit en moyenne 2,5°C. Des chercheurs du Massachusetts Institute of Technology ont dédramatisé et estimé qu'il n'y aurait qu'une chance sur cent que l'augmentation soit vraiment de 5,8°C jusqu'à 2100. Selon eux, l'estimation la plus probable est de 1 à 3°C de plus d'ici 2100.

Quant aux changements climatiques, Fourçans rappelle qu'ils ont toujours existé même quand il y avait très peu ou presque pas d'activités humaines. Selon lui, d'autres facteurs seraient déterminants: «Les grandes fluctuations paraissent relever de deux causes essentielles: les variations des rayonnements du soleil, qui semblent dominantes, et les modifications d'orbite de la terre[160].»

Les éruptions volcaniques d'El Chichon (1982) et du mont Pinatubo (Philippines, 1991)[161] qui auraient refroidi l'atmosphère en projetant une grande quantité de sulfates dans l'air, les molécules minérales qui forment des nuages et reflètent les rayons du soleil, les courants marins aussi ont autant d'influence que les gaz à effet de serre.

Fourçans énumère plusieurs conséquences positives du réchauffement climatique: «récoltes meilleures et plus fréquentes dans les régions de moyennes latitudes, production accrue des forêts puisque le $CO_2$ accélère la pousse des arbres et des plantes, accès à l'eau amélioré (...), mortalité hivernale réduite sous nos latitudes, et avec moins de chauffage une pression moindre sur les ressources naturelles.»

Il récuse plusieurs faits climatiques:
* les données concernant la montée du niveau de la mer seraient surestimées (remises en cause par des scientifiques français dans la revue *Science*);

---

de premier plan, à travers le monde, sait que le point de vue du GIEC sur le fonctionnement de la Terre est improbable pour ne pas dire impossible.»

160  *Effet de serre: le grand mensonge?* Paris, Seuil, 2002.

161  D'autres activités volcaniques importantes récentes peuvent être ajoutées. Elles ont eu le même impact de refroidissement atmosphérique: Gunung Agung (1963), Fuego (1974) et Nevado del Ruiz (1985).

- la fonte des glaciers est matière à débat (des glaciologues du Jet Propulsion Laboratory à Pasadena ont observé que les glaciers gagnent en densité et en poids);
- la stabilisation des émissions de GES ne signifie pas le contrôle des températures.

Il conteste ainsi plusieurs prévisions en vrac: «Des courants marins perturbés qui transformeraient l'Europe en un nouvel Alaska, ou une sécheresse formidable qui ferait de notre continent un ersatz de Sahara, ou encore des tempêtes et des raz de marée monstrueux qui engloutiraient les pays et les îles de basse altitude, sans oublier la banquise qui fondrait dans des proportions vertigineuses et élèverait le niveau des mers de 10 ou 20 mètres, ou encore et toujours, toute une série de maladies tropicales... la peste, le choléra ou autre malaria qui envahiraient la planète. Bref un monde sens dessus dessous et sûrement invivable. [...] La vraisemblance de ces scénarios est quasi nulle.»

Malgré ses doutes, il prône d'appliquer le principe de précaution, mais pas tout de suite, seulement quand les informations seront plus précises: «Pourquoi alors se bloquer à présent avec des technologies qui seront sûrement dépassées dans quelque temps – et donc moins efficaces et plus chères pour lutter contre les changements climatiques?»

Fourçans relève un autre point épineux: quels pays devraient commencer à réduire leurs émissions de GES, les riches ou les pauvres, et ralentir du coup leur croissance, donc s'appauvrir?

Il suggère de développer l'énergie solaire, thermique, géothermique et hydraulique, les biocarburants, le nucléaire, les piles à combustible (combinant hydrogène et oxygène qui ne dégagent que de la vapeur d'eau), les voitures hybrides, une autre nourriture pour les vaches afin qu'elles ne dégagent plus de méthane[162], une diminution des rizières qui émettent aussi du méthane, un colmatage des pipelines percés, la plantation d'arbres, la séquestration du $CO_2$ par les planctons marins en les nourrissant de particules de fer, la pulvérisation dans l'atmosphère de molécules qui refléteraient les rayons du soleil, l'enfouissement du $CO_2$ dans des forages de pétrole ou de gaz épuisés, la transmutation des gaz en glaçons, la peinture

---

162    Des chercheurs de l'Université Cornell (New York) ont révélé que l'utilisation de l'hormone de croissance STH dans l'alimentation des vaches pourrait réduire grandement leurs émissions de GES. Un million de vaches nourries à l'hormone de croissance STH entraîne une réduction de $CO_2$ équivalent à 400 000 voitures en moins sur les routes ou planter 300 millions d'arbres. Cette hormone n'affecte pas leur production de lait. De plus, elle contribue à réduire l'acidification de l'eau, la prolifération des algues et le réchauffement climatique.

des toits et des routes en blanc pour refléter les rayons dans l'espace, le transport propre (ferroutage et voies d'eau), la construction de digues pour bloquer la montée des eaux.

Il fait une distinction entre les mesures qui ralentissent les émissions et celles qui contrent les conséquences du changement climatique: «Si les premières sont à même de traiter la maladie à sa source, il ne faut pas négliger les secondes dont l'utilité est indéniable pour soulager les souffrances du malade.»

À titre d'économiste, il précise les moyens financiers qui seraient, selon lui, utiles pour ralentir la pollution:

- fiscalité anti-effet de serre: imposer une *écotaxe* sur les émissions d'oxyde de carbone, augmenter le prix des énergies fossiles;
- réduction des subventions aux producteurs de pollution;
- marché des droits à polluer: l'État établit un plafond de pollution à ne pas dépasser. Les entreprises qui baissent leurs émissions peuvent vendre leurs droits à d'autres plus pollueurs. Cette expérience a été appliquée en Californie dans le cas des pluies acides, dans les années 1990, et a bien fonctionné. La pollution a diminué plus que prévu.

Quant au *Protocole de Kyoto,* il coûterait excessivement cher, selon lui: «Si chaque nation participante cherchait à atteindre son objectif individuellement, autrement dit sans échanges de droits avec les autres, la charge se situerait aux alentours de 300 à 400 milliards de dollars par an vers 2010... Si les pays considérés (en gros l'Europe, les États-Unis et les pays de l'Est) échangeaient des permis entre eux avec des techniques efficaces, le prix tomberait à quelques 150 à 200 milliards de dollars chaque année. Si les échanges étaient ouverts à l'ensemble des pays du globe, la facture chuterait jusqu'à 50 à 100 milliards, l'opération pourrait alors devenir payante[163].»

Ces coûts et efforts excessifs ne diminueraient la température que de 0,03°C en 2100, d'où la conclusion de William Nordhaus et Joseph Boyer, deux chercheurs de l'Université de Yale: «La stratégie adoptée à Kyoto n'a aucun fondement, ni économique ni environnemental.»

La solution que propose cet auteur serait que tous les pays adhèrent à un nouveau protocole.

Le **Mouvement politique Larouche**, très actif aux États-Unis, va à l'encontre de l'interprétation commune des raisons des changements climatiques.

---

163  Ces chiffres sont basés sur le livre *Warming the World* de William Nordhaus et Joseph Boyer.

Il s'inscrit en faux 1) contre le *Protocole de Kyoto,* qui serait en contradiction avec les lois de l'univers[164]; 2) contre le film d'Al Gore *Une vérité qui dérange,* qu'il qualifie de «superbe exemple de fraude[165]», 3) contre le quatrième rapport d'évaluation du GIEC publié en février 2007, qui prévoyait des catastrophes climatiques d'ici quelques années.

S'appuyant sur les recherches du savant allemand Ernest-Georg Beck (de la Merian-Schule à Fribourg), qui a examiné 175 essais scientifiques, les données de base du GIEC pour déterminer la concentration atmosphérique de $CO_2$ ne seraient pas exactes. Plus de 90 000 mesures atmosphériques de $CO_2$ effectuées entre 1857 et 1957 auraient été sciemment écartées[166]. La concentration de $CO_2$ entre 1936 et 1944 a dépassé celle d'aujourd'hui sans provoquer de hausses de température. Selon ce mouvement, la production de $CO_2$ due à l'activité humaine, par la combustion de carburants fossiles, ne constitue que 2 ou 3% des différents gaz à effet de serre.

Ce mouvement avance comme preuves de sa réfutation plusieurs études. D'un côté, le Centre spatial national danois a publié les résultats de plusieurs analyses menées par ses chercheurs qui estiment que les changements climatiques sont plutôt dus aux rayons cosmiques. D'un autre côté, Christopher Monkton (vicomte de Brenchley et ancien conseiller spécial du gouvernement Thatcher) a souligné que les rapports 2001 et 2007 du GIEC avaient «surestimé d'au moins un tiers l'influence humaine sur le climat.»

Zbigniew Jaworowski, professeur au Central Laboratory for Radiological Protection (CLOR) de Varsovie, a prétendu à son tour que l'affirmation du GIEC (l'être humain est à 90% à l'origine du réchauffement global) était fausse. Se basant sur une étude d'astronomes, il prévoit un scénario contraire au réchauffement climatique annoncé: «Nous devrions nous attendre à un rafraîchissement du climat à partir de 2012-2015, avec une diminution brutale de la température entre 2050-2060, avec des températures aussi basses qu'aux moments les plus rudes du petit âge glaciaire, ceci sur

---

164   «Le GIEC et Al Gore pris en flagrant délit», dans le journal *Nouvelle Solidarité,* vendredi 9 mars 2007, p. 4.

165   «Réchauffement global: le mouvement larouchiste s'attaque à la vache sacrée!» Susan White, dans le même journal, p. 4.

166   Les réseaux d'observations météorologiques ont commencé en 1850 et ont progressé lentement. Aujourd'hui, dans le but de mieux comprendre la complexité de la machine climatique, 10 000 stations météos dans le monde sont affiliées à l'ONU, 1000 stations sophistiquées sont postées en altitude, 30 satellites de la NASA (comme CloudSat) sont en orbite, 7000 navires et 3000 avions sont équipés d'appareils qui mesurent les paramètres de l'atmosphère, surveillent la planète et prennent son pouls. Les océans, les glaces et l'humidité du sol sont minutieusement étudiés en vue de comprendre et d'essayer d'anticiper leurs réactions, leurs modifications, leurs évolutions, même leurs rétroactions advenant des changements et des perturbations chimiques dans l'air.

une durée d'environ 60 ans. Cette projection, faite par plusieurs groupes, est basée sur l'observation de l'activité du soleil, qui, lors de la dernière décennie, était à son summum depuis plus de 2000 ans. » Une étude des satellites altimétriques européens montre qu'une montagne de glace au centre du Groenland a recommencé à grandir depuis la publication de données sur l'amincissement de la banquise ouest de l'Arctique. La planète serait donc naturellement prête à entrer dans une nouvelle période de glaciation.

Le Mouvement Larouche pense qu'il y a manipulation en cette matière afin de favoriser des intérêts financiers: des «marchés de carbone» où des titres d'émission de $CO_2$ pourraient être achetés et vendus. La réduction des émissions de dioxyde de carbone préconisée par les environnementalistes entraînerait, selon les larouchistes, un effondrement économique et des millions de morts.

L'activité humaine ne serait pas la première responsable du dérèglement climatique actuel, selon les larouchistes. Le changement des courants océaniques, les variations cycliques de l'orbite terrestre et les rayons cosmiques seraient plus déterminants.

**Yves Lenoir** a choisi de se prévaloir du droit au *doute scientifique*. Il remet en question l'alerte au réchauffement global dû à l'activité anthropique, les rapports des experts et les vrais intérêts des agences de recherche qu'il qualifie de *politisées*. Selon lui, le réchauffement climatique n'est pas causé uniquement par les émissions de GES dans la troposphère. D'autres gaz et différents paramètres influent également sur les changements climatiques: les éruptions volcaniques[167], les périodes glaciaires, les taches solaires, les fluctuations de l'activité solaire, les radiations cosmiques, les variations du champ magnétique du soleil qui modulent le flux de rayons cosmiques entrant dans la troposphère, l'évaporation des océans, la densité des nuages, la température de la surface des masses d'eau, la circulation atmosphérique et océanique (dont le couloir atlantique du Gulf Stream), les variations de l'axe orbital de la Terre, l'ionisation de l'air (activité du krypton radioactif jusqu'à la stratosphère), l'extension des banquises, les modifications du couvert végétal, la perturbation anthropique du cycle de l'eau (qui refroidit le sol et réchauffe l'air).

---

[167] Deux exemples sont fournis par Yves Lenoir: le volcan du Tambora (avril 1815, près de l'équateur) a refroidi l'atmosphère durant trois années dont deux «sans été», en 1816 et en 1817. Le volcan philippin Pinatubo (le 15 juin 1991) a projeté près de 30 millions de tonnes de poussières et d'aérosols contenant du gaz sulfureux vite transformé en acide sulfurique qui accroît la réflectivité de la lumière solaire; un refroidissement qui a duré près de dix-huit mois s'ensuivit.

Il reproche à la météorologie l'inexactitude de ses outils, qui ne sont pas conçus pour simuler la dynamique de certaines variables. Il remet en question la méthodologie de travail de la majorité des climatologues, qui fondent leurs analyses sur des compilations de statistiques et des modèles numériques.

Le réchauffement de la Terre et son refroidissement seraient également reliés aux grands cycles glaciaires normaux de la Terre. Les phénomènes actuels que nous vivons ne se produisent pas pour la première fois. Le réchauffement contemporain aurait démarré au XVIII$^e$ siècle, après une ère de refroidissement[168], donc bien avant l'actuelle pollution intensive par le $CO_2$. Les dirigeants de la NASA auraient «joué à fond les cartes du trou d'ozone et du réchauffement climatique» pour augmenter le budget de leurs subventions fédérales, après l'échec de la navette spatiale Challenger en janvier 1986, estime l'auteur: «Cela s'est traduit par une réorientation des activités au bénéfice de l'observation de la Terre et de l'atmosphère, par un développement accru des travaux scientifiques sur le climat, et par la diffusion d'informations bien conditionnées à destination des grandes associations écologistes[169].»

## Hypothèses contradictoires

Le parcours de ces différentes positions nous prouve qu'il n'y a pas encore de consensus entre les experts. Ces derniers achoppent sur deux points principaux, et pour chaque point, il y a deux hypothèses. Le premier point, c'est le degré de responsabilité anthropique dans le réchauffement climatique. Le deuxième, c'est la tendance climatique.

1) Concernant la responsabilité humaine dans le réchauffement climatique, les conclusions des deux scientifiques danois Knud Lassen et Eigil Friis-Christensen, de l'Institut de météorologie de Copenhague, ainsi que celles de Tom. V. Segalstad contredisent clairement le quatrième rapport du GIEC. Si les deux premiers experts avancent que les cycles solaires et les variations cosmiques seraient responsables de 80% des changements atmosphériques (20% pour la responsabilité humaine), le troisième bonifie ce chiffre à 96% (n'accorde que seulement 4% à l'activité humaine) en 1992. Ces trois scientifiques inversent les estimations du GIEC qui avancent que l'activité humaine serait très probablement responsable de plus de 90% des bouleversements du climat.

---

168   La Terre a déjà connu cinq cycles de glaciation depuis 400 000 ans.
169   Dans *Climat de panique,* Lausanne, Favre, 2001.

2) Concernant la tendance climatique des décennies à venir, si le GIEC estime qu'il y aurait un réchauffement climatique de 1,4°C à 5,8°C vers 2100, quelques scientifiques estiment que la planète se dirige plutôt vers un refroidissement, comme les glaciologues du Jet Propulsion Laboratory à Pasadena et Zbigniew Jaworowski, professeur au Central Laboratory for Radiological Protection (CLOR) de Varsovie. Toutefois, d'autres experts, représentés ici par James Lovelock, avertissent sérieusement: «Tout indique l'imminence d'un réchauffement situé entre 6 et 8°C, autant dire un danger mortel.»

Chaque hypothèse trouve ses partisans et ses opposants, mais la réalité demeure, celle des changements climatiques intenses et brusques que nous observons chaque jour et celle de la surpollution généralisée qui dégrade la santé de la biosphère. Les recherches qui continuent et le temps contribueront à élucider cette controverse.

## Autres controverses

À part ce débat sur la responsabilité humaine, partielle ou majeure, et les tendances climatiques, il existe d'autres controverses entre experts du même clan, pour qui le réchauffement climatique est bien réel. Ils ne s'entendent pas, entre autres, sur la façon d'intervenir pour tenter de résoudre le problème. Leurs vues divergent sur plusieurs points:

- Quelques-uns reprochent aux prévisions du GIEC[170] d'être faillibles, imprécises, politisées, non fiables, timides et réservées. Les quatre rapports publiés jusqu'à maintenant seraient, selon eux, mitigés afin de convenir aux gouvernements et de ne pas trop choquer l'opinion publique. Les chiffres concernant la hausse des températures et du niveau de la mer sont plus graves que ceux avancés. Paul Joseph Crutzen, Prix Nobel de chimie 1995, a déclaré: «Si les prévisions du GIEC souffrent d'un défaut, c'est d'être conservatrices.»
- Des chercheurs australiens ont montré que le réchauffement des océans pour la période 1960-2000 avait été supérieur de 50% aux chiffres utilisés et publiés par le GIEC, dont les données auraient été biaisées à cause d'un mauvais calcul ou d'un compromis.

---

170 Plusieurs prestigieux chercheurs et institutions s'opposent aux rapports du GIEC tels l'Institut Pasteur (Paris), l'American Physical Society (APS), l'Université de Londres, Marcel Leroux (Chef du Laboratoire de climatologie de l'Université de Lyon), Jan Veizer (Université d'Ottawa), Patrick Frank, la National Academy of Sciences. Christopher Landsea, océanographe et météorologue, a démissionné du GIEC qu'il a accusé de diffuser des préjugés scientifiques non fondés.

- L'impact du dioxyde de carbone sur la fonte des glaciers ne fait pas l'unanimité. Alors que la majorité des scientifiques attribuent la responsabilité du réchauffement climatique au $CO_2$ qui fait fondre les glaces, les chercheurs de l'Université de Cardiff (Angleterre), qui ont publié les résultats de leurs études dans le journal *Geology,* en doutent. Les archives et les examens de carottes glaciaires indiquent que les glaciers ont avancé même quand les concentrations de $CO_2$ produites naturellement par les organismes vivants, étaient deux fois plus importantes que les niveaux actuels dans la biosphère.

- Des scientifiques britanniques du British Antarctic Survey, dont Julian Scott, ont attribué plutôt, en février 2008, la fonte des glaciers à une activité volcanique sous les banquises et à des *points chauds* dus à la minceur de la couche terrestre locale qui laisse émerger parfois la chaleur du magma géothermique.

- Les glaciers n'auraient pas diminué durant les années 1990 selon le Département d'océanographie à l'Université Göteborg (Suède). L'alarme lancée par le Programme des Nations Unies pour l'Environnement (PNUE), qui a annoncé que la moyenne annuelle des taux de fonte des glaciers avait doublé après le tournant du millénaire et que tous ces derniers disparaîtraient totalement de la planète d'ici 2100 avec des conséquences graves en approvisionnement en eau, serait trop exagérée. Un rapport publié dans le *Journal of Geophysical Research* par des spécialistes français et suisses en hydrologie et en glaciologie de l'Observatoire des Sciences de l'Univers de Grenoble (OSUG), avec la collaboration des programmes européens ALPCLIM et CARBOSOL et la ville de Chamonix, alléguait en juin 2007 que le mont Blanc n'avait pas été affecté par les changements climatiques du $XX^e$ siècle. L'expansion du glacier Maili, au nord du Caucase (cité plus haut), en serait un autre exemple.

- La température dans la région des glaciers de l'Antarctique aurait commencé à se réchauffer il y a 150 ans (donc bien avant l'ère industrielle et nos émissions excessives de GES) et commencé à se refroidir dans les années 1990, selon David Schneider, de l'Université de Washington, qui a soutenu cette hypothèse dans *Geophysical Research Letters.* Ce refroidissement serait dû, selon lui, au phénomène de *l'oscillation* (oscillations entre les phases positives et négatives de la pression atmosphérique dans les latitudes du sud).

- Des chercheurs attribuent plutôt la responsabilité de la fonte des glaciers de l'Amérique du Sud à El Nino qui a été très actif durant les 20 dernières années, réchauffant de 14 degrés les eaux de l'océan Pacifique et entraînant des pluies diluviennes.

- Un bon nombre d'experts affirment, à contre-courant, que le couvert (épaisseur et volume) de glace en Arctique, et un peu partout dans le monde, a augmenté ces dernières années[171]. Contrairement aux prévisions de réchauffement climatique du GIEC, ceux-ci prévoient le début d'une nouvelle ère de glaciation.

- L'Astronomical Society of Australia annonce pour les 30 prochaines années, contrairement à toutes les prévisions des rapports du GIEC, un *refroidissement global* dû à la diminution de l'activité solaire[172] et à un changement dans sa fréquence de rotation. Le Space and Science Research Center (SSRC) a fait savoir en juillet 2008 que la Terre avait commencé son ère de refroidissement climatique malgré les records de réchauffements isolés.

- Des scientifiques britanniques de Cape Verde Observatory ont attesté qu'une réaction océanique chimique favorable, plus active que prévue, riche en hydroxyle et planctons, était en train de nettoyer l'atmosphère et d'absorber le redoutable méthane. D'autres chercheurs des universités Leeds et York qui ont mesuré la diminution du taux d'ozone dans l'océan Atlantique tropical ont confirmé ces résultats. De son côté, Tom V. Segalstad pense que le $CO_2$ ne s'accumulera pas 50, 100 ou 200 ans dans l'atmosphère. Selon lui, l'océan a une capacité presque illimitée à l'absorber.

- Des chercheurs canadiens de l'Université de l'Alberta et de l'Université de Toronto ont publié un article dans la revue *Science* (septembre 2008) dans lequel ils estiment que le pergélisol est plus solide qu'on pensait. Sa partie inférieure est moins affectée par les changements climatiques que celle se trouvant près de la surface.

- Une étude[173] sur le climat de l'Université de Rochester (David H. Douglass), de l'Université de l'Alabama (John R. Christy), et de l'Université de Virginie (S. Fred Singer), témoigne de changements climatiques *cosmiques* dans presque tous les coins du système solaire, de Mars à Pluton, de Jupiter aux lunes de Neptune. Les variations des activités du soleil en seraient les premières responsables.

---

171  Cf. pour la longue liste des glaciers en expansion: www.iceagenow.com. Voir aussi la revue *Science* (janvier 2002) qui avançait que des glaciers dans certaines régions de l'Antarctique s'épaississent.

172  John L. Casey, directeur du SSRC, parle d'*hibernation solaire*.

173  Source: *International Journal of Climatology* du Royal Meteorological Society.

## La géoingénierie contestée

La géoingénierie consiste à étudier les sciences de la Terre (sol, eau, air) en vue de concevoir de nouvelles techniques pour contrôler les phénomènes naturels à l'échelle du globe terrestre. L'Université de Toulouse en a fait sa spécialité. Rappelons quelques solutions à grande échelle de cette école de pensée: voiler la stratosphère avec des aérosols d'aluminium ou de soufre dans le but de retenir les rayons du soleil, installer en orbite des satellites miroirs ou des parasols géants pour réfléchir le rayonnement solaire, transformer le $CO_2$ en calcaire en intégrant le bicarbonate de soude comme catalyseur, modifier le carburant des avions pour qu'ils laissent un ruban de brouillard dans le ciel, blanchir les nuages en les pulvérisant d'eau salée afin qu'ils aient un «effet parasol» et qu'ils réfléchissent davantage la lumière du soleil, augmenter de 30% la réflectivité de la terre (albedo) en installant des toiles blanches (films réfléchissants) sur les océans et les déserts, fertiliser les océans par injonction de fer pour multiplier la quantité des phytoplanctons qui absorbent le $CO_2$, faire monter à la surface les eaux froides des océans à l'aide de 134 millions de tuyaux verticaux maintenus avec des bouées et activés par des pompes afin de développer les algues marines et autres organismes qui éliminent le $CO_2$[174].

Les modes d'intervention proposés par la géoingénierie et appuyés par J. Crutzen, Ralph J. Cicerone (président de l'Académie des sciences américaine, NAS), Alvia Gaskill (président de Environmental Reference Materials), John Schellnbuller et Ken Caldeira[175], sont décriés par des chercheurs comme Jean-Louis Fellous, Olivier Boucher, Yoram J. Kaufman, Catherine Gauthier et Hervé Le Treut, qui les qualifient de solutions spéculatives, théoriques, inefficaces, ambitieuses, hors de prix, frôlant la science-fiction, même de «fausses solutions miracles» avec des retombées encore plus graves. Vu la complexité de la machine climatique, ces opposants à la géoingénierie locale, partielle ou planétaire affirment qu'ils ne savent pas comment les forêts, les nuages, les océans réagiraient face à ces manipulations

---

174  Autres exemples: en Chine, des canons anti-aériens ont déclenché, en juin 2006, de fortes pluies en tirant des cartouches chimiques contenant de l'iodure d'argent dans les nuages. Le «Bureau de modification du temps» a fabriqué 50 milliards de mètres cubes de pluie artificielle pour arroser les cultures. Le Pentagone a utilisé de «cloud seeding» (ensemencement de nuages) au Viêt-nam de 1966 à 1972. Parfois la pluie ne tombe pas à l'endroit souhaité, parfois la précipitation ne se déclenche pas. Quant à la fertilisation de la mer avec du fer, des expériences ont bien réussi, d'autres non.

175  Ce scientifique propose une application *locale* immédiate des solutions de la géoingénierie en Arctique pour arrêter la fonte des glaciers. Ce serait en même temps un test pour vérifier leur efficacité et les autres retombées éventuelles.

artificielles qui comptent refroidir la biosphère, transformée en «technosphère» ou «palais de cristal» selon l'expression de Peter Sloterdijk. Ce serait jouer à l'apprenti sorcier. Ces solutions ne réduiraient pas le $CO_2$ et entraîneraient une acidification prononcée des océans. J. Crutzen a répondu qu'il espère ne jamais utiliser ces moyens, qu'ils sont seulement de dernier recours. Tout dépend aussi du dosage de composantes chimiques ensemencées dans l'atmosphère.

Plusieurs scientifiques, comme Jean Jouzel (médaille d'or du CNRS), se sont élevés contre le stockage du $CO_2$ dans la mer, hautement acidifiée. Ils estiment ce processus dangereux et instable. Ces paris pourraient dégrader encore plus l'état de la biosphère et des écosystèmes. Les effets collatéraux sont inconnus.

Ces «derniers rêves prométhéens» cacheraient, selon certains scientifiques, une volonté de ne pas ratifier le *Protocole de Kyoto*. Les partisans de la géoingénierie préfèrent inventer des «ultrasolutions» plutôt que de réduire leurs émissions de GES et de remettre en question leur mode de vie. Ils admettent qu'ils sont impuissants à éradiquer le $CO_2$ de l'atmosphère, alors ils lorgnent du côté des alternatives planétaires extrêmes.

## Ma réaction

Malgré les différences parfois importantes dans la connaissance et interprétation de la très complexe machine climatique, tributaire de plusieurs facteurs interreliés et de chaînes d'effets (le champ magnétique solaire qui affecte le flux de rayons cosmiques vers la Terre qui affecte à son tour la formation de nuages et les vapeurs d'eau), malgré les quelques opinions qui minimisent l'empreinte écologique de l'activité humaine, malgré cette controverse qui est loin d'être terminée, j'estime que nous ne pouvons toujours pas pratiquer la politique de l'autruche devant l'état pitoyable de la biosphère et le haut degré de pollution, dû essentiellement au $CO_2$ et autres gaz polluants[176].

Que ce soient les variations cycliques de l'orbite terrestre, les rayons cosmiques plus ou moins intenses de l'activité du soleil, les changements des courants océaniques ou autres facteurs qui sont partiellement ou totalement responsables du réchauffement climatique plutôt que les émissions de $CO_2$ dues aux actions anthropiques, que ce soit le début d'une nouvelle

---

[176] Un exemple flagrant récent: Pékin a fermé presque la moitié de ses usines et limité la circulation de ses voitures durant près de six mois avant les Jeux olympiques de l'été 2008 afin de diminuer le $CO_2$ et d'autres polluants de son atmosphère. Ce fut un succès. Les athlètes pouvaient respirer et performer! C'est une autre preuve de notre impact direct sur notre environnement et de notre capacité d'y remédier.

ère régulière de glaciation qui serait, en l'occurrence, périodique et hors du contrôle de l'humanité plutôt qu'une tendance climatique qui se dirige vers un réchauffement global, nous n'avons toujours pas le droit de persévérer dans la *pollution* effrénée de notre environnement. Nous n'avons pas le droit de détruire les écosystèmes avec des déchets toxiques persistants et un régime de surexploitation des ressources.

Peu importent les facteurs météorologiques, d'origine cosmique ou non, l'obstination de certains opposants à ne pas collaborer promptement au contrôle des GES, nécessaire au maintien de l'équilibre de la biosphère, indique un manquement sérieux au *principe de précaution*.

Il serait irresponsable de détruire les écosystèmes, de raser des forêts, de contaminer le sol, l'eau et l'air, indispensables à la survie de la race humaine et des espèces. Il faudrait, *en toutes circonstances*, agir d'une façon prudente et respectueuse envers la nature. Je remarque que plusieurs de ces sceptiques proposent différentes mesures et solutions de rechange propres qui font du respect de la santé de l'environnement une « finalité » à considérer. Ils penchent vers une perspective qui ne compromet pas le renouvellement des ressources ni la biodiversité.

Sous aucun prétexte l'activité humaine d'aujourd'hui ne peut systématiquement et impunément dévaster et saccager la planète, qui constitue un patrimoine et un héritage communs à toute l'humanité et à toutes les générations. Nous sommes invités à connaître les limites de notre croissance économique et les limites de notre environnement.

Il serait absurde de persister à couper les forêts primaires qui absorbent le $CO_2$, purifient l'air, régulent la température, créent des nuages, amènent la pluie, protègent le sol de l'érosion, filtrent notre eau, protègent les écosystèmes et la biodiversité, et dans lesquelles *réside la solution* à plusieurs de nos problèmes actuels, alors que des scientifiques cherchent à les régler à plus de 10 000 km d'altitude. Le moyen de remédier à nos bouleversements climatiques est en grande partie ici, tout proche, sur Terre, *dans nos forêts* et *végétations*, dans nos océans qu'il faut arrêter de polluer.

Il coûterait beaucoup moins cher d'*acheter* toutes les forêts vierges (notre puits de carbone naturel), les 34 zones écologiques estimées les plus prioritaires de la planète et de les déclarer patrimoine universel, que de dépenser des milliards de dollars à jouer dans la modification artificielle de la troposphère sans être sûr de la réaction des éléments de la nature. Planter des milliards d'arbres partout sur la planète est une solution parmi tant d'autres que peu de chercheurs et de politiciens adoptent. L'avenir est, entre autres, dans l'agroforesterie où arbres et plantations cohabitent.

Ce ne sont sûrement pas les premières grandes modifications climatiques de la planète. Cependant, ce sont nos activités anthropiques qui en seraient, cette fois-ci, partiellement ou largement responsables. Un agir écoresponsable est requis de tous. Une *éthique de la nature* est de mise. La logique nationaliste du profit économique à court terme ne peut justifier le manque d'idéal et de politique verte d'intérêt universel. Les pratiques égoïstes, polluantes de certaines industries, où qu'elles soient, dans les pays pauvres ou dans les pays riches, ne peuvent se poursuivre ni rendre la *Terre de tous* inhabitable. La pollution, partout où elle a lieu, affecte tous les humains.

Si des facteurs *naturels* et *cycliques* du changement climatique échappent à notre contrôle, nous avons tout de même *une part de responsabilité immédiate* pour ne pas provoquer davantage de perturbations ni empirer la situation.

Il serait, tout compte fait, *absurde* de ne pas préserver notre environnement et de ne pas empêcher la dégradation des écosystèmes. Il serait *irresponsable* de s'entêter à surexploiter, à surpolluer et à surépuiser notre environnement et notre biosphère indéfiniment et égoïstement, sachant bien qu'ils sont fragiles et bien limités. Ce serait comme négliger d'entretenir sa maison et de la garder propre sous prétexte que la foudre un jour la frappera!

Les efforts louables de tant de chercheurs qui tentent de trouver des solutions technologiques, y compris les avenues chimiques de la géoingénierie, sont un espoir pour remédier à la santé de l'atmosphère en cas d'urgence et de crise aiguë. Un tel *traitement choc*, au pire des cas, nous donnerait peut-être un certain répit pour réagir. Cela ne doit pas toutefois encourager une attitude de laisser-aller et de non-intervention dans les mesures sérieuses préconisées pour réduire nos sources de pollution.

Chaque citoyen, chaque palier de gouvernement de chaque pays, sans exception, les riches autant que les pauvres, ceux du Nord autant que ceux du Sud, peuvent et doivent effectivement contribuer à réduire leur empreinte écologique, même si plusieurs éléments météorologiques sont hors de leur portée. Il serait irresponsable qu'un pays attende l'autre avant d'agir. Il serait irresponsable que les pays en développement[177] répètent les mêmes erreurs que les pays industrialisés en polluant à leur tour délibérément leur propre

---

[177] Les chercheurs affirment qu'en cas de bouleversements climatiques, les pays en développement (Chine, Inde, Indonésie...), qui sont plus peuplés et plus pauvres, seront les premiers perdants à cause, entre autres, de leur situation géographique. Une raison de plus pour qu'ils inversent d'eux-mêmes la tendance à la hausse de leurs GES.

environnement sans réserve. Il serait irresponsable d'attendre que les bouleversements climatiques s'aggravent pour enfin agir. À partir du franchissement d'un certain seuil critique, les scientifiques nous mettent sérieusement en garde contre un «effet amplificateur» incontrôlable du climat.

Nul ne peut rester indifférent ou renier les faits incontestables concernant la pollution générale, la dégradation de l'état de la biosphère et des écosystèmes. Nonobstant le consensus des experts en matière de réchauffement climatique ou de nouveau cycle de glaciation périodique, le devoir grave de chaque pays, de chaque gouvernement, de chaque citoyen, est de préserver la qualité de l'environnement. Si chaque génération a le droit d'utiliser les ressources et les biens qui sont à sa disposition, elle ne peut s'arroger, égoïstement, le droit de les détruire et d'hypothéquer ce même droit aux autres générations.

———————◦———————

*«Quand le climat se met à changer, tout change: le mouvement des vents
et la pluviosité, les inondations et les sécheresses, les terres fertiles et les déserts,
les insectes et les mauvaises herbes, les bonnes récoltes et les famines,
les saisons pour la paix et les saisons pour la guerre.»*
AL GORE

*«Les 5 mètres carrés de terrain nécessaires à la production
d'assez de viande pour faire un hamburger ont fait perdre à la planète
un service de réfrigération estimé à 65 dollars. Sur cette base, une estimation
raisonnable de la valeur du système de réfrigération représenté
par la totalité de l'Amazonie donnerait environ 150 milliards de dollars.»*
JAMES LOVELOCK

*«L'humanité ne vit pas seule en ce monde,
l'être humain n'est pas le roi, mais une partie de la nature.»*
MIKHAÏL GORBATCHEV

*«Tuer la forêt, tuer l'Amazonie, c'est aussi tuer l'humanité.»*
JEAN-MARIE PELT

*«Le réchauffement climatique pourrait coûter quelque 5500 milliards d'euros
à l'économie mondiale dans les années à venir
(autant que les deux guerres mondiales et la dépression de 1933).»*
NICHOLAS STERN

*«Au fur et à mesure que les émissions de GES augmenteront,
nous entrerons dans un régime climatique totalement nouveau,
sans aucun équivalent au cours du dernier million d'années.
Nous sommes dès maintenant partis vers un grand plongeon dans l'inconnu.»*
JEAN-CLAUDE DUPLESSY

*«Je préférerais de beaucoup que nous réduisions
nos émissions (de GES), mais je ne suis pas optimiste.»*
PAUL JOSEPH CRUTZEN

———————◦———————

# ⑦ Conscience verte, pratiques vertes

*« La fertilité des sols s'affaiblit : six fois au cours des sept dernières années, la production céréalière mondiale a été inférieure à la consommation et il a fallu puiser dans des stocks qui reculent. »*
NICOLAS HULOT (EN 2006)

> L'éveil de la conscience verte des citoyens est primordial pour une action éclairée et responsable en faveur de l'environnement. Ce chapitre propose un éventail de gestes concrets et de pratiques quotidiennes en harmonie avec la nature.

## La conscience verte

Toute action est déclenchée normalement par la *conscience*[178], c'est-à-dire par la faculté de connaissance. Connaissance de soi, du réel, d'un état, d'un problème, dans un espace-temps déterminé. Connaissance spontanée ou réfléchie de la portée et de la justification de ses gestes et de ses choix, selon la conjoncture et les limites de sa conscience[179]. Connaissance objective ou subjective, intérieure ou extérieure, affective ou effective, immédiate ou profonde.

Connaître, c'est co-naître, naître avec la réalité qui est devant soi, en soi, avec laquelle on érige une relation, on prend position. Connaître une problématique, par exemple, c'est être en mesure de l'analyser, d'en identifier les causes, les effets, les enjeux, les paramètres, d'une façon éclairée.

La conscience, ou le don de la conscience, rend apte à réfléchir, à juger, pousse à s'informer. Notre conscience, en expansion, nous sensibilise à notre *être-au-monde* et à notre *interface* avec ce monde.

---

178 « La conscience d'être est l'être de la conscience », Jean-Paul Sartre. En allemand, le terme *sinne* signifie à la fois *conscience* et les cinq *sens*.

179 Nous ne sommes que partiellement conscients. Ce n'est que la pointe de l'iceberg, disent les psychanalystes.

La conscience, c'est *être là*, éveillé, présent, ouvert, en communication vivante avec les éléments de notre environnement. C'est, selon le bouddhisme[180], *être la vie* au lieu de se perdre dans la vie. *Être intensément*, c'est connaître.

La lecture de sombres prévisions, telles cette assertion de la NASA soutenant que «les gaz à effet de serre que produisent les humains ont provoqué un grave déséquilibre climatique, ce qui pourrait avoir des conséquences désastreuses pour la planète» et le dernier rapport scientifique du GIEC affirmant que «le réchauffement du système climatique est sans équivoque», ne peut que toucher les consciences, surtout quand ce rapport avertit que «l'activité humaine pourrait causer des changements abrupts et irréversibles qui bouleverseraient la Terre si rien n'est fait: montée des océans, disparition des espèces, catastrophes naturelles extrêmes et chaos économique».

La fragilité de l'environnement, qui ne peut plus répondre à notre rythme de vie (surproduction, surexploitation, surconsommation, surpollution), incite les citoyens avertis et consciencieux à décider de changer dès aujourd'hui leur mode de vie, leurs pratiques quotidiennes, et ce, chacun selon ses moyens, en son âme et conscience, selon ses capacités propres et ses limites personnelles.

Plusieurs pratiques éclairées, effectuées au quotidien par chaque écocitoyen, contribueraient à réduire les facteurs de pollution. Puisque chaque geste environnemental, accompli sciemment, est aussi décisif que le *droit de vote*, il serait utile de réfléchir ensemble, après la sérieuse prise de conscience de la crise écologique des chapitres précédents, à d'autres modèles de gestes verts.

Le *mode de vie vert* peut s'appliquer, d'une façon heureuse, à toutes les dimensions de la vie humaine[181].

## Être vert au quotidien

Nous, les Occidentaux, avons besoin de remettre en question humblement nos habitudes de surconsommation personnelle et sociétale. Maurice Strong, qui a analysé ce sujet, nous alerte: «Un citoyen d'un pays hautement industrialisé consomme en six mois l'énergie qui doit durer toute une vie au citoyen d'un pays en voie de développement.» Si nous persévérons à mener

---

180  La conscience, dans le bouddhisme, est appelée *prajna*. *Pra* veut dire éveillé. *Jna* veut dire pure présence. Donc, la signification littérale serait *pure présence éveillée* ou *présence pure rendue possible grâce à l'éveil*.

181  Un sondage effectué par le *Journal de Montréal*, début mars 2008 au Québec, nous apprend que 45% des répondants considèrent comme 8e *péché capital* «l'acte de polluer: ne pas recycler, utiliser des sacs blancs, etc.». La «surconsommation» n'a obtenu que 40% des réponses.

un mode de vie aussi polluant et à surconsommer de la sorte, si tous les habitants de la Terre dépensaient autant d'énergie et utilisaient autant de produits, il faudrait 2,6 fois les richesses et les capacités de notre planète pour répondre aux besoins toujours croissants, selon un rapport de l'ONU. Accepterions-nous de changer nos modes et nos pratiques de vie? Voici quelques moyens qui pourraient se révéler utiles.

Un écocitoyen peut retourner au système de compostage domestique. Qu'il soit en ville ou à la campagne, il peut toujours trouver un coin où il installerait sa «machine à terre» ou sa «poubelle de résidus organiques» qui deviendra un riche terreau, un engrais biologique très fertile. Il peut y déposer quotidiennement les matières putrescibles: les herbes indésirables qu'il arrache, la partie coupée du gazon, la majorité des déchets de sa cuisine (pelures de légumes, résidus de fruits, sachets de thé, coquilles d'œufs écrasées), mais pas les résidus d'origine animale (les viandes, les os, les huiles, les produits laitiers). Il fera le régal de milliards de micro-organismes. Au lieu d'ajouter du volume aux poubelles traditionnelles et les contaminer, il leur donnerait ainsi une cure amincissante. Le compostage, selon une étude récente, diminue de 40% les gaz à effet de serre. Ceux qui pratiquent le recyclage, le compostage, le dépôt de produits dangereux (piles, décapants, huiles, peintures, matériel électronique) dans les écocentres trouvent généralement leurs poubelles réduites de près de 80%.

- Les lacs[182] peuvent être protégés en les renaturalisant, en revégétalisant les rives, en plantant près des berges des arbustes, des plantes herbacées et ligneuses dans le but de renforcer leur système racinaire qui servirait de filtre, et diminuer du même coup l'érosion de la terre. Tout pesticide, insecticide ou produit chimique peut être banni de notre jardin. De tels produits, utilisés même à cinq kilomètres d'un lac, s'y retrouvent à cause du ruissellement des eaux de pluie. Les terrains de golf, d'un vert tellement impeccable qu'il paraît artificiel, généreusement traités avec des engrais riches en phosphate et en azote (généreusement arrosé aussi), sont une des plus grandes sources de pollution et de prolifération d'algues et de bactéries. Les installations septiques individuelles peuvent être régulièrement inspectées pour empêcher la contamination des sols et des nappes phréatiques. Les produits chimiques ne doivent pas être jetés dans la terre ou dans les égouts dédiés aux eaux usées seulement.

---

182   En décembre 2007, les eaux polluées du lac Heney, situé à 60 km au nord de Gatineau, ont été traitées avec succès. Plus de 2000 tonnes de chlorure de fer y ont été répandues en trois semaines pour sa réfection.

Il est possible de consommer des aliments produits localement, de saison seulement, et s'habituer à penser en termes de « food miles », à savoir combien de kilomètres ont parcouru les aliments qui atterrissent dans notre assiette. C'est de plus en plus un courant aux États-Unis, en Europe et ici. Les habitants des pays pauvres comme ceux de l'Afrique ou de l'Asie n'ont d'autre choix que de manger ce que leur terre locale produit.

La sobriété dans notre régime alimentaire peut nous inciter à attendre la bonne saison pour acheter des fruits ou des légumes locaux. Ils sont alors plus frais. Leur transport n'a pas exigé l'émission de tonnes de $CO_2$. Par ce geste éclairé, nous encourageons notre agriculture et notre économie régionale. Pourquoi ne pas perpétuer la tradition de nos grands-parents qui stockaient dans leur cave les fruits et les légumes de l'été, puis s'en servaient jusqu'au mois d'avril? En outre, nous pouvons être sûrs, en mangeant local, qu'ils ne contiennent pas de pesticides, d'insecticides et d'engrais chimiques dangereux pour la santé puisque l'usage de ces substances est, en principe, défendu dans notre pays. La consommation de viande peut être diminuée, particulièrement le bœuf[183], le porc et le veau, qui nécessitent de grandes surfaces pour leur production, surtout s'il s'agit d'élevage industriel.

On peut acheter une calculatrice solaire, opter pour des technologies moins dangereuses pour l'environnement, identifier dans sa consommation[184] les matières qui répondent aux normes environnementales.

On peut exiger des labels verts sur *tous* les produits (aliments, vêtements, meubles, accessoires), dans *tous* les magasins. Ces labels identifieraient les articles dont les producteurs ou manufacturiers respectent l'environnement et assurent des conditions humaines de travail, comme c'est le cas pour le café équitable.

On peut diminuer sa consommation de produits, recyclables ou non: papier, carton, aluminium, styromousse, accessoires inutiles, essuie-tout, tubes fluorescents, ampoules contenants de l'aérosol ou du propane.

On peut opter pour « l'écopod » (traduction littérale: éconacelle ou écocanot.) C'est un cercueil biodégradable en forme de kayak, fabriqué soit avec des journaux recyclés, soit avec des tiges de bambou doublées de coton non traité, soit en feutre, en osier ou en carton épais que la famille peut décorer. Des linceuls en fibres naturelles sont disponibles pour des enterrements naturels, dans la terre. De plus en plus d'enterrements verts ont lieu

---

183    La revue *New Scientist* a publié, en juillet 2007, les conclusions d'une étude japonaise qui affirme qu'un kilo de viande de bœuf produit plus de GES que conduire une voiture ordinaire pendant 250 km et laisser toutes les lumières allumées dans sa maison.

184    Les ventes au détail moyennes étaient de 1113$ par habitant en décembre 2006 en Alberta, alors qu'elles étaient de 791$ au Québec.

dans des cimetières verts, sans caveaux ni cercueils laminés, sans corbillards ni gros véhicules polluants. Les urnes, en cas de crémation, peuvent être en verre ou en céramique. Cette pratique, déjà très populaire en Angleterre, en Californie, en Floride, au Texas, en Caroline du Sud, en Oregon et dans l'État de New York, cause très peu de dommages à l'environnement.

On peut participer aux associations ou mouvements verts, essayer de promouvoir dans son milieu les valeurs et les objectifs écologiques, développer le sens de la responsabilité universelle, le sens de l'interdépendance entre les pays, les générations, les différentes espèces vivantes.

On peut agir au niveau politique où les décisions sont prises, demander à ses représentants de doubler le nombre des pistes cyclables, les «véloroutes[185]». On peut utiliser davantage la bicyclette pour se déplacer quand la météo le permet. On peut réclamer l'arrêt immédiat de tout projet pollueur.

Un écocitoyen doit exiger aussi de ses élus la protection de l'environnement des Premières Nations. Il peut exiger l'arrêt immédiat de toute coupe à blanc des forêts. Il peut réclamer un contrôle strict de la pêche et de la chasse pour qu'il n'y ait pas d'abus.

Il peut demander la fermeture ou la modernisation d'usines désuètes et polluantes, l'installation obligatoire de filtres qui évitent le rejet dans l'air de GES, l'usage croissant de dispositifs qui récupèrent le méthane dégagé par les décharges. Il peut réclamer un contrôle sévère de tous les rejets industriels et agricoles toxiques qui pourraient se déverser dans les cours d'eau. Il peut réclamer l'élaboration de stratégies d'écodéveloppement, un usage croissant d'énergies renouvelables et de biomatériaux, aussi le boycottage des produits de pays pollueurs qui refusent de diminuer leurs GES. C'est un geste qui traduit un très haut degré de solidarité locale et internationale.

Il peut requérir la création de plus d'espaces verts, de plus de parcs, de plus de zones protégées. Il peut solliciter de sa ville la plantation d'arbres dans son arrondissement ou son quartier. Il peut contester haut et fort la politique d'étalement sauvage qui détruit les derniers refuges de la flore et de la faune, à la campagne, et qui contribue à un usage croissant de l'auto.

Il peut investir vert[186], c'est-à-dire faire des placements socialement responsables, au service de l'environnement, comme dans les entreprises de

---

185  Un recensement récent indique qu'environ 8 % des Montréalais utilisent leur vélo comme mode de transport principal, soit 110 000 personnes. À cela s'ajoutent 131 000 personnes (un autre 10 %) qui ont adopté le vélo comme mode de transport occasionnel. Actuellement, un réseau de près de 400 km de pistes cyclables est disponible sur l'île montréalaise. Elles sont parcourues par 58 000 cyclistes chaque jour.

186  De plus en plus d'investisseurs évaluent leurs placements en fonction de leur utilité sociale plutôt que de leur rentabilité financière.

nouvelles technologies qui favorisent la réduction des émissions de GES et l'indépendance par rapport aux combustibles fossiles. Les actifs des fonds éthiques canadiens sont passés de 65 à 500 milliards de dollars depuis 2004. L'action d'une entreprise qui fabrique des sources d'énergie renouvelable a grimpé de 60% en douze mois. L'industrie des technologies propres et celle qui fait appel à la technique de sélection *best practice* («meilleure pratique» environnementale) sont de plus en plus populaires auprès des investisseurs. La capitalisation boursière de l'ensemble des entreprises d'énergie solaire s'est accrue de 27 milliards de dollars depuis un an[187].

Le cercle grandissant des écocitoyens fera tôt ou tard le tour de la planète et contraindra les politiciens à agir. Les réclamations hautes, fortes et incessantes des écocitoyens du monde entier finiront par faire basculer les hésitations des gouvernements et des entreprises. L'arrêt de la pollution dépend de notre degré d'écoresponsabilité et de notre action éclairée.

## L'écotourisme

Même la pratique touristique devient de plus en plus verte. Lors de nos voyages, nous pouvons manger dans des petits restaurants locaux pour encourager les gens de la place. Nous pouvons opter pour des «hôtels verts»[188], écoresponsables, qui ont une certification du programme Carte verte et font partie du Programme de reconnaissance en développement durable (PRDD). Ces hôtels, appelés «écolodges»[189], tentent de consommer moins d'énergie, moins de produits, installent des systèmes de chauffage et d'éclairage à basse consommation. Ils sont munis de bacs de recyclage et d'appareils d'appoint pour économiser l'eau. Ils ont des distributeurs de produits en vrac, locaux et équitables (shampooing et savon végétaux, biodégradables) plutôt que des contenants miniatures. Ils diminuent la climatisation dans les chambres quand les occupants n'y sont pas, changent les serviettes

---

187  Source: *Les Affaires*, novembre 2007, vol. 30, n° 11, p. 13.

188  La chaîne hôtelière *Accor*, qui possède 4100 établissements dans 100 pays (dont Sofitel Montréal), est un exemple à suivre en matière de respect de l'environnement, de développement durable, d'équité sociale, de gestion des ressources, des déchets et de l'énergie. Une autre chaîne d'hôtels, Chip Hospitality, offre des forfaits écolos à ses clients. La chaîne Fairmont affiche également ses couleurs vertes. La chaîne IBIS, qui possède 370 hôtels en France, a souscrit au Pacte écologique de Nicolas Huot.

189  Adrere Amellal est un modèle très chic d'écolodge, classé second dans le monde sur la Green List du *Conde Nast Traveller* (après l'île fidjienne). Il se trouve en bordure de l'oasis de Siwa (Égypte). C'est un hôtel luxueux, sans électricité ni téléphone, constitué d'une dizaine de vieilles maisons abandonnées, en bordure de sites archéologiques somptueux. Ce hameau isolé fut rénové selon les normes écologiques. C'est un exemple de site naturel préservé qui garde son aspect exceptionnel. Il offre un éclairage à la bougie, une cuisine santé directement du potager et permet la création d'emplois pour les citoyens de la région.

moins souvent. Les restes de table vont au compostage. Leurs mobilier, rideaux, coussins et housses sont fabriqués dans la région, ce qui réduit leur transport et les GES. Ils organisent des banquets produisant «zéro déchets». Ils recyclent le papier, le carton, le verre, le plastique, évitent les ustensiles à usage unique.

Nous pouvons privilégier des tours-opérateurs sensibilisés à l'éthique écologique, prendre le train plutôt que l'avion, qui essaie de plus en plus d'économiser en coupant de la moitié l'apport d'air frais à bord, ce qui produit un excès de gaz carbonique. Nous pouvons découvrir une ville à pied ou à bicyclette, acheter des souvenirs directement de l'artisan plutôt que dans une boutique gérée par les grandes chaînes de l'industrie hôtelière. Nous pouvons louer, au besoin, une voiture hybride. La firme Hertz offre en location, sa «Green Collection», une gamme de voitures écolomiques.

Nous pouvons sensibiliser, autour de nous, les restaurants qui ne recyclent pas, les institutions hôtelières qui n'adoptent pas de pratiques vertes.

## *Pourquoi penser vert?*

Nous sommes invités à penser vert pour différentes raisons:
- parce que les ressources premières minérales, végétales, animales, surtout l'eau, s'épuisent;
- parce qu'il est temps de remplacer les énergies non renouvelables par des énergies renouvelables, ce qui est, de plus, source de création d'emplois;
- parce que la pollution de l'air, de l'eau, du sol, des aliments est à son plus haut niveau et préjudiciable à la biosphère, donc à notre santé;
- parce que la situation climatique pourrait atteindre un seuil critique d'ici la fin du siècle, même peut-être d'ici 2050;
- parce que c'est vital, il s'agit de notre «maison», de notre «jardin»;
- parce qu'on peut vivre sans énergie fossile, sans surproduction, mais pas sans eau pure ni sans air pur ni sans nourriture saine;
- parce qu'il y a plusieurs solutions faciles, à notre portée, et qu'il est encore temps d'agir;
- parce qu'il est inutile de chercher notre bien-être si nous détruisons notre environnement;
- parce que c'est la seule solution pour sortir de la crise écologique qui sévit depuis quelques décennies;
- parce que c'est inévitable: tôt ou tard, il faudra penser vert par équité intergénérationnelle;

- parce que les enjeux sont très graves;
- parce que la nature est vulnérable et limitée, elle ne peut répondre à nos demandes illimitées;
- parce que chaque achat ou acte de consommation, si on en est conscient, peut avoir une portée politique, éthique, écologique;
- parce que c'est une façon de comprendre les changements climatiques déjà à l'œuvre et d'essayer de les ralentir;
- parce qu'il faut réduire notre saccage de la planète;
- parce qu'il faut réformer nos habitudes de consommateurs non avertis si nous voulons que notre planète continue à être viable;
- parce que nous faisons partie de la nature, nous appartenons à la nature et ne pouvons pas en être séparés;
- parce que c'est une façon de résister à la logique effrénée de surconsommation;
- parce qu'il y a une interdépendance «de nature» entre toutes les espèces humaines, animales, végétales et minérales, leur survie dépend de nous;
- par amour, tout simplement, de la nature, de la Terre, de la Vie, pour leur pérennité;
- pour les 6,7 milliards d'êtres humains que nous sommes maintenant.

Dans le but de sensibiliser la planète et de pousser les responsables à l'action, un projet hautement symbolique de Greenpeace a été réalisé durant le printemps 2007. Il s'agit de la construction d'une « arche de Noé » sur un flanc du mont Ararat, au nord-est de la Turquie. Vingt écologistes d'Allemagne et de Turquie ont érigé ce bateau qui mesure dix mètres de long, quatre mètres de large et autant de hauteur. Ce geste voulait mettre en évidence « la menace d'une nouvelle catastrophe climatique... dont l'étendue va altérer la vie sur cette planète de manière inimaginable si nous n'agissons pas », selon des responsables de cet organisme.

## Des solutions dans les nouvelles énergies vertes

Voici quelques exemples de nouvelles énergies produites par des éléments inépuisables, donc renouvelables et non polluants[190], qui pourraient remplacer, souvent à peu de frais, les combustibles fossiles:

---

[190] Un petit exemple de pollution: la centrale LeDrax, dans le Yorkshire (Angletterre), consomme 36 000 tonnes de charbon chaque jour, produit 4000 mégawatts de courant électrique et approvisionne 4 millions de foyers. Une étude de 210 pages publiée en octobre 2008 par Greenpeace et le Conseil européen de l'énergie renouvelable (EREC) prévoit un monde sans pétrole et sans charbon d'ici 2090. Les besoins de la planète seront uniquement couverts par l'énergie renouvelable. 14,7 billions de dollars seront consacrés à cette révolution des pratiques d'ici 2030.

- Le soleil (encore là pour 5 milliards d'années) alimente aujourd'hui cinq millions de systèmes de panneaux solaires[191] photovoltaïques et des photopiles qui captent son énergie lumineuse et sa chaleur. L'énergie solaire peut même servir à dessaler l'eau de mer et à cuire des aliments.
- L'eau, par les chutes, les marées[192], les vagues et les cascades[193], produit de l'électricité.
- Le vent, source d'énergie très ancienne, fait tourner les turbines des éoliennes[194] et produit de l'énergie.
- La chaleur de la terre, récupérée par des systèmes géothermiques, produit de l'électricité. Le noyau de la Terre, dont la température est de 3 000°C, est une incroyable réserve d'énergie thermique à exploiter.
- La biomasse (déchets végétaux) déposée dans un fermenteur produit du gaz combustible (le méthane). La vapeur produite par la combustion de

---

191  Une immense centrale électrique dans le sud de la Californie, SolarOne, formée de 1800 miroirs héliothermiques (réflecteurs cylindriques) fournit 99% d'électricité à des centaines de milliers de familles. En Espagne, le cimetière d'une ville ouvrière, Santa Coloma de Gramenet près de Barcelone, accueille, depuis novembre 2008, 462 panneaux solaires posés au-dessus des sépulcres. Un système de cuisson écologique, grâce à un cuiseur solaire, est de plus en plus répandu en Amérique latine et en Afrique. Il capte les rayons du soleil et les transforme en chaleur. C'est fabriqué principalement avec quelques planches de bois, des plaques d'aluminium offset, des plaques noires et une vitre. Le premier cuiseur solaire a été conçu par Horace Bénédict de Saussure en 1767.

192  L'énergie marémotrice de La Rance (France) alimente 200 000 foyers en électricité. En 2007, l'énergie hydraulique comptait seulement 10% de l'électricité produite dans le monde. Une éolienne sous-marine, baptisée SeaGen et munie d'un générateur qui serait le premier au monde dans son genre, alimente depuis avril 2008, plus d'un millier de foyers en Irlande du Nord. Un projet d'éoliennes sous-marines, à appliquer bientôt en Floride, compte profiter du courant du Gulf Stream (large de 50 km) pour produire autant d'énergie qu'une dizaine d'usines nucléaires. Il fournirait le tiers de l'électricité de cet État. Contrairement au vent qui s'arrête parfois, ce courant marin, dont le débit est de 32 milliards de litres par seconde, alimenterait sans arrêt des centaines de turbines sous-marines placées à près de 10 mètres de la surface de l'eau et à 25 km des côtes. Elles seront retenues par des bouées.

193  Depuis des siècles, la force des courants d'eau a été exploitée pour faire tourner différentes sortes de moulins, entre autres, des moulins à papier.

194  10% de l'électricité des Danois est générée par des éoliennes. C'est depuis le XIIe siècle, en Europe, que nos ancêtres ont su tirer parti de l'énergie du vent (et de l'eau) en construisant des moulins. Depuis quelques décennies, des éoliennes servent à pomper l'eau et à produire de l'énergie électrique. En Californie et au Danemark, des centaines d'éoliennes de plus en plus sophistiquées servent d'aérogénérateurs. Leur usage pourrait être multiplié par vingt d'ici quinze ans. La science de l'éolien est en croissance exponentielle. Le Québec, avec ses éoliennes considérables (dans le Grand Nord et le long du littoral) est qualifié d'«Arabie Saoudite de l'énergie éolienne». 133 éoliennes implantées à Cap-Chat et à Matane alimentent 10 000 résidences en électricité et leur puissance est de 100 mégawatts. Deux limites cependant à cette nouvelle technologie: composer avec les caprices des vents (qui doivent être de plus de 10 km/h) et emmagasiner l'électricité produite. La plus grande éolienne au monde se situe dans le Brandebourg (Allemagne). Elle mesure 205 m et produit 2,5 MW. Chaque éolienne de 1 mégawatt réduit de 2000 tonnes par an l'émission de dioxyde de carbone.

la paille, du chaume, des débris de moissons (biomasse) fait rouler les turbines et produit de l'énergie.

- La bioraffinerie ajoute des produits dérivés (matières organiques: maïs, canne à sucre, etc.) pour produire des biocarburants et des agrocarburants. Elle peut même en produire avec des plantes non comestibles du désert, des algues, ou à partir de la cellulose de fibres végétales. Le carburant de synthèse (CTL) est fait à partir du charbon.

- Les biomatériaux remplacent de plus en plus les matières premières qui proviennent des mines. La chimie verte tire de la matière végétale (du liège, des fibres de chanvre, de noix de coco, de bananier et de lin, etc.) les matériaux pour construire une auto.

- Le nucléaire (qui laisse malheureusement des déchets radioactifs difficiles à gérer à long terme)[195]. Un nouveau projet prometteur ITER (International Thermonuclear Experimental Reactor) est basé sur la fusion (et non la fission) nucléaire. Ses réacteurs sont plus faciles à gérer et beaucoup moins polluants à long terme.

## Aller plus loin que le bac de récupération

Différentes pratiques vertes peuvent nous mener plus loin que remplir un ou deux bacs de récupération par semaine, plus loin que consommer des produits biologiques ou opter pour les services en ligne. Nous sommes invités à modifier notre vision de la nature, des animaux[196], de nous-mêmes, et aussi nos relations avec les autres. Ce sont les gestes, les paroles, les pensées, le cœur qui sont appelés à devenir aussi verts.

Il est à la portée de tous de réfléchir aux conséquences de nos actes, de nous renseigner régulièrement sur les meilleures mesures environnementales à adopter, de faire des choix avertis, de *prendre conscience* de notre consommation en termes de dépense énergétique.

Privilégier les pratiques vertes, ce n'est pas prôner un retour à la vie sauvage, mais choisir un écodéveloppement réfléchi, conscient des limites des ressources disponibles. Peut-être qu'il faudrait, pour le bien commun et malgré les conséquences négatives sur-le-champ, ralentir et stabiliser la machine économique et industrielle pour un certain temps. En ce sens, la

---

195  Depuis la crise du pétrole de 1973, la France a construit 59 centrales nucléaires pour produire 80% de son électricité. Elle est le pays qui possède le plus de réacteurs nucléaires en Europe. L'Allemagne ne compte plus investir dans le nucléaire. Les États-Unis en possèdent 104. En Asie, c'est le Japon qui est en tête de liste avec ses 73 réacteurs. Au total, 443 réacteurs sont à l'œuvre dans le monde et produisent de l'électricité.

196  Penser de plus en plus à leur créer des «corridors verts» pour qu'ils puissent circuler entre différents écosystèmes.

présente crise économique serait bénéfique à l'environnement. Le développement pourrait reprendre ultérieurement, en respectant les limites de la nature.

Être vert, c'est affirmer que l'équilibre écologique de la planète, la santé et la survie des espèces sont aussi, sinon plus importants que la rentabilité financière immédiate.

Être vert, c'est bâtir ensemble, dès aujourd'hui, un avenir viable, un avenir où la Terre, l'eau et l'air seraient encore propres et disponibles pour tous.

———————○———————

*« Conscience est un beau mot qui, en son sens populaire, refuse le laisser-aller. »*
ALAIN

*« Avoir conscience de la faute, c'est déjà être au-delà. »*
L. LAVELLE

*« Les saccageurs de la planète marquent des points. Ses défenseurs aussi. »*
HUBERT REEVES

*« L'eau promet d'être au XXI$^e$ siècle ce que le pétrole a été pour le XX$^e$ siècle : une marchandise précieuse qui détermine la richesse des pays. »*
MAGAZINE FORTUNE

*« Si chaque génération ne songe qu'à son maximum de bien-être, c'en est fini de l'homo sapiens. »*
CLUB DE ROME

*« Le plastique constitue plus de 25 % du volume des détritus. »*
L'ONU

*« En favorisant la refonte de cette glace, nous injectons encore davantage de chaleur dans le système, ce qui aboutit à faire fondre encore plus de glace. »*
DONALD PEROVICH

———————○———————

# 8 Le recyclage pour une planète toujours verte

*«Il est urgent d'agir si nous voulons donner le maximum de chances à l'humanité de continuer son extraordinaire aventure sur la Terre.»*
HUBERT REEVES

> Le recyclage à la source est une solution urgente et sûre. Il peut être facilement intégré à notre mode de vie au quotidien. Il est avantageux pour l'économie et la qualité de l'environnement. Il préserve les ressources naturelles et participe à la diminution des matières résiduelles.

## Qu'est-ce que le recyclage?

C'est un processus simple et facile de triage en vue de récupérer, d'une façon quasi illimitée, les objets que nous n'utilisons plus. Une grande partie des déchets recyclés est alors réintroduite dans les circuits industriels où elle sert de matières premières.

D'une manière générale, nous recyclons, depuis fort longtemps, par la revente au rabais de vieux meubles, disques, livres, vêtements, voitures usagées (pièces, carrosserie).

Il ne nous coûterait pas grand-chose de réduire, de réutiliser et de récupérer les matériaux dont nous nous sommes servis, de nous assurer que nos déchets résiduels puissent être réintroduits dans l'industrie ou assimilés par les systèmes écologiques.

## C'est de plus en plus une habitude

Le recyclage de déchets domestiques est devenu, heureusement, une habitude chez plusieurs citoyens, surtout depuis 1999, lorsqu'un règlement provincial a interdit de mettre des matières recyclables dans la collecte des déchets. Malheureusement, ce règlement ne s'applique pas encore aux entreprises, aux institutions et aux restaurateurs, qui doivent négocier la collecte de leurs produits recyclables avec des firmes privées. Aujourd'hui, une bonne partie des citoyens trient, avant de jeter inutilement et aveuglément aux vidanges, les produits qui peuvent être réutilisés ou transformés, par exemple le papier, le carton, le plastique[197], le verre[198], le métal[199] et le textile.

Malgré ces efforts louables, le commissaire québécois au développement durable, Harvey L. Mead, a conclu dans son rapport remis à l'Assemblée nationale en décembre 2007 que le Québec demeure dans le Top 10 des nations surdéveloppées, le huitième exactement, qui dilapident le plus les ressources de la planète. Sur le plan de la consommation et de la production «responsables», il a précisé que chaque Québécois, en moyenne, requiert six hectares de territoire productif (ressources et absorption de déchets), alors que c'est 1,8 hectare par habitant sur la planète. Il a ajouté qu'il «faudrait trois planètes Terre pour soutenir le mode de vie des Québécois si tous les êtres humains vivaient comme eux». Le Canada se classe au quatrième rang avec une empreinte de 7,6 hectares.

## La règle des 3RV-É

La fameuse règle des trois **R** présente une synthèse complète du procédé de recyclage:

- *Réduire* le plus possible la consommation de ressources premières, de produits achetés et d'énergie, réduire ensuite à la source les déchets (éviter le gaspillage inutile).

- *Réutiliser* ce qui peut servir autrement (comme découper un vieux vêtement usé en chiffons, prolonger la durée de vie d'un produit en le réparant au lieu d'en acheter un autre)[200].

---

[197] Le plastique est fabriqué à partir de combustibles fossiles comme le pétrole. En le brûlant, on libère dans les airs du dioxyde de carbone qui augmente le réchauffement climatique. Récupéré puis déchiqueté, il peut être réintroduit dans le cycle de l'industrie. Des statistiques révèlent qu'aux États-Unis, 9 bouteilles sur 10 sont jetées à la poubelle ou dans la nature. En 2008 seulement, plus d'un milliard de bouteilles d'eau en plastique auraient été consommées au Québec, contre 70 millions en 1992. Le taux de recyclage du plastique est estimé à 44%. Plusieurs responsables comptent y imposer une consigne. Dix-sept villes au Canada ont interdit ces bouteilles dans leurs édifices publics et quarante-cinq autres prévoient le faire bientôt.

[198] Le verre, comme le papier, le carton et le plastique, peut être indéfiniment recyclé.

[199] Actuellement, il y a une pénurie de métaux (cuivre, acier, fer, étain, zinc, argent, or, etc.) d'où leur prix élevé sur le marché international. Eux aussi peuvent être indéfiniment récupérés.

[200] Des organismes recueillent gratuitement les objets et les meubles dont vous ne vous servez plus comme l'Armée du Salut et la Société Saint-Vincent-de-Paul. Ils les donnent à ceux qui en ont besoin. Plusieurs bazars se tiennent en ligne. Consultez le *Répertoires des récupérateurs, recycleurs et valorisateurs* www.recyc-quebec.gouv.qc.ca, www.ville.montreal.qc.ca/couleurbazar, www. insertech.qc.ca, www.microrecyccoop.org, www.renaissancequebec.ca. Une prime est accordée

- *Recycler* ce qui peut être récupéré d'un produit pour des matériaux qui pourraient servir à la fabrication d'un nouveau produit réintroduit dans la chaîne de la consommation.

À cette règle s'ajoute un **V**, pour Valorisation des détritus par le procédé du compostage des matières organiques ou par leur incinération qui produit de l'énergie.

La dernière lettre, **É**, signifie Élimination par enfouissement[201].

Avant la consommation d'une ressource ou d'une énergie, avant l'achat d'un produit, tout écocitoyen peut faire, à la lumière de cette règle, ce raisonnement écologique rapide: jusqu'à quel point ce produit a-t-il un contenu recyclable, biodégradable, réutilisable, économique (du point de vue énergie), non toxique et non dangereux pour l'environnement, à court ou à long terme?

## Pourquoi le recyclage?

Tout citoyen est invité à recycler parce que:

- les matières premières diminuent de plus en plus; il est alarmant de constater que notre planète a perdu, de 1950 à 2006, environ 30% de ses richesses naturelles;
- la capacité de la Terre de recevoir, d'entasser[202] et d'absorber nos résidus est limitée;
- seulement au Québec, chaque citoyen a produit, en 2004, 1,51 tonne de déchets (dont 85% pouvaient être recyclés, compostés ou transformés en ressources), soit 20 tonnes à la minute pour tous les citoyens de la province, ce qui fait plus de 11 millions de tonnes par année. La quantité de déchets a augmenté de 15% au Québec entre 2004 et 2006, selon une étude de Statistique Canada. Chaque citoyen aurait produit au Québec, en 2006, en moyenne 321 tonnes de matières vouées au dépotoir ou au recyclage. À l'échelle canadienne, 35 millions de tonnes de déchets ont

---

aux détaillants en alimentation au Québec qui récupèrent les 1,3 millard de bouteilles de bières. Ainsi, elles ne prendront pas le chemin des bacs bleus ni des sacs de vidanges, mais seront remplies à quinze reprises.

201 Des déchets toxiques ne peuvent être enfouis sans gros risques pour l'environnement immédiat. Plusieurs bateaux errent de port en port, de par le monde, et effectuent un long périple qui peut durer jusqu'à deux ans avant de trouver un endroit susceptible d'accueillir leurs milliers de tonnes de résidus industriels toxiques. Ils recherchent souvent les ports des pays pauvres, notamment en Afrique. Cette pratique a été qualifiée d'«impérialisme des ordures.»

202 Dans certains pays pauvres, les ordures sont étalées sur le toit des maisons pour qu'elles sèchent et se décomposent au soleil. Notons que 1 tonne de déchets décomposés libère 100 fois son volume en gaz.

été reçues, dont environ seulement 8 millions de tonnes ont pu être récupérées. Le coût de gestion de ces résidus s'élevait à 2,1 milliards de dollars, soit 1,8 milliard de plus qu'en 2004;

- recycler 50% de nos déchets réduit de plus de 1000 kg les émissions de GES par année.

À l'échelle mondiale, en 2000, chaque personne a produit en moyenne deux tonnes de déchets. On estime que ce chiffre pourrait atteindre trois tonnes en 2050, alors qu'une grande partie est facilement recyclable. De plus, au lieu de les laisser pourrir dans les sites d'enfouissement[203] ou de les brûler dans les incinérateurs et polluer l'air[204], une grande partie de ces déchets pourrait produire du *biogaz,* qu'on utilise comme combustible dans différents pays (comme en Afrique et en Chine).

## Exemples d'incitation au recyclage

Dans la ville de Stephen, en Ontario, la municipalité a décidé d'exiger deux dollars par sac d'ordures. Une étiquette autocollante, comme un timbre, doit figurer sur le sac pour qu'il soit ramassé au bord du chemin. Les résidents ont compris: 74% des ordures qui n'en sont pas vraiment ont été réorientées et envoyées au recyclage.

Une tentative similaire a eu lieu en Colombie-Britannique. La Ville de Victoria a imposé une taxe de 1,20$ par sac d'ordures. En un an, la production de déchets a diminué de 18%. La Suisse a adopté ce principe d'étiquetage il y a plus de 10 ans.

À Curitibi, au Brésil, la municipalité remet deux kilos de nourriture pour quatre kilos de déchets recyclables. Les gens sont sensibilisés et récupèrent avec joie. Au Chili, la Banque environnementale propose aux citoyens d'augmenter leur pouvoir d'achat par des coupons de magasinage en échange de leurs déchets recyclés.

---

203  À titre d'exemples: un gobelet ou un sac en plastique prend près de 600 ans pour se décomposer dans la nature; une cannette en acier, plusieurs milliers d'années; un article en verre, des centaines de milliers d'années.

204  Yvo de Boer, secrétaire exécutif de la Convention-cadre des Nations Unies sur les changements climatiques et aussi grand artisan du *Protocole de Kyoto,* a annoncé, lors de la Journée internationale de la biodiversité tenue en mai 2007, que les changements climatiques sont désormais passés à la vitesse «turbo», et ce, à cause de la pollution atmosphérique continue. Les émissions de dioxyde de carbone ont augmenté de 3,1% par année de 2000 à 2004, alors qu'elles ne progressaient que de 1,1% par année pendant les années 1990. Ces données scientifiques ont été publiées dans l'édition de mai 2007 de la revue américaine *National Academy of Sciences.*

## La collecte à trois voies

Pour bien pratiquer le recyclage, chaque foyer, industrie, institution, ville, commerce et lieu public doit avoir, idéalement, trois poubelles distinctes, bien identifiées, qui permettent de réduire les résidus à la source: une première pour les matières recyclables non organiques (papier, métal, verre, etc.), une deuxième pour le compostage (matières organiques), une troisième pour les *vrais* résidus non recyclables (destinés à l'enfouissement).

Le triage à la source peut s'effectuer d'une façon encore plus détaillée. Nous voyons dans les grandes institutions des bacs à recyclage spécialisés: un bac destiné uniquement au papier, un autre uniquement aux cannettes, un autre uniquement au plastique. Ce tri facilite la distribution des matières récupérées et leur acheminement aux sites de traitement appropriés. Il empêche aussi qu'une matière ne contamine une autre. La qualité des matières recyclées sera meilleure.

## Six vertus du recyclage

Le recyclage constitue pour l'écocitoyen, en dernière analyse, un geste...

- **gratuit:** ça ne coûte rien aux citoyens, sauf peut-être un peu plus de temps et d'attention;
- **économique:** nous réduisons, à la source, le coût des déchets à éliminer et créons 10 500 emplois au Québec seulement;
- **environnemental:** nous protégeons la nature, car les déchets enfouis peuvent contaminer la nappe phréatique; incinérés, ils polluent l'air par l'émission de gaz[205] à effet de serre, ce qui a un impact direct sur le réchauffement climatique et sur la santé des citoyens;
- **consciencieux:** nous faisons preuve d'écoresponsabilité et de maturité vis-à-vis de l'avenir de notre planète et des générations futures; nous ne pouvons continuer à épuiser indéfiniment les matières premières alors qu'il est très possible et très pratique de les recycler;
- **naturel:** depuis toujours, plusieurs éléments de la nature, au terme de leur existence, servent à d'autres fins; exemples: les feuilles, les branches, les troncs pourris, même le fumier fertilisent la terre; les corps des animaux morts nourrissent d'autres animaux;

---

205 Une enquête a analysé la composition chimique des polluants atmosphériques des incinérateurs. Ces rejets qui comprennent des dioxines, des furannes de l'arsenic, des chlorobenzènes, du chrome, du cadmium, du bioxyde de soufre, des chlorophénols, du cobalt, du chrome, des PCB, du plomb et du mercure se révèlent hautement toxiques selon leur concentration. Les millions de tonnes de mercure ne disparaissent pas dans la nature, mais se concentrent dans les cours d'eau, dans les poissons et plusieurs animaux. Ce processus de bioaccumulation intègre la chaîne alimentaire et se retrouve dans notre organisme.

- **énergétique:** une technique de traitement de certaines ordures transforme ces matières en source d'énergie, comme le biogaz combustible et transportable; une autre technique utilise les déchets pour alimenter les génératrices des incinérateurs.

## Recyclage coûteux mais nécessaire

Le bilan économique de cette solution de l'avenir est néanmoins coûteux, car il faut ramasser et transporter les produits à recycler vers des sites régionaux, les trier, les gérer, trouver de nouvelles façons de les désinfecter, de les transformer. Par exemple, il faut beaucoup de chlore (difficilement biodégradable) pour éliminer l'encre du papier avant de le recycler. Il faut des déchiqueteuses (à papier, à plastique) et des broyeuses (à verre) géantes. Il faut aussi des écocentres, des équipements mécaniques de haute technologie, des entrepôts et un personnel spécialisé.

## Quelques chiffres encourageants

La conscience des citoyens se réveille. Au Québec, le taux de recyclage, qui était de 18% en 1988, est passé à 42% en 2002, puis à 49% en 2006, et ne cesse d'augmenter. Le *Plan d'action sur la gestion des matières résiduelles 1998-2008* du ministère de l'Environnement du Québec vise le recyclage-compostage de 60% des résidus[206].

Les chiffres ci-dessous sont très significatifs et plutôt encourageants, ce qui ne peut que renforcer nos comportements d'écocitoyen.
- Une tonne de plastique recyclé économise 700 kg de pétrole brut.
- Une tonne de carton recyclé économise 2,5 tonnes de bois.
- Une feuille de papier recyclée économise 1 litre d'eau, 2,5 W d'électricité et plus de 15 g de bois.
- Une tonne de papier recyclé épargne 20 arbres, 74% d'énergie, 58% d'eau, 74% de la pollution de l'air, 35% de la pollution de l'eau.
- 60 tonnes de papier recyclé sauvent 1200 arbres.
- 145 kilos de papier par habitant sont recyclés annuellement au Canada.
- En France, 90% des bouteilles de champagne sont produites avec du verre recyclé.

---

[206] Ce plan directeur inclut des initiatives coûteuses: la construction de huit nouveaux écocentres pour récupérer les meubles mis aux rebuts, les résidus de construction et les résidus domestiques dangereux (8 millions), l'exploitation d'une usine de prétraitement (5,2 millions), la collecte et le traitement des matières organiques, et la construction de cinq centres de compostage (203 millions).

- En Suisse, en Belgique et en Finlande, jusqu'à 93% des bouteilles de verre sont recyclées.
- L'Ontario impose une consigne, depuis 2006, sur les bouteilles de vin pour encourager leur recyclage.
- L'Allemagne et la Finlande sont les deux pays qui recyclent le plus de papier au monde, soit 72%.
- Dans plusieurs pays du Tiers-monde, les bouteilles de boissons gazeuses et de bière sont à 92% retournées à l'usine, nettoyées et remplies à nouveau, sans passer par le processus de broyage. Ainsi, on épargne de l'énergie et du temps, on évite d'extraire du sable et du calcaire du sol, deux des principales composantes du verre.
- Plusieurs villes du Massachusetts ont réduit de 90% leurs déchets.
- L'Irlande a diminué de 90% l'usage des sacs en plastique non recyclables.

Le système de recyclage qui prolonge la durée de vie de plusieurs produits a des répercussions positives multiples sur l'environnement. Il sauvegarde les forêts nécessaires à la lutte contre l'effet de serre et le réchauffement climatique. Il empêche de procéder à d'autres extractions minières, activités polluantes très néfastes pour l'environnement, les écosystèmes et la santé. Il réduit le transport de ces produits, donc moins de consommation de matières fossiles. Il diminue la production de déchets, donc moins de sites d'enfouissement engorgés.

## Ce que deviennent quelques produits recyclés

Il est intéressant de savoir ce qu'il advient des produits que nous déposons dans nos bacs de recyclage ou que nous apportons dans les écocentres. Voici quelques exemples:

- Les pneus sont transformés en poudre qui se trouve enrichie, fondue, moulée, utilisée pour la fabrication de recouvrements pour plancher et de panneaux d'insonorisation; ils peuvent même servir à la fabrication en laboratoire d'éthanol cellulosique.
- Le plastique recyclé sert à fabriquer des pots à fleurs, des tee-shirts, des tuyaux, des meubles de jardin, des poubelles, des raccords électriques, des bidons, des carreaux pour plancher, etc.
- Le verre recyclé sert de mosaïque, de pavage ornemental, de bijoux, de filtres à eau, de glasphalte (matériau pour la chaussée), etc.

- Les métaux peuvent être indéfiniment recyclés sans que leur qualité s'en trouve diminuée.
- Le textile peut être recyclé à 93% et sert à la fabrication de vêtements neufs.
- Le vieux béton est maintenant récupéré et concassé, en plus de voir l'acier de son armature recyclé.
- Le polystyrène, contenu dans les verres ou les emballages en styromousse recyclés, sert à la fabrication d'immenses blocs ou briques, légers mais solides, utilisés comme remblais pour soutenir les chaussées des viaducs.

## Le recyclage industriel

De plus en plus d'usines choisissent l'écoindustrie. Elles convertissent et récupèrent leur énergie perdue, et organisent la production en plusieurs cycles: les déchets d'un cycle servent de matières premières pour les autres. Selon le principe de cogénération, les gaz consumés chauffent de l'eau qui produit de la vapeur utilisée dans le cycle de raffinage. La même énergie est exploitée pour plusieurs fins.

À Sherbrooke, une usine pilote fabrique des combustibles dérivés de déchets (CDD). Ces déchets sont brûlés dans une centrale thermique et chauffent de l'eau. La vapeur de cette eau actionne des turbines qui produisent de l'électricité. Des déchets solides sont aussi convertis en biocarburants.

Plusieurs déchets récupérés et compactés en briquettes servent de combustibles. Ce processus de production de l'énergie avec des résidus les réduit considérablement. Un digesteur de matières organiques (fumier, lisier, carton, résidus de cuisine) produit du méthane récupéré comme combustible dans le chauffage ou dans la production d'électricité. Ce recyclage industriel réduit les émissions de GES, et surtout de méthane, de 30%.

D'un autre côté, près d'une centaine d'entreprises et d'institutions montréalaises se sont inscrites au programme Défi Climat en avril 2008 (campagne proposée par le Conseil régional de l'environnement). Ce vaste programme de sensibilisation et d'action en vue de réduire les GES en milieu de travail propose 24 mesures environnementales.

## Le recyclage agricole

Les déchets agricoles des végétaux et des animaux, responsables de 17% des émissions de $CO_2$, sont également recyclables. Ils servent à la fabrication d'agrocarburants. Le fumier et le lisier, valorisés et fermentés dans un digesteur, produisent, après neuf jours, de l'électricité.

La biomasse est une source d'énergie. Elle peut être convertie par le processus aérobique en compost, et par le processus anaérobique en biogaz.

La culture biologique, de plus en plus répandue, émet 30% moins de $CO_2$. Une meilleure gestion de l'irrigation des rizières (périodes d'assèchement, jachères) réduit de 35% leurs émissions de GES dont le méthane. Une pratique réduite du labour et une couverture végétale optimisent la conservation du carbone dans le sol, augmentant même de 10 à 30% sa capacité de le séquestrer.

## Le recyclage forestier

Les résidus forestiers récupérés servent à produire de l'énergie. La sciure et l'écorce valorisées chauffent, par exemple, les séchoirs à bois. Ce qu'il en reste est transformé en électricité. C'est le cas des scieries de la région du Nord du Québec qui alimentent la centrale thermique Chapais. Cette dernière en produit 28 mégawatts par an et fournit l'énergie nécessaire à une ville de 25 000 habitants. La communauté crie d'Oujé-Bougoumou récupère depuis 15 ans les résidus des scieries pour alimenter son système de chauffage centralisé. Un réseau de canalisations souterraines fournit l'eau chaude aux résidences, écoles, cliniques, commerces et immeubles administratifs du village.

L'énergie générée par la biomasse reste à développer au Canada. Au Québec seulement, 14,7 millions de mètres cubes de biomasse forestière (résidus de coupes) sont disponibles annuellement à cet effet. Ce serait une solution à la crise forestière et aux changements climatiques.

## Le recyclage chimique

De nouvelles méthodes chimiques sont implantées dans les entreprises pharmaceutiques. Cette industrie polluante vire au vert. Les atomes sont maintenant économisés. Les processus de manipulation et de traitement sont moins énergivores et tirent leurs matières premières des éléments végétaux plutôt que du pétrole. L'eau remplace les solvants toxiques.

Grâce à cette nouvelle chimie verte, chaque grande compagnie chimique réduit ses déchets de quelque 25 000 tonnes par année.

## Solution urgente et sûre

Le recyclage, après la réduction de notre propre surconsommation et de nos déchets, est donc une *solution urgente et sûre* à la croissance économique, surtout à la demande énergétique qui ne semble pas être en mesure de ralentir, mais aurait plutôt tendance à doubler dans les 50 prochaines années. C'est une façon intelligente et verte de réduire notre empreinte et de gérer les montagnes de résidus à la source.

## La crise économique menace l'industrie du recyclage

Malheureusement, la crise économique mondiale qui ébranle les pays industrialisés depuis octobre 2008 a de fâcheuses incidences sur la demande des matières recyclables qui ne trouvent plus preneurs. L'industrie du recyclage tombe subséquemment en situation de crise, elle aussi. La Chine, entre autres, n'achète plus les matières recyclables du Québec.

En décembre 2008, le prix de la tonne a drastiquement chuté de 85$ à 5$ pour le papier mixte, de 150$ à 30$ pour le papier journal, de 235$ à 100$ pour le papier blanc, de 130$ à 25$ pour le carton, de 360$ à 50$ pour les cannettes, de 795$ à 135$ pour le plastique # 2 (contenants de margarine).

Les centres de tri risquent la faillite. Tricentris perd en entreposage 400 000$ par mois. Ses matières recyclables pourraient se retrouver dans les sites d'enfouissement ou d'incinération. Le Ministère de l'Environnement et du développement durable est appelé à intervenir pour soutenir ce système chancelant.

Ces matières recyclables pourraient bien être revalorisées et trouver d'autres vocations comme leur transformation en briquettes ou en écopod, dans le cas du papier et du carton. Si ces derniers étaient encore de meilleure qualité, les fabricants de papiers pourraient les acheter au lieu d'importer leurs produits recyclés de l'extérieur du pays.

Le secrétaire général de l'ONU, Ban Ki-moon, a mis en garde, lors de la Conférence de Poznan, contre tout relâchement dans les efforts investis pour préserver l'environnement, sous prétexte que la principale préoccupation internationale, depuis quelques mois, est de gérer plutôt la crise financière actuelle.

———————○———————

«*Le volume de déchets atteint de telles proportions que nous manquons d'endroits pour les entreposer. Sur les vingt mille décharges recensées aux États-Unis en 1979, plus de quinze mille ont atteint leurs limites et ont dû être fermées.*»
AL GORE

«*La décharge de Staten Island (New York) devenue une montagne de déchets deviendra bientôt "le point le plus élevé de la côte Est au sud du Maine".*»
NEWSDAY

«*Toutes les cartes du monde devront être redessinées.*»
DAVID KING

«*100 touristes utilisent en 55 jours la même quantité d'eau que celle nécessaire pour faire pousser le riz qui nourrira 100 villageois pendant 15 ans.*»
FAO, 2001 (Organisation de l'ONU pour
L'ALIMENTATION ET L'AGRICULTURE)

«*Nous savons maintenant, hélas, que la générosité de la nature a des limites et que nous en approchons.*»
BERNARD CAMPBELL

«*Les forêts tropicales s'effacent de la surface de la planète, à raison de cinq mètres carrés par seconde.*»
AL GORE

«*Le danger a son origine dans les dimensions excessives de la civilisation scientifique-technique-industrielle.*»
HANS JONAS

———————○———————

# ❾ La maison verte

*«Notre demande excède de 20%*
*les capacités de régénération de la Terre.»*
U. S. NATIONAL ACADEMY OF SCIENCES

> Les moindres gestes effectués au quotidien, à la maison, en lien avec la consommation d'eau, d'énergie, de produits multiples, ont leur impact écologique. Nous sommes invités à repenser et à évaluer nos empreintes environnementales depuis le confort de notre foyer. Des bâtiments verts, écoénergétiques et autosuffisants se répandent de plus en plus aux quatre coins de la planète.

## Pratiques quotidiennes

Le désir de participer à la préservation de la planète que nous allons léguer à nos enfants commence par nos pratiques quotidiennes à la maison. Ce n'est pas un débat d'idées ou de principes. Ce sont des gestes concrets, légitimes, à la fois privés et publics, effectués par des écocitoyens vigilants, engagés, concernés par la fragilité de la nature continuellement lésée, bafouée, défigurée.

Il est réconfortant d'observer que Vidéotron et les Caisses Desjardins ont proposé à leurs clients (1,6 million pour Vidéotron), à l'occasion du Jour de la Terre célébré le 22 avril 2007[207], d'opter pour la facture en ligne en guise de solidarité avec l'environnement. Cette option permettrait d'économiser des dizaines de tonnes de papier. En retour, Vidéotron s'est engagé à planter un arbre pour chaque adhésion à sa politique de paiement en ligne.

---

207  Le 22 avril 1970, grâce au sénateur américain et professeur Gaylord Nelson, plusieurs élèves ont entrepris des projets de type écologique et sensibilisé leur entourage à l'environnement. Cette date a été retenue pour célébrer mondialement le Jour de la Terre. Une foulée d'autres événements sont nés par la suite comme Le Jour sans sac, En ville sans ma voiture, Earth Hour (durant laquelle plusieurs grandes villes de la planète éteignent leurs lumières dans le but de sensibiliser les gens au problème du réchauffement climatique), etc.

Dans la même veine, toujours afin de sensibiliser le grand public, une entreprise canadienne rembourse de 50 à 100$ à la personne qui achète des appareils ménagers homologués EnergyStar.

## Quelques solutions accessibles à tous

Voici quelques suggestions de pratiques domestiques vertes dans le but de vivre sainement et en harmonie avec l'environnement:

- **Gaspiller le moins d'eau (potable) possible:** prendre une douche courte plutôt qu'un bain (une douche consomme de 20 à 60 litres d'eau, un bain de 100 à 150 litres); installer une pomme de douche avec brise-jet économise jusqu'à 60% de la quantité d'eau utilisée; empêcher son robinet de couler[208] (une goutte perdue chaque seconde, c'est 27 litres d'eau perdus par jour); se procurer une nouvelle toilette dont le réservoir contient près de six litres d'eau au lieu de quatorze[209]; installer un régulateur de débit d'eau ou une masse dans les anciens réservoirs de toilette; ne pas arroser son jardin ou son gazon[210] à l'heure du midi; se munir d'un collecteur d'eaux de pluie[211], d'un lave-vaisselle et d'une laveuse écologiques qui analysent la quantité d'eau et le cycle nécessaires selon le degré de saleté de leur contenu. Les Québécois consomment quotidiennement 776 litres d'eau potable traitée et distribuée par les municipalités, soit deux fois plus d'eau que les Ontariens[212]. La consommation domestique d'eau se répartit ainsi: 14% pour la vaisselle et la cuisine, 19% pour la lessive, 29% pour la douche, 38% pour les toilettes. L'usage d'eau potable à domicile constitue 54% de la consommation d'eau au Québec[213]. La gestion de l'eau coûte cher aux villes, qui se trouvent dépassées par l'ampleur de

---

208  Pour remédier à cette situation, il suffit souvent de changer la rondelle en caoutchouc, à l'intérieur du robinet qui s'use avec les années. La Ville de Montréal installera sous peu des compteurs d'eau dans les entreprises, un contrat de 355 millions de dollars.

209  Une toilette qui coule peut consommer jusqu'à 950 litres par jour. Une nouvelle mesure a été adoptée à Laval, obligeant tout bâtiment neuf ou modifié d'être muni d'une toilette écologique (six litres par chasse d'eau) à partir du 1er mars 2009.

210  À Melbourne, qui connaît une grave sécheresse depuis quelques années, les citoyens récupèrent l'eau sale de leur machine à laver dans une grande «poubelle violette» de 120 litres pour arroser leur gazon. Le phosphate contenu dans le savon sert de fertilisant. Autrement, il est strictement interdit d'arroser, sous peine d'amende. De plus, la navette spatiale Endeavour est maintenant munie d'un système de récupération des eaux usées, capable de transformer l'urine et la condensation en eau potable.

211  Ce sont de gros barils en plastique, récupérés du marché de l'alimentation où ils servaient de contenants d'olives utilisés lors de leur importation au Québec.

212  À l'échelle du Canada, chaque habitant consomme une moyenne de 1471 m³ d'eau par an. C'est la consommation la plus élevée au monde après les États-Unis (1870 m³). La moyenne par Montréalais est de 450 litres par jour.

213  La pisciculture en consomme 23%, l'agriculture 16%.

la tâche. Rappelons-nous les différentes alertes quant à la qualité de l'eau du robinet. La tendance actuelle va de plus en plus vers la privatisation et la vente de l'eau potable, comme c'est le cas aux États-Unis.

- **Gaspiller le moins d'énergie possible:** ne pas utiliser de sécheuse l'été, mais plutôt la corde à linge; ne pas faire fonctionner la laveuse ou le lave-vaisselle pour une petite quantité; opter pour des appareils électroménagers version EnergyStar; bien isoler sa maison; bien calfeutrer portes et fenêtres; baisser le thermostat de quelques degrés l'hiver; supporter quelques degrés de plus l'été; baisser le degré de température du chauffe-eau; laver son linge à l'eau froide économise 77 réservoirs d'eau chaude de 180 litres par année; éteindre les appareils électroniques qui ne servent pas, ne pas les laisser en mode veille (ce geste peut épargner jusqu'à 120$ d'électricité par année)[214]; opter pour des thermostats électroniques qui économisent jusqu'à 10% d'énergie; opter pour des ampoules plus faibles ou fluocompactes qui consomment cinq fois moins d'électricité que les lampes à incandescence et qui durent six fois plus longtemps (si chaque foyer au Canada remplaçait une seule ampoule ordinaire par une ampoule fluocompacte, cela réduirait les gaz à effet de serre de 397 tonnes par année)[215]; fermer les portes des pièces qu'on n'utilise pas et les chauffer moins l'hiver; fermer ou ouvrir les rideaux pour profiter ou non de la chaleur du soleil selon les besoins; vérifier le joint d'étanchéité du réfrigérateur; en nettoyer les serpentins.

---

214 L'Angleterre interdit, depuis quelques années, la vente d'appareils électriques munis d'un mode veille. Il existait une Chaire de recherche en éthique de l'environnement Hydro-Québec/McGill dans les années 1990. Un tel organisme peut contribuer à informer les instances gouvernementales ainsi que les industries lourdes des enjeux de la pollution. Ce serait utile dans la résolution de conflits d'interprétation ou de régulation en lien avec la sauvegarde de l'environnement. Un organisme identique, l'Institut Hydro-Québec en environnement, développement et sociétés de l'Université Laval, a entrepris des recherches sur la gouvernance de l'environnement et du développement durable, sur les conséquences des changements environnementaux et sur le développement d'outils d'appréhension de rapports entre environnement, développement et société. Un plan qui prône le principe de l'utilisateur payeur propose d'augmenter le tarif d'électricité de ceux dont la consommation excède la normale et de le réduire pour ceux qui vivent dans de petits logements. Un sondage effectué par la firme Décima en mars 2007 a révélé que 64% des Montréalais interrogés sont en faveur de frais additionnels pour les ménages consommant 10% plus d'électricité que les autres. 73% des répondants seraient d'accord pour facturer des frais supplémentaires à ceux qui consomment plus de 10% d'eau que la moyenne. Un autre plan est à l'étude dans le but d'inciter les Québécois à consommer moins d'énergie aux heures de pointes. Le projet «Heure juste» d'Hydro-Québec envisage deux nouvelles grilles tarifaires sur une base volontaire: Réso et Réso +. Le coût du kilowattheure sera moins cher la nuit, la fin de semaine et durant l'été.

215 Il faut savoir, cependant, que chaque ampoule fluocompacte contient cinq milligrammes de mercure, un métal lourd, dangereux et toxique, à la fois pour la santé et pour la nature. En cas de bris, il faut soigneusement décontaminer les lieux et rapporter les débris dans un centre de déchets toxiques.

- **Éliminer de la maison les produits toxiques:** la colle à plancher, les solvants, les peintures à l'huile, les pesticides, les huiles usées, tout matériau de construction qui dégage des composés organiques volatils (COV), toute matière toxique, inflammable, réactive ou corrosive comme les décapants, les détachants et les diluants.
- **Bien ventiler les pièces** après les rénovations, après les réparations mineures ou majeures, après l'usage de tout composé chimique[216], se munir d'un filtre à air HEPA.
- **Vérifier constamment le taux d'humidité**, qui doit varier entre 40 et 60% dans les pièces.
- **Nettoyer régulièrement les filtres** des déshumidificateurs, des systèmes de ventilation, des purificateurs d'air, des aspirateurs électriques ou des systèmes de chauffage.
- **Nettoyer, avec des produits biologiques et antibactériens,** l'intérieur des humidificateurs, des réservoirs de toilette (où se logent facilement les moisissures et les algues), et les tapis (où se logent les spores).
- **Privilégier l'achat de produits biodégradables, non polluants** (savon sans phosphate, produits à récurer, papier tissu, détergent, dégraisseur, javellisant, détersif) qui répondent aux normes des organismes environnementaux et qui portent notamment une certification, sous forme de logo ou de symbole, de Green Seal, Éco-Logo ou Green Restaurant Association.
- **Herbicycler et composter:** le gazon coupé laissé sur place préserve l'humidité de la pelouse et du sol, puis se transforme en engrais naturel riche en minéraux. Les résidus verts, alimentaires et organiques compostés réduisent de près de 47% les ordures ménagères.
- **Installer plusieurs plantes intérieures:** les plantes vertes constituent de vrais filtres naturels à air, elles absorbent et éliminent les polluants nocifs (substances chimiques comme le formaldéhyde, le dioxyde, le benzène, le nitrogène et autres gaz toxiques) en suspension dans la maison. Il est recommandé d'avoir trois plantes vertes par 100 pieds carrés.
- **Renaturer les terrasses, les balcons et les bords de l'eau:** la mode est aux toits verts[217], aux jardins verticaux et aux murets végétaux. Écologique

---

216  Il est temps de remplacer les fenêtres fixes de nos nombreux édifices publics, dits avant-gardistes, construits depuis les années 1970 (écoles polyvalentes, bureaux administratifs), par des fenêtres qui ouvrent afin d'offrir une bonne ventilation, et non un air usé propulsé par des systèmes de ventilation dont les tuyaux sont bien souvent contaminés.

217  Le maire de Montréal a inauguré le 6 juin 2007 le premier toit vert aménagé sur un immeuble municipal de la métropole, la Maison de la culture de Côte-des-Neiges/Notre-Dame-de-Grâce. Il a déclaré que c'est le premier, mais pas le dernier. Le responsable de cet arrondissement a ajouté

rime souvent avec esthétique. La *prairie sur un toit* plat ou légèrement incliné, un *jardin vertical* couvrant de lierre un mur latéral de la maison ou carrément la façade, et une haie de cèdres pour garder l'intimité de son terrain assainissent l'air, isolent du point de vue acoustique, économisent de l'énergie, favorisent la reconquête de la biodiversité, offrent des corridors biologiques aux oiseaux et aux insectes, isolent de la chaleur l'été, réduisent le recours à la climatisation, protègent le toit des rayons UV et des intempéries, filtrent la poussière, récupèrent les eaux pluviales.

- **Réduire à la source le plus possible la production de matières résiduelles:** leur gestion est devenue depuis quelques décennies le cauchemar des grandes villes[218]. Le coût de leur transport vers des régions éloignées où ils seront enfouis ou brûlés est énorme. D'autres solutions sont à l'essai comme les «Big Belly» (grosses bedaines), qui sont de grandes poubelles. À l'aide de l'énergie solaire, elles compactent, sous pression, les rebuts et réduisent de beaucoup leur volume. L'usage généralisé de ces nouvelles poubelles réduirait de quatre fois le volume de détritus dans une ville.

- **Penser «recyclage – récupération – réutilisation»:** opter pour des piles rechargeables (400 millions de piles sont jetées aux poubelles annuellement au Canada, contaminant le sol en libérant des centaines de tonnes de plomb, de nickel et de cadmium); se procurer des CD réinscriptibles; ne plus utiliser d'ustensiles en styromousse; opter pour des emballages recyclables ou biodégradables; se munir de sacs en tissu lors des emplettes; réduire l'usage des sacs en plastique[219]; limiter l'usage du chauffage au bois.

---

qu'un toit vert produit de l'oxygène et réduit l'effet de smog. Il retient 75% de l'eau de pluie et régule la température, ce qui diminue le coût de la climatisation l'été. Un nouveau système Biotop, beaucoup plus léger que celui avec une membrane utilisé jusque-là pour transformer un toit en jardin, vient d'être conçu. Ce sont des bacs à fleurs reliés, irrigués collectivement et faciles d'entretien. Toutes sortes de légumes peuvent y être cultivées. «Un toit de 2000 pieds carrés peut produire une tonne de légumes bio en ville» affirme une responsable de l'organisme de jardinage collectif Action communautaire.

218 Avec l'expansion démographique, les villes vont être de plus en plus surpeuplées. Les zones urbaines vont devenir des mégalopoles envahies par des exodes ruraux massifs. La gestion des résidus, de l'énergie et du transport de plusieurs millions de personnes sera un grand défi. On estime qu'aujourd'hui une personne sur deux habite en ville.

219 Il faut 450 ans (d'autres experts disent 1000) pour qu'un sac en plastique conventionnel, à usage unique, puisse se dissoudre dans la nature. Ces sacs ne sont pas biodégradables. Ils tuent des centaines d'animaux par année au Canada. Il existe maintenant un sac en plastique écologique fragmentable, 100% biodégradable et non polluant. C'est un produit en polyéthylène additivé. Il coûte cinq fois plus cher mais se dégrade en 12 mois environ, selon les conditions d'exposition. Voir www.natursac.com Un étudiant ontarien de 17 ans, Daniel Burd (du Waterloo Collegiate Institute), a découvert un procédé favorisant la croissance rapide de bactéries qui font décomposer entièrement et en trois mois les sacs de polyéthylène.

## Familles mobilisées

Les parents sont les premiers éducateurs de leurs enfants. S'ils les élevaient avec des habitudes *vertes*, la Terre se porterait sûrement mieux. Il y aurait moins de pollution.

Lors de la marche qui a rassemblé 10 000 personnes à Montréal, le Jour de la Terre, le 22 avril 2007, des enfants de quatre à sept ans portaient des affiches: «Ma planète, j'y tiens», «Sauvons la Terre pour notre futur», «La Terre ne doit pas se taire»... Ces manifestations prouvent que la conscience environnementale est de plus en plus éveillée parmi les citoyens.

## Cadeau pour la Terre

C'est un grand cadeau pour la Terre que de lui épargner l'enfouissement de déchets technologiques dangereux appelés «eWaste» ou «e-déchets». Lors de ce même Jour de la Terre, une collecte spéciale de matières dangereuses a permis de récupérer 5500 kg de matières dangereuses, 9000 pieds de néons, près de 7000 kg de matériel électronique et informatique désuet et 150 écrans d'ordinateur qui auraient normalement été enfouis dans la région de Montréal et dont les composantes toxiques auraient contaminé l'eau et le sol. Notons que dans la Belle Province, les déchets générés par les produits électroniques sont passés de 7000 tonnes en 1999 à 20 000 tonnes en 2004[220].

Au Québec seulement, la mise en terre des rebuts émet des gaz à effet de serre (du méthane) qui équivalent aux émissions d'un million de voitures.

Les produits électroniques qui s'y ajoutent constituent un nouveau type de déchets depuis les années 1980. Près de 130 millions de téléphones portables prennent chaque année le chemin des sites d'enfouissement aux États-Unis. Quant aux ordinateurs et réfrigérateurs, on leur assure une certaine longévité en les expédiant aux pays en développement. Il est important de noter que les ordinateurs contiennent de l'aluminium (14%), du plomb (6%), du zinc (2%), du cuivre (7%), des métaux variés comme le cadmium, le mercure, le nickel, le sélénium, le chrome, l'étain, l'argent, le

---

220 À titre d'exemple, les Japonais changent de cellulaire tous les 9 mois, les Européens tous les 15 mois, les Américains tous les 18 mois. Les déchets électroniques de communications s'élevaient à 12 933 tonnes en 2005. Ils seront de 245 tonnes en 2010. Trente-trois tonnes seront recyclées seulement, alors que 96% des pièces sont recyclables. Ces nombres augmenteront puisqu'en 2008, 50% de la population mondiale possédait un cellulaire. Pour aider les citoyens à se débarrasser de leurs vieux cellulaires d'une façon responsable, un réseau de Corridors Verts a été organisé au Québec, les 200 boutiques de SuperClub Vidéotron, comme les Centres de formation en entreprise et récupération (CFER), acceptent de les recycler. Des fonderies à Rouyn-Noranda et au Nouveau-Brunswick en récupèrent les métaux.

cobalt, l'arsenic et le manganès (3%), du verre (25%), des métaux ferreux (20%) et du plastique (23%). Les pays qui reçoivent ces déchets électroniques, comme l'Inde (20 000 kilos par jour), le Nigeria (500 conteneurs chaque mois) et la Chine, engagent des ouvriers, souvent des femmes et des enfants, qui les manipulent sans aucune protection en vue du recyclage. De plus, 75% de ces vieux ordinateurs se révèlent irrécupérables ou impossibles à démonter. Alors, ils prennent le chemin des sites d'enfouissement situés près de régions habitées et de cours d'eau. La rivière Lianjiang, près de ces sites, dans la province chinoise du Guangdong, contient 2400 fois plus de plomb que les normes de l'OMS. Des échantillons de leur sol contiennent 212 fois plus de plomb que ce que l'Occident considère comme toxique.

## Écovillages et écovilles de plus en plus populaires

Depuis près de 25 ans, des écocitoyens choisissent de vivre ensemble un projet de vie en harmonie avec l'environnement. L'idéal qu'ils partagent est triple: intégrer dans la nature leurs activités sociales, économiques et culturelles; refaire le tissu social, communautaire et fraternel en s'entraidant, en partageant les mêmes outils; réduire leur impact sur l'environnement en créant de nouvelles pratiques écologiques qu'ils transmettent à leurs enfants.

C'est ainsi que sont nés des écovillages un peu partout dans le monde. Des familles se partagent un terrain de plusieurs acres, y construisent des maisons unifamiliales écologiques. D'autres optent pour une formule plus communautaire, cultivent un jardin, élèvent des animaux, font ensemble leur cuisine, confectionnent leurs vêtements, produisent une partie des articles dont ils ont besoin. Ils reçoivent souvent des sympathisants, des écotouristes en quête d'un environnement à la fois sain et agréable[221].

À Hesperia en Californie, un architecte a conçu tout un village de maisons écologiques construites avec du ciment et de la boue retenus par du fil barbelé. Au Danemark, à Torop (un hameau au nord de Copenhague), 150 maisons ont été construites avec des matériaux recyclés. À Saint-Priest (près de Lyon), un écoquartier, unique en son genre en France, vient de naître; c'est un autre modèle d'habitations vertes, autonomes et écoresponsables, qui misent sur un impact environnemental très minime.

Au sud-ouest de Londres, un écocomplexe d'habitations est né en 2002, baptisé Bedzed (qui veut dire Beddington Zero Energy Development)[222]. Ces 82 habitats écologiques sont munis de chauffe-eau solaires, de plusieurs

---

221  Cf. *Vert demain*, Olivert Lamontagne (dir.), *Aube*, vol. 22, Québec, La Plume de Feu. Cf. une revue européenne très dynamique, *Passerelle Éco*.

222  Voir www.bedzed.org.uk

vitrages producteurs d'énergie, de larges puits de lumière et de cheminées à double circulation qui favorisent l'échange d'air froid et d'air chaud ainsi que la ventilation. Ils sont orientés vers le sud, bien isolés, ce qui leur permet d'être très peu énergivores.

Dongton, une nouvelle écoville chinoise, se veut un modèle d'urbanisme durable. Elle sera bâtie avec des maisons écologiques et alimentée uniquement avec de l'énergie renouvelable. Cette ville vise zéro émission de $CO_2$ et une consommation d'énergie limitée aux deux tiers par habitant. Son énergie sera produite principalement par des éoliennes, des biocarburants et des matières organiques récupérées. Les résidus de cette ville seront recyclés, compostés ou utilisés comme biomasse. Ses eaux usées seront aussi recyclées pour l'arrosage. Les modes de transport seront la circulation à pied et la bicyclette. Les bateaux qui desserviront cette île fonctionneront à l'hydrogène.

Plus près de nous, une politique de naturalisation des villes[223] (toits verts, jardins verticaux, ruelles champêtres qui peuvent diminuer la température jusqu'à 6°C selon la Soverdi) compte réaménager plusieurs espaces urbains. La verdure implantée améliore la qualité de l'air, diminue la température et favorise l'infiltration naturelle des eaux de pluie.

La conception urbaine du XXI$^e$ siècle évitera l'étalement sauvage, les centres d'achats excentrés, les résidences en périphérie qui nécessitent l'usage de la voiture. Un contrôle de cette expansion est nécessaire pour diminuer les transports. La tendance est de densifier les zones urbaines en y regroupant les services. Le réseau piétonnier et l'usage de la bicyclette seront encouragés[224].

## Bâtiments verts comme alternative

Les bâtiments génèrent 35% de la quantité totale de dioxyde de carbone en Amérique, soit plus de 2200 mégatonnes de $CO_2$ chaque année, selon

---

223  Alors que les villes se mobilisent pour verdir leur milieu urbain, la campagne est délibérément dégarnie, enlaidie par des projets de développements résidentiels sauvages qui coupent des hectares d'arbres et bétonisent des montagnes, notamment dans les Laurentides, de Blainville au Mont-Tremblant. Si en 2007, 12 000 arbres et 10 000 arbustes ont été plantés à Montréal dans le cadre de la campagne «Un milliard d'arbres pour la planète» des Nations Unies, autant d'arbres, sinon plus encore, ont été coupés dans les campagnes pour des projets domiciliaires.

224  À Montréal, deux programmes urbains encouragent l'usage de la bicyclette en libre-service durant la saison estivale: «Béciks verts» du Plateau Mont-Royal qui consiste à partager gratuitement un vélo pour effectuer ses emplettes, et «Vélib'», étendu sur l'ensemble de la ville. Ce dernier inclut 300 stations de relais et 2400 vélos. Ses bornes de paiement de location et de mécanismes d'ancrage fonctionnent à l'énergie solaire. Ce vélo libre-service a été baptisé Bixi (bi pour bicyclette et xi pour taxi). Les trente premières minutes de ce service sont gratuites.

un rapport publié par la Commission de coopération environnementale (CCE). Les constructions écologiques munies de technologies écoénergétiques pourraient réduire les émissions de $CO_2$ de près de 1700 mégatonnes d'ici 2030.

Dans cette foulée, plusieurs bâtiments verts ont été construits ces dernières années au Québec[225], entre autres deux nouveaux pavillons de l'École Polytechnique de Montréal où l'on forme des ingénieurs: les édifices Claudette-Mackay-Lassonde et Pierre-Lassonde, inaugurés en octobre 2005, ont mérité la certification Or de LEED (Leadership in Energy and Environmental Design[226]). Ils comportent:

- un grand nombre de fenêtres pour profiter de la lumière et de la chaleur du soleil;
- des systèmes mécaniques munis de HFC-134A qui ne nuit pas à la couche d'ozone;
- des détecteurs de mouvements qui éteignent automatiquement les lumières et la climatisation quand il n'y a personne dans les locaux;
- un système de captation et de drainage des eaux de pluie qui alimente les toilettes (ce système épargne 2 millions de gallons d'eau potable par année);
- la chaleur des cheminées exploitée économise les deux tiers du chauffage;
- un toit vert qui peut accueillir 100 personnes.

La nouvelle école du Cirque du Soleil a également mérité la certification Or (en 2005) pour sa revitalisation du terrain qui était auparavant une carrière puis un centre d'enfouissement de déchets. Des matériaux recyclés ont été utilisés pour son infrastructure.

LEED a octroyé la certification Platine à une maison privée de Montréal qui serait la résidence personnelle la plus verte en Amérique du Nord. Ce

---

225  D'autres exemples de bâtiments verts: le Centre culture et environnement Frédéric Back à Québec (complexe immobilier ancien mais rénové qui abrite une trentaine d'organismes environ nementaux), l'édifice Mountain Equipement Coop, le Technopôle Angus qui récupère et valorise 87% de ses déchets et qui s'est mérité la mention LEED Or ND (Neighborhood Development).

226  LEED est un programme volontaire créé en 1995 par le U. S. Green Building Council, une coalition américaine sans but lucratif qui réunit 9000 organisations de l'industrie de la construction. Cet organisme évalue un bâtiment, selon un système de pointage et des critères écologiques dans six domaines: aménagement des sites, gestion de l'eau, énergie et atmosphère, matériaux et ressources, environnement intérieur, innovation et design. Quatre niveaux de certification sont décernés: Bronze (26 à 32 points), Argent (33 à 38 points), Or (39 à 51 points), Platine (52 points et plus).

duplex, sis sur l'avenue du Parc, a été rénové par son jeune propriétaire, un ancien étudiant en environnement. Quatre-vingts pour cent des matériaux de construction qu'il a choisi d'utiliser pour ce réaménagement avaient été recyclés ou récupérés. Il a installé un potager sur le toit, un système de récupération des eaux usées pour alimenter les réservoirs de ses toilettes, un chauffage géothermique, un solarium pour profiter de la lumière et de la chaleur du soleil. Cette maison peut loger 19 personnes et vise la cohabitation intergénérationnelle dans le but de limiter, entre autres, l'usage de la voiture.

Une première tour résidentielle verte de 25 étages, Vistal I, a été inaugurée à l'Île-des-Sœurs en septembre 2008. C'est la première phase de deux tours jumelles. Elles répondent entièrement aux normes LEED et comprennent chacune 160 unités. Un bar rénové (l'Barouf) se vante d'avoir introduit dans sa structure un type de bois de Chibougamau stockant les GES.

Le projet Énovo propose de bâtir des maisons vertes qui favorisent le chauffage à l'énergie solaire projetée sur des planchers radiants qui conservent la chaleur. Avec le système d'éclairage LED (diodes électroluminescentes) et le système de gestion domotique (qui reconnaît la présence humaine), un gain de près de 90% d'énergie est possible. Les eaux de pluie et les eaux grises (du bain et de la douche) sont récupérées pour la toilette. L'engouement pour les maisons solaires, autosuffisantes sur le plan énergétique, grâce, entre autres, à la géothermie, ne date pas d'hier mais des années 1960.

Des panneaux solaires sont installés sur un toit de la Maison-Blanche depuis 1979 par Jimmy Carter. Un édifice de la 11e Rue à New York produit sa propre électricité avec des capteurs solaires et une éolienne. L'événement « 1973, Désolé plus d'essence », qui consiste en une exposition sur l'architecture alternative organisée par le Centre canadien d'architecture, se veut un autre geste vulgarisateur des projets innovateurs en matière de bâtiments verts et d'environnement. Une série de matériaux de construction sont de plus en plus conçus sans colle ni matières synthétiques ou chimiques.

Notons qu'une autre technique de construction verte, avec des ballots de paille recouverts d'une structure de bois, revient à la mode. Des études ont démontré que la paille est un bon isolant à la fois contre le froid, contre la chaleur et contre le bruit. Munis de puits de lumière, les habitats trouvent leur besoin de consommation énergétique réduit de 54%.

Au Japon, les nouvelles constructions de Fukuoka doivent être désormais *obligatoirement* munies d'un système de récupération des eaux de pluie et des eaux usées, ainsi que d'un second système pour l'eau non potable.

Aux Pays-Bas, régulièrement confrontés aux caprices de la mer vu leur très basse altitude, des maisons flottantes suivent le niveau des eaux. Elles sont équipées en conséquence et quasi autonomes en matière d'énergie solaire. Plusieurs de ces maisons flottantes garnissent le paysage d'Amsterdam et du littoral néerlandais.

En Asie, surtout en Inde et en Russie, des bâtiments verts autosuffisants[227], à plusieurs étages pour épargner du terrain, sont de plus en plus répandus. Ils sont équipés de panneaux solaires thermiques qui les alimentent en électricité et chauffent l'eau de pluie recueillie et filtrée. Les matières résiduelles organiques sont récupérées et produisent du biogaz, ce qui leur fournit une autre source d'énergie. Leurs eaux usées passent par un système de filtrage végétal et servent à l'arrosage.

Terminons ce chapitre en donnant un exemple de maisons pas du tout vertes, peut-être pour mieux en apprécier la « verdeur ». Je tiens à mentionner ici les abris de fortune en carton installés par près de 25 000 personnes pauvres sur Smokey Mountain (Montagne qui fume), gigantesque accumulation d'ordures dans la banlieue de Manille, aux Philippines. D'autres bidonvilles semblables abondent au Brésil et au Bangladesh. Des familles y vivent (ou survivent) en permanence, tombent souvent malades à cause de la fumée continue de feux provoqués par la décomposition des déchets. Le *Chicago Tribune* décrit en ces termes cette *maison verte:* «Dix personnes s'entassent dans une masure de la taille d'une salle de bains. Il n'y a là ni arbre ni arbuste. Seulement la puanteur, jour et nuit, des ordures qui pourrissent et du méthane dégagé par le compost.»

---

227 Maximilien Rouer et Anne Gouyon prônent, dans le cadre de leur économie positive, l'autonomie des maisons, des quartiers, même des pays. Cf. *Réparer la planète.*

─────○─────

*«Il n'y a pas d'un côté l'homme, et de l'autre côté la nature.*
*L'homme fait intégralement partie de la nature. Nous faisons partie d'un tout,*
*et nous devons apprendre à coexister avec la diversité du vivant. En 30 ans, nous avons*
*perdu près de 30% de tout ce qui vit sur la Terre. Il est urgent de réagir.»*
Yann Arthus-Bertrand

*«L'homme n'est qu'une espèce parmi les deux millions officiellement recensées.»*
UNEP

*«La civilisation industrielle moderne*
*est entrée en conflit violent avec le système écologique de notre planète.»*
Al Gore

*«Notre planète est un être vivant et à sa surface un virus*
*s'est mis à proliférer il y a 15 000 ans: l'Homo Sapiens.»*
James Lovelock

*«Ce serait de la folie de rester les bras croisés.»*
Michael Schlesinger

*«L'inaction aujourd'hui s'avérera l'action la plus coûteuse à long terme.»*
Ban Ki-moon

*«Vivre plus simplement pour que d'autres puissent simplement vivre.»*
Gandhi

─────○─────

# ⑩ La voiture verte

*« Adapter l'urbanisme et la société à la nécessité
d'une vie plus sobre en déplacements. »*
LE *PACTE ÉCOLOGIQUE*

> **Les moyens de transport constituent une source
> importante de pollution. Plusieurs solutions sont
> envisagées pour traiter la crise du parc automobile
> et réduire les émissions de GES.**

## Transport polluant

Parmi les différents secteurs d'activités qui affectent l'émission de gaz à effet de serre à l'échelle internationale, le transport est celui qui est le plus polluant (38% dont 3,5% à cause de l'aviation). Suivraient les industries (33%), le chauffage (12%), l'agriculture[228] (10%), les déchets (5%) et l'électricité (2%)[229].

Il existe présentement sur le réseau routier de la planète près de 800 millions de voitures dont 14,4 millions en Chine. Ce pays risque d'en avoir 140 millions d'ici une dizaine d'années. Le parc automobile frôlera le milliard de véhicules en 2020.

À Montréal, l'augmentation de l'usage de la voiture va trois fois plus vite que l'augmentation de la population, selon un observateur, créant un fléau sans précédent. En 2006, le parc automobile montréalais comptait 845 086 véhicules immatriculés. L'augmentation du nombre de voitures en ville affecte la qualité de son air et la formation de smog. Une étude estime que pour 300 litres d'essence consommée, une tonne de $CO_2$ est émise.

---

[228] Les rizières et le bétail émettent de grandes quantités de méthane. Un million de vaches produisent, à cause de leurs flatulences, 300 à 700 millions de litres de méthane par jour. Au Québec, 46% du budget du ministère de l'Agriculture subventionne des producteurs agricoles considérés comme des délinquants environnementaux par le ministère de l'Environnement.

[229] Une autre source répartit les émissions internationales de $CO_2$ d'une façon différente: énergie (24%), industrie (23%), agriculture (17%), déforestation (14%), transport (14%), habitat (8%).

## Choix à faire

Parce que le moteur de l'auto émet des oxydes de carbone, des oxydes d'azote, du dioxyde de soufre et des hydrocarbures[230], chaque écocitoyen responsable est invité à faire un choix crucial concernant ses déplacements: privilégier le transport en commun, le covoiturage, l'usage de la bicyclette; réduire ses courses inutiles; faire ses achats à pied dans les commerces de quartier. Face à l'explosion du prix de l'essence, plusieurs ont décidé de transformer leur domicile en bureau.

Quant au choix du véhicule, il est primordial de savoir qu'une voiture émet trois fois son poids en gaz à effet de serre. Un 4 x 4 produit plus de 4 950 kg de GES par année, alors qu'une petite voiture hybride (à double moteur, électrique et conventionnel) n'en produit que près de 1750 kg.

Cette voiture à double moteur est normalement propulsée uniquement par un moteur électrique. Sous forte accélération, le moteur à essence intervient et assiste le moteur électrique. Au freinage, l'énergie cinétique produit de l'électricité et recharge la batterie. Cette auto à système hybride synergétique, version écologique, réduit de 70 à 80% ses émissions de GES tout en économisant le carburant.

## Entretenir sa voiture

L'entretien du système antipollution est très important, sinon la qualité de l'air dans l'habitacle peut être éventuellement affectée, ainsi que la quantité de consommation d'essence. L'état des pneus, des huiles, des freins et du moteur est aussi un facteur déterminant. Une voiture mal entretenue consomme 15% plus de carburant. Une analyse publiée récemment souligne en outre que les vieux véhicules (ceux d'avant 1995) sont beaucoup plus polluants. Les modèles récents émettent 98% moins de toxines.

## Respecter le Code de la sécurité routière

Respecter les limites de vitesse sollicite moins le moteur, qui brûle par conséquent moins d'essence. Les arrêts et les départs brusques coûtent 37% plus d'essence. Une conduite plus douce économise jusqu'à 10% d'essence.

---

230   Mille litres de carburant dégagent 290 kg de dioxyde de carbone, 33 kg d'essence évaporée, 11 kg de dioxyde d'azote, 1 kg de dioxyde sulfurique. Les Terriens consomment près de 90 millions de barils de pétrole par jour.

## Démarreurs à distance

Plusieurs spécialistes de l'environnement se sont prononcés contre les démarreurs à distance. En y renonçant, on pourrait réduire le chiffre lourd de 91 millions de tonnes de GES émises au Québec en 2003.

## Véhicules à énergie verte

N'est-ce pas le temps d'améliorer les modes de déplacement des personnes et des marchandises au profit de transports moins nocifs pour l'atmosphère et la santé? Qu'attend-on pour rendre plus accessibles les voitures hybrides[231], électriques[232], solaires, aérodynamiques[233], à air comprimé, à hydrogène, à azote, au biocarburant, à faible consommation et à zéro émission?

Pour promouvoir ces voitures vertes, le Salon national de l'environnement de 2007 a proposé un Défilé de Véhicules Alternatifs (DéVA). C'était un clin d'œil au Grand Prix de F1 qui débutait au même moment à Montréal. Un éventail d'alternatives écologiques en matière de transport, entre autres des vélos électriques et des autobus hybrides, a été mis en valeur.

Des voitures hybrides, comme AIRPod, mono-énergétiques propulsées à l'air comprimé rechargeable à l'électricité (220 V) et à zéro émission sont désormais fabriquées en série par le géant de l'industrie automobile indien Tata Motors, qui les produit selon le modèle de Guy Negre. Leur limite de vitesse est de 110 km/h. La Chine et les autres pays de l'Asie, aux prises avec de graves problèmes de pollution et un nombre croissant de véhicules, sont intéressés à adopter ces voitures vertes, munies de batteries à base de

---

231   Toyota fait des recherches sur les voitures hybrides depuis 1974. Ce n'est qu'après 23 ans d'essais que le constructeur japonais a produit la Prius. En 2007, un million de Prius ont été vendus en Amérique du Nord. Ce constructeur admet ne pas être en mesure de répondre à la demande pour ses voitures hybrides. En juin 2008, Honda a inauguré sa première voiture à l'hydrogène: la nouvelle Clarity sera mise en marché uniquement dans le sud de la Californie et au Japon. Le modèle 2009 de Subaru de technologie PZEV annonce une voiture à essence au fonctionnement très propre, soit 90% plus propre que la moyenne des véhicules neufs. GM a présenté sa Saturn VUE hybride 2008 et sa Chevrolet Volt (hybride à l'envers). Cette dernière est mue au départ par un moteur électrique (150 chevaux); un petit moteur à essence quatre cylindres (45 litres) n'intervient que pour actionner le générateur qui renfloue les batteries; sa vitesse maximale est de 160 km/h; le temps de recharge des batteries est de 3 à 8 heures; son autonomie électrique est de 65 km. Une autre automobile électrique est disponible depuis 2008, c'est la Telsa Roadster qui peut atteindre 200 km/h. Les voitures électriques assemblées depuis mai 2006 à Saint-Jérôme par Zenn Motors Company, bien populaires aux États-Unis (34 États l'utilisent), peuvent finalement être utilisées au Canada depuis juillet-août 2008, mais seulement en ville, à cause de leur vitesse moyenne (40 km/h). Grâce aux supercondensateurs EEStor, cette voiture roulera à 125 km/h avec 400 km d'autonomie de recharge. Au Canada, les voitures hybrides ne sont pas faciles d'accès. Les concessionnaires ne peuvent en commander qu'au compte-gouttes.

232   La première voiture électrique date de 1912 et fonctionne toujours bien. Pourquoi ne l'avoir pas vulgarisée?

233   C'est une voiture légère qui a moins de friction avec l'air. Elle est écoénergétique.

phosphate de fer lithium rechargeables la nuit, libres de toute consommation de carburant.

Il est heureux d'apprendre que, dans une ville où le transport est responsable de 47 % des GES, la Société de transport de Montréal (STM) a choisi d'utiliser graduellement le biodiesel comme carburant (B5) pour ses 1600 autobus, qui arborent le logo Biobus. Cet usage réduira considérablement les émissions de $CO_2$, même si la facture totale de carburant augmentera de 1 %, soit 230 000 $ de plus[234]. En outre, un nouveau plan de transport par tramway y sera implanté en 2013. Il reliera, sur une distance de 20 km, l'ouest à l'est de la ville en passant par le centre-ville. De son côté, la Ville de Saint-Jérôme intègre à son service de transport en commun deux autobus hybrides après Gatineau et plusieurs villes de l'Ontario et de l'ouest canadien. Notons que Vancouver compte s'en procurer 150.

Un dernier moyen de transport révolutionnaire et alternatif, inventé aux États-Unis en 2001, est à la veille d'être autorisé à Montréal: c'est la trottinette électrique à roues parallèles Segway, munie d'un cerveau qui assure un équilibre parfait et empêche les chutes. Elle coûte 6000 $ et pourrait circuler partout sur la voie publique. Reste à savoir le niveau de pollution du son qu'elle produit.

## Solutions envisagées

Une panoplie de solutions sont proposées pour mieux gérer la problématique du parc automobile:

- Prohiber les moteurs diesel et l'usage du diesel.
- Imposer les pots catalytiques à tous les véhicules (grands et petits).
- Opter pour l'huile synthétique développée en laboratoire (elle nécessite moins de vidanges que l'huile minérale).
- Organiser le covoiturage, notamment par des sites Internet qui faciliteraient l'inscription des gens et leurs recherches.
- Favoriser les voitures qui comptent plusieurs voyageurs.
- Encourager l'auto-stop.
- Mettre en place des postes de péage ou appliquer une taxe contre la congestion routière autour des grandes métropoles. Une telle initiative a diminué de 24 à 30 % la circulation à Londres, à Stockholm, à Singapour, à Oslo, à Amsterdam, à Melbourne et à Copenhague.

---

[234] Le gouvernement du Québec envisage d'exempter de taxes les carburants utilisés par la STM. Cela signifie 500 000 dollars d'économies. De plus, le Centre de transport Legendre comprendra 950 m$^2$ de toiture végétale, 500 m$^2$ de murs solaires et ses 15 millions de litres d'eau utilisés chaque année pour laver les autobus seront recyclés.

- Offrir la gratuité aux postes de péage aux véhicules hybrides qui roulent au bioéthanol ou qui covoiturent.
- Favoriser les villages urbains où les citoyens retrouveraient à la fois leur lieu de travail, leurs habitations, les commerces, les bureaux, les services, les écoles, les parcs et les loisirs, rassemblés à proximité.
- Appliquer la fiscalité verte (surtaxer les propriétaires de véhicules énergivores, introduire l'étiquetage énergétique des voitures)[235].
- Investir davantage dans les transports collectifs; améliorer les réseaux d'autobus, de métro et de train; les rendre plus efficaces et plus économes; prolonger les pistes cyclables; réhabiliter le tramway.
- Ne plus investir dans la prolongation du réseau routier.
- Encourager par des primes les entreprises qui favorisent le transport en commun de leur personnel[236].
- Favoriser les nouveaux véhicules à faible consommation d'essence et les petites voitures de ville à basse vitesse.
- Favoriser les véhicules autoflexibles[237] qui peuvent rouler, selon les besoins, avec cinq types différents de carburants.
- Favoriser les technologies de gestion active du carburant et de désactivation des cylindres lorsqu'ils ne sont pas nécessaires, comme sur l'autoroute.
- Rationaliser l'utilisation de l'automobile (maximum deux autos par famille).
- Réinvestir dans le ferroutage (transport ferroviaire longtemps abandonné au Québec).
- Développer le transport intermodal (entre différents modes de transport).
- Établir une politique de voiture verte à l'échelle municipale, provinciale et nationale.
- Miser sur les technologies modernes, sur les mesures de conservation de l'énergie, sur des sources d'énergie autres que fossiles.
- Rendre accessibles à tous, y compris aux avions[238], les biocarburants à basse teneur en carbone, les essences écologiques: le biodiesel, le butanol, le

---

235   Le programme écoAUTO n'a duré que deux ans au fédéral. Il a permis aux Canadiens de recevoir un rabais allant de 1000 à 2000$ à l'achat ou à la location à long terme d'un véhicule écoénergétique qui possède un ratio de consommation ville-autoroute de 6,5 litres ou moins par 100 km (8,3 l pour les fourgonnettes et les véhicules utilitaires).

236   L'hôpital Maisonneuve-Rosemont a instauré le programme Ménagez vos transports qui encourage ses employés au covoiturage, au transport en commun, à la marche et au vélo pour leurs déplacements de leur domicile à leur lieu de travail. En cinq ans d'existence, ce programme a permis de réduire de 500 tonnes les émissions de $CO_2$, selon la direction de l'hôpital.

237   Au Brésil, trois voitures sur quatre sont autoflexibles.

238   En projet, l'avion supersonique A2, très performant, battra la performance du Concorde, fonctionnera à l'hydrogène liquide et n'émettra aucun GES. Il fera Bruxelles-Sydney en moins de

gaz de pétrole liquéfié (GPL), le gaz naturel véhicules (GNV), l'éthanol qui émet 29% moins de GES, l'éthanol cellulosique qui en émet 85% de moins, le carburant de synthèse CTL, le carburant de seconde génération «lignocellulosique» BTL qui provient de la biomasse (résidus organiques agricoles, de paille, forestiers, industriels, boues d'épuration).

- Favoriser les voitures «flex-fuel» qui consomment l'agrocarburant E-85 contenant 85% d'éthanol, au lieu du E-5 contenant 95% de pétrole et 5% d'éthanol.
- Éviter de surcharger le coffre de la voiture inutilement.
- Imposer la circulation alternée (surtout lors d'épisodes de smog élevé).
- La hausse incessante du prix du carburant constitue elle-même une bonne solution susceptible de changer les habitudes et les consciences des automobilistes.

La Ville de New York a exigé de ses 13 000 taxis (dont 373 sont déjà à moteur hybride) d'être tous verts (dans les deux sens) d'ici 2012 et de respecter d'une façon stricte les normes en matière d'émissions de gaz. Cette initiative correspond au plan de réduction municipal de 30% des émissions de gaz carbonique d'ici 2030, c'est-à-dire 181 000 tonnes de GES par an.

À l'instar de la Californie qui a imposé un contrôle strict à ses automobilistes, plusieurs villes d'Allemagne imposent, depuis février 2008, un contrôle sur le degré de pollution de leurs véhicules. Elles ont interdit les voitures polluantes de leur centre-ville. Principalement, Berlin, Cologne et Hanover ont entrepris cette guerre contre les particules fines des autos responsables de 75 000 morts prématurées chaque année. Les automobilistes doivent se munir de vignettes rouges, jaunes ou vertes pour indiquer le niveau de pollution de leur véhicule. Des normes antipollution très strictes vont s'appliquer partout en Europe à partir de 2010. Montréal compte retirer de son parc automobile tous les véhicules polluants qui datent d'avant 1995. Grâce au programme Faites de l'air, administré par l'Association québécoise de lutte contre la pollution atmosphérique (AQLPA), des titres de transport sont remis en échange de tacots. Cette association a déclaré qu'environ 2000 personnes meurent annuellement à Montréal en raison de la mauvaise qualité de l'air.

---

quatre heures. Pourquoi ne pas munir tous les avions de moteurs semblables et les propulser à l'hydrogène?

## Pollution de l'air

Plusieurs compagnies aériennes pensent de plus en plus d'une façon écologique. À titre d'exemple, Air Canada a instauré un programme de compensation pour les émissions de GES. Elle invite ses passagers à verser une prime facultative de 12,80 $ par billet aller-retour Montréal-Vancouver-Montréal pour compenser l'impact des émissions de GES estimées à 800 kg par personne. Zerofootprint, un organisme à but non lucratif, investira cet argent dans des projets écologiques qui limitent les émissions de GES[239].

Un pilote américain, Doug Rodante, compte faire le tour du monde à bord d'un avion Learjet de Bombardier alimenté au biodiesel (huile de canola usagée), un caburant qui diminue de 50 à 80% les émissions de GES par rapport à un vol conventionnel. Green Flight affirme qu'il faut apporter très peu de modifications pour rendre un jet compatible avec du biodiesel. Boeing et Air New Zealand expérimentent des vols aux biocarburants durables à base de jatropha.

En Europe, selon le principe du pollueur-payeur, les compagnies aériennes ont reçu un avis de nouvelle taxation en raison de leur haut taux de pollution.

## Pollution des mers

Le transport maritime n'est pas négligeable non plus. Il contribue à la pollution des mers et de l'atmosphère des régions côtières en y causant du smog. Les fuites des raffineries de pétrole en pleine mer, les ruptures de pipeline, les naufrages de pétroliers, les déversements accidentels de pétrole (marées noires) qui s'étendent sur des dizaines de kilomètres, les vidanges des réservoirs de milliers de pétroliers en activité sur les océans (dégazage, déballastage) constituent 25% des pollutions marines. Six millions de tonnes de pétrole sont déversées annuellement dans les océans.

Soixante-quinze pour cent de la pollution de la mer provient d'engrais chimiques agricoles, de déchets de l'élevage, des industries et des égouts des villes. La flore et la faune marines sont tragiquement affectées, ce qui menace la santé des êtres humains par le biais de la chaîne alimentaire.

Une technique novatrice a été appliquée pour la première fois, en mars 2008, à un cargo qui quittait l'Allemagne en direction du Venezuela. Il est muni d'un gros cerf-volant commandé à distance par un ordinateur

---

239  TerraVie, une corporation sans but lucratif reconnue comme organisme de bienfaisance au Québec, offre de parrainer un arbre et de préserver les forêts. Les citoyens verts ont la possibilité d'en devenir partenaires en conservation.

nommé SkySail. L'ajout de ce cerf-volant réduit de 10 à 35% la consommation de carburant et les émissions de GES. Il permet une économie de 1500 dollars par jour. L'exploitation du vent crée une force de portance qui contribue à la stabilité du navire et procure une meilleure traction. Fabriqué à partir d'une toile aérodynamique, le cerf-volant peut mesurer entre 160 et 5000 m². Le plus gros cerf-volant a une force équivalant à 6800 chevaux-vapeur ou 5000 Wh.

———————◇———————

*«Calculer les vrais coûts de notre consommation d'essence signifie y inclure les frais médicaux des personnes souffrant de maladies respiratoires à cause de la pollution atmosphérique, les frais liés à la détérioration des lacs, forêts, récoltes et édifices rongés par les pluies acides et, de loin les plus importants, les frais inhérents aux changements climatiques.»*
LESTER R. BROWN

*«Notre mode de développement a atteint une limite. Si nous persistons dans cette fuite en avant, la vie de (nos) enfants sera plus difficile que la (nôtre). N'importe qui est capable de comprendre qu'on ne peut pas tirer indéfiniment des chèques sans réapprovisionner son compte.»*
NICOLAS HULOT

*«La population mondiale augmentera de 45% dans les trente prochaines années.»*
L'ONU

*«Injecter des gaz à effet de serre dans l'atmosphère revient à empiler des couvertures sur le corps d'un malade en hyperthermie. Par notre pollution et notre destruction des écosystèmes naturels, nous alourdissons le fardeau que supporte une planète déjà en état de fièvre.»*
JAMES LOVELOCK

*«Il aura fallu environ 90 tonnes de végétaux (pendant des millions d'années) pour créer quatre litres d'essence.»*
JEFFREY DUKES

———————◇———————

# ⑪ L'art vert

*« Et si ça continue, on va vendre l'air aussi! »*
MARC DÉRY

> Des artistes de tous les continents s'impliquent dans la cause environnementale. De nombreux événements culturels et artistiques participent à la formation de la conscience verte des citoyens.

## Une foule d'artistes mobilisés

À l'heure où plusieurs gouvernements de la planète essaient de faire des gestes responsables et consciencieux vis-à-vis de l'environnement en souscrivant aux objectifs (minimes) du *Protocole de Kyoto* et en préparant l'après-Kyoto, alors qu'Elizabeth II propose d'investir dans des entreprises écologiques afin de compenser les émissions de $CO_2$ dues à ses déplacements aériens et terrestres en mai 2007 aux États-Unis, plusieurs artistes s'engagent activement dans la sensibilisation du grand public à la cause de l'environnement. Les médias les appellent les « grands prêtres de l'écologie ».

## À l'échelle nationale

Parmi ces artistes, nous pouvons nommer, à l'échelle nationale: Roy Dupuis[240] pour la sauvegarde des cours d'eau (dont la rivière Rupert et la Romaine[241]); Richard Séguin pour le mont Orford; Richard Desjardins avec l'Action boréale pour arrêter la destruction des forêts boréales; Diane Dufresne avec son spectacle *Terre Planète Bleue* (août 2008, avec la collaboration de Jean

---

240 Co-président de la Fondation Rivières qui conteste le détournement de 75 % du débit de la rivière Rupert vers les centrales hydroélectriques de la rivière La Grande.

241 La construction d'un barrage hydroélectrique sur la Romaine dégagera, entre autres, du mercure qui se retrouvera dans l'air, dans l'eau et dans les poissons, puis dans les organismes humains par le biais de la chaîne alimentaire. Les communautés amérindiennes locales accueillent positivement ce nouveau projet qui va créer des emplois pour eux. Les environnementalistes qui sont contre ce genre de barrage prônent plutôt le recours aux sources d'énergie solaire, géothermique et éolienne.

Lemire et de la fondation SEDNA); Paul Piché et Judy Richards pour la rivière Rouge; Marc Déry, Yann Perreau, les Zapartistes, Plaster et Vander pour l'Écofête et le Cabaret Rupert; Marco Calliari, Frédécick DeGrandpré, Maxim Roy, Pascal Dufour, Les Respectables et Antoine Gratton pour le Salon national de l'environnement (SNE) dont le porte-parole est Jorane; Maude Léonard pour l'écodesign; On%On, Rachel F. Molykutle, Porsch, Oöm, Rien à cacher, Véronique Milkovitch, Pascal Douville, Laila-B, New K industry, Fushia bijoux urbains, Jacinthe, Kafarajoue et Omayra Grisales pour le Défilé de mode éthique *Green chic* qui nous invite à nous habiller *vert*; Parasuco pour la mode écologique et les jeans recyclés; Dobacaracol pour l'eau pure; Frédéric Back dans le domaine du septième art; les Cowboys Fringants pour la protection de terrains situés au pied du mont Sutton; Phil Allard pour son œuvre monumentale au Centre Eaton, à l'automne 2007, qui consistait en une sculpture en forme de guirlande géante composée de bouteilles de plastique recyclées. Mes Aïeux qui compensent pour les émissions de GES de leur tournée au Québec, ils ont reçu la certification environnementale Planetair.

Soulignons également, à l'occasion du Jour de la Terre, les capsules de 30 secondes du projet *De moi vert toi* de TVA: les téléspectateurs devaient assigner une deuxième vocation aux objets personnels donnés par des artistes. Ce jour-là, plusieurs spectacles et peintures en direct sur le thème de la Terre ont eu lieu.

## À l'échelle internationale

Mentionnons, à l'échelle internationale: Madonna, avec sa chanson *Hey You,* dont une partie des profits est allée à Alliance for Climate Protection qui a organisé le méga événement *Live Earth*, concert mondial consacré à la défense de la nature, à la sensibilisation des populations et à la préservation de l'environnement; Linkin Park (groupe hard rock américain) et Ryuichi Sakamoto (maître de l'électro-acoustique), ainsi qu'une centaine d'artistes dont The Police et Black Eyed Peas ont participé à ce méga concert, qui a eu lieu simultanément sur plusieurs continents en juillet 2007 sous l'égide d'Al Gore (cet événement étalé sur 24 heures fut regardé par deux milliards de spectateurs); Edward Norton; Chris Martin; Bob Geldof; Hayao Miyazaki; Richard Branson; Leonardo DiCaprio[242], représentant officiel de Earth Day; Hayden Panettiere pour les baleines; Tobey Maguire, qui ne laisse pas entrer

---

242   Leonardo DiCaprio ne roule qu'en voiture écologique. Il a opté pour la Toyota Prius et en a acheté trois autres pour sa famille. Voir le blogue vert des vedettes www.ecorazzi.com

chez lui quelqu'un qui porte du cuir; Julia Roberts, surnommée la déesse verte écolo («The Green Goddess»), qui a posé habillée de taffetas vert pour *Vanity Fair;* le plus riche mannequin au monde, Gisele Bündchen, a mobilisé plusieurs organismes au Brésil dans le but de sauvegarder le fleuve Y Ikatu Xingu, un affluent de l'Amazone; Brigitte Bardot, dont on connaît la lutte incessante et de longue date pour la protection des animaux; Charles Aznavour, qui a composé une chanson sur l'environnement, *La Terre se meurt;* Yves Rocher pour l'utilisation de sacs réutilisables; son fils Jacques Rocher avec son livre *Ma Terre est Une Femme;* le chanteur Sting; plusieurs autres vedettes qui ne conduisent que des voitures électriques hybrides: Cameron Diaz, Jennifer Aniston, Alicia Silverstone, Brad Pitt, etc.

Le groupe Radiohead a entrepris des «tournées écologiques». Que ce soit en Europe ou en Amérique, ce band d'Oxford, qui est très vert, a opté pour l'autobus comme moyen de transport lors de sa tournée de ville en ville, alors qu'il pouvait se permettre un jet privé. Au lieu de prendre l'avion pour participer à l'émission du 23 avril 2008 de Conan O'Brien qui se tient aux studios de NBC aux États-Unis, il a choisi d'être présent par transmission satellite. Le chef du groupe, Thom Yorke, a justifié ainsi ce mode de participation, avant d'exécuter sa chanson *House of cards*: «Un aller-retour en avion de l'Europe à l'Amérique équivaut à un an d'émissions de monoxyde de carbone pour une automobile[243].»

## *Nouveaux concours, festivals et événements verts*

Un nouveau concours de beauté a été institué expressément pour faire la promotion de la cause environnementale et de la préservation de la Terre. Quatre prix sont décernés pour souligner les quatre éléments: Miss Air, Miss Water, Miss Fire et Miss Earth. Ce dernier a été remporté par une doctorante de l'Université McGill, Jessica Nicole Trisko, lors de la compétition organisée à l'automne 2007 à Manille, aux Philippines. En plus de leur beauté, les participantes doivent se distinguer par leur engagement pour l'environnement et les projets humanitaires.

Un concours d'architecture nommé *Ecologez* avait pour but de trouver, en 2008, le meilleur concept d'aménagement[244] à la Biosphère d'Environnement Canada. Le concours *Éco-Actions Sunlight* pour enfants espère

---

243   Ce groupe est aussi engagé dans des causes sociales comme la dénonciation du travail et de l'esclavage des jeunes enfants. Voir le site Web www.greenplastic.com

244   Gérald Domon, de l'École d'architecture du paysage (EAP) de l'Université de Montréal, dirige un projet-pilote dans Lanaudière sur les effets environnementaux et visuels de l'agriculture intensive.

sensibiliser les jeunes en leur demandant de rédiger un texte expliquant les efforts qu'ils suggèrent en vue d'améliorer la qualité de l'environnement. Le concours *Cocktail transport*, lancé depuis quelques années par Équiterre, compte sensibiliser les citoyens et les employeurs au transport alternatif qui réduirait l'usage solo de la voiture. Le prix de la nouvelle Voiture Verte de l'Année, le «Green Car of the Year» est décerné annuellement, depuis quatre ans, au salon automobile de Los Angeles.

Un *Gala de reconnaissance* est organisé chaque année par le Conseil régional de l'environnement de Montréal. Des organismes remportent des prix pour leurs projets écologiques. Un concours de courts métrages environnementaux *Caméra verte* est organisé par ÉcoCaméra (Office national du film). Le *Prix Phénix* de l'environnement, qui souligne chaque année l'implication d'une personne ou d'un organisme dans la cause de l'environnement, a été créé il y a cinq ans au Québec. Le *Prix Pictet* de photographie environnementale a été remporté en 2008 par Benoît Aquin et portait sur le thème de l'eau. Un Grand Prix de l'Environnement des villes d'Îles-de-France a été décerné pour la douzième année consécutive en novembre 2008 dans le cadre du Salon SIREME. 42 candidats avec 109 initiatives y ont participé.

Un autre prix, *Porteur d'espoir,* organisé par le Jour de la Terre Québec en collaboration avec Cascades et Québecor, vise à compenser les citoyens pour leurs initiatives exceptionnelles en matière d'environnement. Il a été remporté en 2008 par Pierre Dénommé, fondateur de l'organisme Sentier Urbain Montréal, promoteur du projet «Sauvegarde du Patrimoine Naturel en Milieu Urbain» qui implique des jeunes marginaux en difficulté. Cet organisme a organisé 175 ateliers de sensibilisation sur l'environnement dans plus de 15 écoles.

Signalons également plusieurs festivals: le Festival mondial de la Terre, le Festival international du film sur l'environnement (FICA) qui se tient au Brésil depuis 1999; le Festival de films de Portneuf sur l'environnement créé par Jacques Languirand en 2003; le festival Planet in focus de Toronto, le Festival de Niamey (Niger), le Rodos international film and visual arts (Grèce), le Festival International du Film d'Environnement de Lille, le Festival du Film d'Environnement et de développement durable de Nantes. Des documentaires importants sont à citer: les films *An inconvenient Truth* (Al Gore), *The 11th Hour* (Leonardo DiCaprio), *L'erreur boréale* (Richard Desjardins), *Who killed the electric Car?* (Chris Paine et Jessie Deeter), *Phoque: Le film* (Raoul Jomphe), *La bataille de Rabaska* (Magnus Isacsson et Martin Duckwort); le roman *Le parfum d'Adam* de Christophe

Ruffin; le programme «Les arts en faveur de la nature» du prince Philip, duc d'Edimbourgh, qui attire plusieurs artistes, acteurs et écrivains dont les créations contribuent à l'éveil environnemental des citoyens.

Un documentaire remarquable en trois dimensions intitulé *Grand Canyon 3D: Fleuve en péril* de Greg MacGillivray, projette sur grand écran les changements physiologiques alarmants du Colorado, fleuve qui a perdu la moitié de son volume. Ce cours d'eau fournit eau et énergie à plus de 25 millions d'Américains. Deux environnementalistes, Robert F. Kennedy Jr. et Wade Davis, et trois communautés amérindiennes y ont participé. Comme tant d'autres films récents qui montrent les conséquences désastreuses des changements climatiques, celui-ci veut à son tour éveiller les consciences en soulignant l'importance de l'eau qui se raréfie.

Un cabaret littéraire est né au Café Cléopâtre à Montréal, intitulé *Bio dégradable: les écrits restent.* Un Salon des artistes-récupérateurs se tient début décembre de chaque année à la Biosphère; une cinquantaine d'éco-créateurs et d'écodesigners y présentent des objets utilitaires, des bijoux, des meubles, des vêtements et des accessoires verts.

Consortium Écho-Logique, une entreprise qui fonctionne depuis 2003 en partenariat avec Recyc-Québec et Boissons gazeuses Environnement, a récupéré 217,3 tonnes de matières résiduelles recyclables (dont 67,5 tonnes de carton, 49 tonnes de verres en plastique) lors de 68 festivals et événements spéciaux en 2007.

## Sculpture et récupération

Dali et Picasso faisaient des sculptures avec des pièces récupérées. Ce dernier visitait régulièrement les cours à ferraille et ramassait les bouts de métal tordus qui l'inspiraient. Il en faisait des œuvres d'art qui se vendaient des millions de dollars. Récemment, l'artiste indien Sudarsan Pattnaik a réalisé une sculpture géante intitulée *Global Warming* au Festival de sculptures sur sable de Berlin (2008).

Au Québec, Jocelyn Boutin, journaliste et photographe de la région de l'Estrie, a couvert, dans les années 1970-1980, des murs avec du papier journal. Clode Pilote, sculpteur de Saint-Colomban, crée des personnages et des bêtes avec du métal recyclé. Il a participé au Festival du Recycl'Art qui se tient à Montpellier. Francis Montillaud, jeune sculpteur, a conçu une œuvre écologique, *Se mettre au vert,* qui a été exposée dans le bassin de l'Esplanade de la Place des Arts à Montréal durant l'été 2007. La firme Bosses design, spécialisée en architecture et en design de l'environnement, y a installé, durant l'été 2008, son œuvre sculpturale *Les Pelleteuses de nuages*, inspirée par l'expérience cyclique dudit bassin. Trois grandes roues à aubes sont mues par la force hydraulique des fontaines.

Patrick Ganthier, alias Killy, et Désirée Szucsany, peintres-sculpteurs, récupèrent tout ce qu'ils trouvent pour créer. Vincent Vanderbrouk a converti un vieil autobus en œuvre artistique exposée lors de la journée *En ville sans ma voiture.*

## Théâtre vert

Jean-Marc Deneau, membre d'un écovillage du Québec, a écrit et réalisé une pièce de théâtre. La scène se passe en 2050, sur la planète Terre dont 95% du territoire est devenu désertique. Les rares individus qui restent vivent dans des villes où une méga usine filtre la pollution atmosphérique. L'air des maisons est contrôlé. Quand ils sortent à l'extérieur en VTT, ils ferment les fenêtres de leur voiture dont l'air est aussi contrôlé. Ces quelques survivants ne connaissent plus la nature. Ils décident d'attaquer le seul écovillage épargné au monde, mais les écovillageois résistent à ces braconniers et s'en tirent bien chaque fois.

Une autre pièce de théâtre, avec de la danse, *Trilogie de la Terre,* de Paula de Vasconcelos (Productions Pigeons International) a été jouée à l'Usine C à Montréal en mars 2007. Deux tableaux hautement écologiques y étaient intégrés: *Demain* et *Une prière pour notre planète bleue.*

## Nouveaux tissus bientôt à la mode

Malgré la crise alimentaire grandissante dans le monde, due entre autres à la croissance de la production des agrocarburants qui modifient la vocation agricole première (celle de nourrir les gens), malgré la quarantaine de pays qui crient famine, une nouvelle technique a vu le jour: fabriquer des tissus à partir de l'amidon contenu dans le maïs et la pomme de terre. La chimie verte compte, en effet, exploiter la biomasse végétale, au lieu du pétrole déclaré ressource en voie d'épuisement, pour en extraire les fibres textiles, même le plastique.

Après l'ère du coton qui nécessitait trop d'eau et trop de pesticides pour sa culture, le maïs, qui est plus facile à cultiver et qui est présent sur presque tous les continents, servira, en plus de produire du carburant, à alimenter les usines de textile.

D'autres forêts seront sûrement rasées afin de rendre disponibles d'autres terres cultivables. Les designers et les mannequins verts, accepteront-ils d'organiser des défilés de mode avec des tissus aussi verts, aussi biodégradables et aussi renouvelables qui empêchent de sustenter les bouches de plus en plus affamées?

## La «guérilla jardinière»

Plusieurs citoyens, jardiniers en herbe, venus de tous les horizons sociaux, soucieux de la beauté de l'environnement et insatisfaits des services rendus par leurs villes, interviennent sans autorisation, clandestinement et de nuit, pour aménager avec art des espaces verts et fleuris dans les endroits publics. Leur mission est la reverdurisation urbaine. Ils transforment à leurs frais et en quelques heures des terrains vagues, non utilisés, en parcelles verdoyantes sous les yeux tolérants de la police.

Richard Reynalds a fondé dans les années 1970 ce mouvement[245] qui lutte contre le manque d'entretien des terrains des villes. Cette pratique est devenue courante dans les grandes métropoles comme Los Angeles, New York, Miami et Londres. Ce mouvement a été qualifié de nouvelle forme de «rébellion écologique». Il veut mettre en relief la valeur esthétique de l'aménagement paysager.

## L'art au service de la nature

Nombreux sont les artistes, les associations d'artistes, et même les éditeurs, les magazines et les musées, qui sont sensibilisés à la cause du recyclage et du respect de l'environnement. Ils utilisent de plus en plus de produits fabriqués à partir de matériaux cent pour cent recyclés, post-consommation, sans chlore, certifiés Éco-Logo. Des imprimeurs ont recours à des encres végétales. Ils manifestent, sur la place publique, leur désir de participer à l'éveil des consciences[246], au bien-être de la Terre et des générations futures. Des producteurs de films, qui ont dû voyager lors de leur tournage, indiquent dans leur générique «émission compensée carbone.»

Lors du Jour de la Terre de 2008, plusieurs initiatives créatives ont été entreprises. Pas moins de 30 musées dans l'ensemble du Québec ont offert des activités à caractère environnemental. L'Office national du film du Canada a proposé 124 films, entrevues et points de vue critique de spécialistes de l'environnement.

---

245 Cf. www.guerrillagardening.org
246 Une enquête réalisée de janvier à mai 2007, en France, a montré que 72,1% des Français sont particulièrement sensibles aux problèmes d'environnement. Une autre, effectuée aux États-Unis en décembre 2008 révèle que 77% des Américains croient qu'il est possible de développer des énergies vertes afin de rompre avec la dépendance au pétrole.

———————○———————

*«Comme le monde était vaste, les arbres proches des cieux,
et comme était claire dans l'eau la lune proche.»*
MENG HAO-JAN

*«Quel bonheur de traverser
la rivière d'été
les sandales à la main.»*
BUSSON

*«De l'eau, de l'eau partout et pas une goutte à boire.»*
SAMUEL TAYLOR COLERIDGE

*«La fragilité de l'univers est manifeste à travers les ciels de poussière.
Quel avenir avec une beauté de plus en plus perforée?
Espérer l'acte créateur contre tout espoir
le difficile et nécessaire geste protecteur.»*
BERNARD ANTON

*«Quand les forêts (climatiseurs qui réduisent le réchauffement par effet de serre)
disparaissent, les pluies disparaissent avec elles.»*
JAMES LOVELOCK

*«Même si notre forme de civilisation est gravement malade,
à travers le climat désolé et aride de notre temps est en train de commencer
à surgir un sentiment d'attente et d'espérance.»*
RENÉ DUBOS

———————○———————

# ⑫ L'écothéologie verte

> Ce chapitre présente, sans parti pris confessionnel, le point de vue de différentes religions concernant l'environnement et la nécessité de protéger la nature. Elles en appellent toutes à un agir écologique responsable et éveillé. Une écoéthique commune s'en dégage.

## Consensus interreligieux

Il est étonnant de constater que, malgré les différents systèmes de croyances, plusieurs grandes religions tels le christianisme, le judaïsme, l'islam, le bouddhisme, l'hindouisme et la Foi Baha'ie affirment unanimement que le monde n'est pas profane, mais sacré, que la nature[247], partenaire de l'être humain, n'est pas à exploiter démesurément, mais à respecter et à protéger.

Presque toutes les religions du globe sont écologiques et arrivent à s'accorder en matière de conservation de la santé et de la qualité de l'environnement. Un message vert assez clair, issu de toutes ces sagesses ancestrales, se dégage, sert de base à une *éthique*[248] *de la nature* et en appelle à une vie harmonieuse, en symbiose avec tous les éléments de la Création.

## L'apport de la théologie biblique

Ces pages présentent la synthèse de très longues recherches et quêtes de références bibliques en lien avec la *conscience environnementale* que nous appelons *écologique* depuis un peu plus d'un siècle. Prenons le temps de redécouvrir la perspective verte et sous-jacente de ces nombreux versets,

---

247 Du latin *nasci* qui veut dire *naître*. Selon les premiers philosophes, le mot grec *phusis* qui veut dire *physique* était synonyme de nature. Avec l'activité scientifique intense, le naturel s'opposa à l'artificiel. Depuis Descartes et Galilée (1564-1642), le terme physique est réservé à la science.

248 Du grec *ethos*, c'est-à-dire *relation* avec son lieu, son entourage.

minutieusement répertoriés. L'analyse qui figure à la fin de chaque partie conduit à une réflexion peut-être inédite pour quelques-uns, mais profondément fidèle à la teneur et au message des Écritures.

# A - Premier Testament

## L'homme créé gardien et non dominateur du jardin

Selon le récit symbolique de la Bible, l'être humain a été mandaté par Dieu pour «régner» sur la Création (Genèse 1, 26-27; Psaume 8, 6-9 et 119, 19), pour «cultiver et garder le jardin» (Genèse 2, 15). D'autres traductions préfèrent «*veiller* sur le jardin», le *servir*, le *protéger*, *s'en occuper*, en *prendre soin*. L'homme en est donc le cultivateur, le métayer, le gardien, le jardinier, l'intendant, le serviteur, le protecteur, l'économe, le gestionnaire ou le lieu-tenant. Il n'en est point le possesseur ni le dominateur[249]. Aucun droit de propriété ne lui est attribué, selon le Lévitique: «La Terre m'appartient et vous n'êtes pour moi que des étrangers et des hôtes.» (25, 23)[250] Le début du Psaume 24 le confirme: «À Yahvé la Terre et sa plénitude, le monde et tout son peuplement.» (v. 1)[251]

Pourquoi se comporter alors tels des maîtres et des seigneurs absolus? Pourquoi exploiter, défigurer impunément le visage et les entrailles de la Terre, en mépriser le propriétaire, comme l'ont fait les *vignerons homicides* (Matthieu 21, 33-41; Marc 12, 1-9; Luc 20, 9-16)?

## L'homme fait souffrir la Création

Le désir d'indépendance de l'homme vis-à-vis de Dieu, le mauvais usage de sa liberté et son désir excessif de domination l'ont fait dévier de sa voie originelle et ont causé sa chute (selon Genèse 3). La Création, modelée et façonnée par Dieu comme par un potier (Genèse 20), souffre alors. La Terre

---

249  Lynn White Jr, professeur d'histoire en Californie (son père était professeur d'éthique chrétienne dans l'Église presbytérienne), a créé une large polémique en accusant les Écritures judéo-chrétiennes d'être à la source de la crise écologique contemporaine (asservissement et désacralisation de la nature). Il se base sur le mot *dominer* de Genèse 1,26 pour avancer son hypothèse. Selon la tradition chrétienne, Dieu aurait donné à l'homme tous les pouvoirs absolus et sans scrupule de domination sur la nature. Cf. *Science* (mars 1967), pp. 1203-1207. Carl Amery, Max Nicholson, Arnold Toynbee, Ian McHarg appuient sa thèse et déplorent la domination humaine sur la Création, au nom d'une doctrine qui espère éliminer l'animisme et le paganisme, au risque de désacraliser cette nature. Voici un exemple d'une telle lecture chosifiante du monde en faveur de l'homme qui croit que tout ce qui existe est à son service. C'est tiré de la patrologie: «Dieu a créé le monde pour l'homme et a soumis toute la création à l'homme, car il lui a donné un pouvoir absolu sur tout ce qui est sous le ciel.» (Pasteur d'Hermas)

250  De telles paroles dérangent nos oreilles de chrétiens habituées aujourd'hui à nous faire appeler «enfants de Dieu». Cette même expression revient aussi dans Hébreux 11, 13: «Ils étaient étrangers et voyageurs sur la Terre» et dans 1 Pierre 1, 17.

251  Cf. Exode 9,23; Deutéronome 10,14; Psaume 45,11; Isaïe 66, 1-2; 1 Corinthiens 10,26.

«gémit et dépérit» (Isaïe 24, 4-6) parce que dominée et violée. Le mal se répercute sur l'environnement. Le *jardin* se trouve mal gardé, mal protégé, mal conservé.

La Terre, qui était le «paradis», écope de la faute de l'humain. Elle commence, selon le récit sapientiel, à produire des ronces et des épines à cause du mal anthropique (Genèse 3, 17s). La végétation abondante et diversifiée, riche en arbres fruitiers n'a vu apparaître des plantes *méprisables, ennemies* que suite à la transgression (Isaïe 65, 22; Ézéchiel 17, 23 et 28, 24; Nombres 33, 55; Josué 23, 13; Amos 2, 9).

La transgression des êtres humains a entraîné le Déluge (il y a plus de 4000 ans) qui aurait englouti des territoires entiers. Tous les êtres vivants (hommes, bêtes, plantes) auraient disparu sauf ceux qui s'étaient réfugiés dans l'Arche construite par Noé (Genèse 6, 5-7, 24).

Osée proclame, dans le même ordre d'idées, une parole assez sévère due à la corruption générale de l'être humain qui affecte la Création. Les animaux de la Terre, du ciel et de la mer en souffrent. Des conséquences graves en résultent. C'est la mort des espèces: «Il n'y a ni fidélité ni amour, ni connaissance de Dieu dans le pays, mais parjure et mensonge, assassinat et vol, adultère et violence, et le sang versé succède au sang versé. Voilà pourquoi le pays en deuil et ses habitants dépérissent, jusqu'aux bêtes des champs et aux oiseaux du ciel, et même les poissons de la mer disparaîtront.» (Osée 4, 1-3; Cf. Isaïe 24, 4; Deutéronome 24, 21)

Pour souligner l'ingratitude du peuple, Isaïe a recours à une triste analogie: «Le bœuf connaît son possesseur, et l'âne la crèche de son maître, mon peuple ne connaît pas, ne comprend pas.» (1, 3) Les répercussions sont désastreuses sur l'entourage: «Votre pays est une désolation, vos villes sont la proie du feu, votre sol, sous vos yeux des étrangers le ravagent.» (1, 7)

## La nature vivante et agissante

Plusieurs passages du Premier Testament personnifient la nature, lui attribuent des actes de louanges, de chant ou de colère. La nature, œuvre de Dieu (Proverbes 3, 19-20; Jérémie 33, 25), rend témoignage du Divin. La mer gronde, la Terre exulte et prête l'oreille (Isaïe 1, 2), la campagne jubile et tout son fruit, tous les arbres de la forêt se réjouiront quand Yahvé viendra juger la Terre (1 Chroniques 16, 3-33; Psaume 96, 13). Les arbres reconnaîtront Yahvé (Ézéchiel 17, 24). Les montagnes écoutent la parole de Yahvé (Ézéchiel 36, 1) et crient de joie (Psaume 98, 8). Les cieux écoutent (Isaïe 1, 2), parlent et racontent la gloire de Dieu, le firmament annonce l'œuvre de ses mains, le jour au jour en publie le récit et la nuit à la nuit en transmet la connaissance (Psaume 20).

Le cosmos en entier louange Dieu dans le Psaume 148: le soleil, la lune, tous les astres de lumière, les cieux des cieux, les eaux de dessus les cieux, les monstres marins, tous les abîmes, le feu, la grêle, la neige, la brume, le vent d'ouragan, les montagnes, toutes les collines, les arbres fruitiers, tous les cèdres, les bêtes sauvages, le bétail, les reptiles, les oiseaux louent le nom de Yahvé[252].

Dieu se révèle dans les éléments de la nature: dans les coups de tonnerre, dans les éclairs et la nuée épaisse sur la montagne (Exode 19, 16) et aussi dans la brise légère (1 Rois 19, 12). L'ange de Yahvé apparaît dans le buisson ardent qui brûle et ne se consume pas (Exode 3, 2-5). La théophanie du Seigneur se manifeste aussi par la Terre qui s'ébranle et chancelle, par les montagnes qui frémissent (Psaume 18, 8), par les eaux de la mer qui se fendent, laissent passer à pied sec les Israélites, puis refluent et engloutissent l'armée égyptienne qui les pourchasse (Exode 14, 15-31). Ici, la nature devient la partenaire de l'être humain qui cherche à survivre. La nature participe activement à son salut.

L'eau, donnée en abondance, qui désaltère et rend la Terre fertile, est signe de bénédiction (Psaume 77, 15 et 64, 10; Sagesse 11,7). Toute la Création est vivante, créée avec sagesse par Yahvé. Sa bénédiction qui englobe tout est apparentée à un fleuve (Ecclésiastique 39, 22). Le psalmiste compare Dieu lui-même à un fleuve dont les bras réjouissent la cité (46, 5). À leur tour, les fleuves élèvent leurs voix avec fracas pour louanger la majesté du Seigneur (Psaume 93, 3), applaudissent (Psaume 98, 8), bénissent le Très-Haut (Daniel 3, 77). Le feu, un des éléments principaux de la nature, ne brûle pas Daniel ni ses trois frères jetés dans la fournaise (Daniel 3).

Plusieurs passages du Premier Testament intègrent Dieu dans les éléments de la Création, quoique différent d'elle, le comparent à la lumière. Il est lumière (Psaumes 18, 29 et 27, 1; Ecclésiastique 34, 20; Isaïe 60, 19; Michée 7, 8). Il fait lever sa lumière sur tous (Job 25, 3). Il se drape de la lumière comme d'un manteau (Psaume 104, 2). Il met sa lumière dans le cœur de ceux qui le vénèrent (Ecclésiastique 2, 10). Ses paroles sont une vraie lumière (Psaumes 119, 105 et 130). Sa loi est une incorruptible lumière (Sagesse 18, 4). La sagesse est un reflet de sa lumière éternelle (Sagesse 7, 26). Nous lisons dans le Psaume 36,10 qu'il est à l'origine de tout, qu'il

---

252　Cf. Apocalypse 5,13.

donne à voir la lumière: «En toi est la source de vie, par ta lumière, nous voyons la lumière.»

Ces nombreux passages ne permettent pas de considérer les éléments de la nature comme des objets inanimés. Ils sont conscients, vibrent de Vie, méritent donc d'être protégés et respectés.

## L'éthique environnementale

Le Lévitique 25 proclame une année sabbatique chaque sept ans pour la Terre. Plusieurs y ont lu une préfiguration du concept de développement durable, voire d'agriculture durable, une défense d'abuser ou d'exploiter d'une façon insatiable et avide les ressources de la Terre. Une *éthique de la Terre*, c'est-à-dire une relation respectueuse avec la nature, est recommandée: «Mais en la septième année, la terre aura son repos sabbatique, un sabbat pour Yahvé: tu n'ensemenceras pas ton champ et tu ne tailleras pas ta vigne, tu ne mois-sonneras pas tes épis, qui ne seront pas mis en gerbe, et tu ne vendangeras pas tes raisins, qui ne seront pas émondés. Ce sera pour la terre une année de repos. Le sabbat même de la terre vous nourrira.» (versets 4-6)

La culture suivait donc un certain cycle. Les champs, les vignes, les oli-viers étaient laissés en jachère durant une année. Les pauvres et les bêtes s'en nourrissaient librement durant cette septième année.

Le septième jour de chaque semaine, le bœuf, l'âne, le serviteur et l'étranger[253] se reposaient (Exode, 23, 10s; Lévitique 25, 1s; Deutéronome 5, 14). Les prémices des récoltes étaient offertes à Yahvé (Exode 22, 28; Lévitique 2, 14; Deutéronome 26, 1-15).

Un oracle dans le Deutéronome dicte à Moïse des avertissements en cas d'éloignement des prescriptions de Dieu. Si le respect du Créateur fait prospérer la Création, dans le cas contraire, le non-respect de l'auteur de la Création serait désastreux. Une rupture d'union avec le ciel aurait des ré-percussions défavorables sur le climat et la culture: «Assurément, si vous obéissez vraiment à mes commandements que je vous prescris aujourd'hui, aimant Yahvé votre Dieu et le servant de tout votre cœur et de toute votre âme, je donnerai à votre pays la pluie en son temps, pluie d'automne et pluie de printemps, tu pourras récolter ton froment, ton vin nouveau et ton huile, je donnerai à ton bétail de l'herbe dans la campagne, et tu man-geras et te rassasieras. Gardez-vous de laisser séduire votre cœur: vous vous fourvoieriez, vous serviriez d'autres dieux (ici l'argent, la cupidité...) et

---

253  C'est exactement dans cet ordre que sont présentés ceux qui doivent se reposer et reprendre leur souffle avec l'Israélite, au septième jour. Cet ordre est significatif. Le bœuf et l'âne passent *avant* les êtres humains (le serviteur, ou le fils de la servante, et l'étranger).

vous prosterneriez devant eux; et la colère de Yahvé s'enflammerait contre vous, il fermerait les cieux, il n'y aurait plus de pluie, la terre ne donnerait plus son fruit et vous péririez bientôt en cet heureux pays que Yahvé vous donne.» (11, 13-17)

Dans le Lévitique, Yahvé avertit Moïse: «La terre vomira» ceux qui transgressent ses lois (18, 27; 26, 19-34). On voit ici, encore une fois, un lien intrinsèque et d'interdépendance entre plusieurs composantes: le respect des décrets de Dieu, la vie de communion et d'alliance avec lui, les relations justes, le climat, la fertilité de la Terre (ici personnifiée), la quantité des récoltes, la paix et la joie de vivre. Ce verset nous enseigne, de plus, que la Terre n'est pas un objet inanimé, mais un être sensible qui peut «vomir» les «matières indigestes» (les êtres humains). Elle «gémit et dépérit» (Isaïe 24, 4-6), comme nous l'avons vu plus haut. Est-ce de simples métaphores ou une réalité à prendre au sérieux?

Si le fait de couper des arbres était accepté pour bâtir des temples et des maisons, le mauvais usage de cette coupé, motivé par l'orgueil, pour construire des forteresses aux tyrans, était proscrit (Habaquq 2, 19; 2 Rois 19, 23). En cas de guerre, il était strictement défendu d'abattre les arbres fruitiers des ennemis (Deutéronome 20, 19s), de polluer leur eau ou de nuire à leurs animaux.

Le respect des arbres a donné naissance, dans le langage mythique, à l'expression sacrée «arbre de vie», c'est-à-dire qui détient la connaissance (Genèse 2, 9 et 17). Cette métaphore revient souvent dans les Écritures. La sagesse est aussi considérée «arbre de vie». Est proclamé heureux celui qui la saisit (Proverbes 3, 18). Le fruit de l'homme juste, le «désir satisfait», la «langue apaisante» ou saine sont aussi apparentés à un «arbre de vie» (Proverbes 11, 30; 13, 12; 15, 4).

## La valeur intrinsèque des animaux

Nous lisons dans le récit de Genèse 1, 22-25 des versets qui relatent la création des animaux au cinquième et au début du sixième jour. Dieu «les bénit» et ajoute: «Soyez féconds, multipliez, emplissez l'eau des mers, et que les oiseaux multiplient sur la terre.» Il modèle de ses propres mains à partir «du sol toutes les bêtes sauvages et tous les oiseaux du ciel» (Genèse, 2, 19).

Dieu connaît les plus petits secrets des animaux qui sont l'*œuvre de ses mains*. Il en décrit avec minutie quelques-unes de leurs pratiques (Job, 39-41).

Une lecture attentive des trois premiers chapitres du livre de la Genèse, surtout des versets 1, 29-30, permet de constater qu'au début, les êtres humains et les animaux étaient végétariens. Dieu dit à Adam et Ève: «Je vous donne toutes les herbes portant semence, qui sont sur toute la surface de la terre, et tous les arbres qui ont des fruits portant semence: ce sera votre nourriture.» (v. 29) Puis il dit aux animaux: «À toutes les bêtes sauvages, à tous les oiseaux du ciel, à tout ce qui rampe sur la terre et qui est animé de vie, je donne pour nourriture toute verdure des plantes.» (v, 30) Ni les premiers humains, ni les premiers animaux ne tuaient pour se nourrir. C'était donc «la paix» entre les espèces. C'est seulement après le Déluge, dans le nouvel ordre du monde, que la *consommation* de la viande a été autorisée (Genèse 9, 1-5).

Au début, avant qu'Adam ne sombre dans le mal, même les animaux[254] venaient, pacifiques, vers lui pour recevoir un nom (Genèse 2, 19s). Ils possèdent une certaine sagesse, selon Jérémie 8, 7. Le psalmiste les fait participer à la louange du ciel (148, 10). Les bêtes et les troupeaux bénissent le Seigneur dans l'hymne de Daniel (3, 81). Les lions deviennent dociles près de lui dans la fosse (7, 23). Les corbeaux apportent du pain et de la nourriture, matin et soir, à Élie réfugié dans une grotte (1 Rois 17, 4-6).

Yahvé fait même *parler* l'ânesse de Balaam. Elle se défend et proteste parce que ce dernier l'a frappée: «Que t'ai-je fait pour que tu m'aies battue ainsi par trois fois?» (Nombres 22, 26-30) Elle explique qu'elle s'était couchée par respect pour l'Ange de Yahvé qu'elle a vu à proximité. Cet épisode des Écritures est particulièrement révélateur de l'acuité de la conscience des animaux et de leur relation révérencieuse avec le divin. Ils voient ce que l'être humain ne voit pas.

Selon l'auteur du livre de l'Ecclésiaste, les animaux ont été créés fondamentalement égaux aux hommes en nature et en dignité. Ils portent le même souffle de Dieu et partagent le même destin. Le parallélisme qui rapproche ces deux espèces est significatif et parlant en lui-même: «Le sort de l'homme et le sort de la bête sont un sort identique: comme meurt l'un, ainsi meurt l'autre, et c'est un même souffle qu'ils ont tous les deux. La supériorité de l'homme sur la bête est nulle.» (3, 19; Cf. Psaume 49, 13; Exode 11, 5) Plusieurs ne désirent pas entendre de tels propos. Ils enterrent un tel discours.

Le psalmiste recourt, sans gêne aucune, aux animaux pour illustrer notre soif de Dieu: celui qui désire Yahvé ressemble à la biche qui court vers un point d'eau (42, 2), le peuple est comparé à un troupeau fidèle et reconnaissant envers son maître (79, 13). Dans sa prière de bénédiction prononcée

---

254    Du latin *animalis* (être vivant). Aussi du grec *zôa* qui veut dire *vivre*, d'où zoo, zoologique.

sur ses fils avant de mourir, Jacob compare, sans arrière-pensée péjorative, Juda à un jeune lion, Issachar à un âne robuste, Dan à un serpent, Nephtali à une biche rapide, Benjamin à un loup rapace (Genèse 49, 8-27). L'auteur des Proverbes énumère et loue le savoir-faire et le bon sens de quatre bêtes minuscules «sages entre les sages» (30, 24-28).

Le geste spontané que fait Rébecca, celui d'abreuver d'eau les chameaux assoiffés d'Isaac, lui valut la considération (Genèse 24, 19-21). De son côté, le livre du Lévitique, qui veut retenir la brutalité de l'être humain, lui défend de tuer une bête: «Qui frappe un animal en doit donner la compensation: vie pour vie.» (24, 18)

Le livre de l'Exode, qui décrit la sortie des juifs d'Égypte, nous les montre suivis de leurs animaux. Quand l'eau a manqué, au désert, ils pensaient autant abreuver leurs troupeaux que s'abreuver eux-mêmes (17, 3).

## Les animaux écopent

Le désir de domination et d'appropriation de l'homo sapiens, qui se croit toujours supérieur aux animaux et plus intelligent qu'eux, le pousse à les assujettir ainsi que tout ce qui l'entoure. En refusant l'interdépendance harmonieuse avec Dieu, la nature et l'autre, l'être humain a dû se battre contre les animaux sauvages (Genèse 9; Job 38s). Il a pris à la lettre ce verset écrit à une époque où il devait se frayer un chemin dans la jungle et établir un habitat sécuritaire parmi la faune: «Soyez la crainte et l'effroi de tous les animaux de la terre et de tous les animaux du ciel, comme de tout ce dont la terre fourmille...» (Genèse 9, 2-4) Ces versets, remis dans leur contexte, ne peuvent jamais être pris comme une permission donnée à l'être humain d'en abuser. Ils étaient prononcés au moment précis où les animaux, qui ont survécu au Déluge, sortaient de l'arche, sauvés expressément et soigneusement par la providence de Yahvé. Il ne peut être question de les effrayer alors que toutes les mesures venaient d'être minutieusement prises pour qu'ils soient épargnés.

Néanmoins, une hostilité est née entre les êtres humains et le monde animalier. Le psautier en fournit de nombreux exemples: le lion, les buffles sont apparentés au monstre et aux puissances maléfiques (Psaume 91, 13; 22, 13-14; 21-22). Les hiboux, les chacals et les hyènes abondent dans les villes détruites (Isaïe 13, 21-22; Jérémie 9, 9). Le dragon, symbole personnifié des forces maléfiques, sera tué par Yahvé le jour du jugement, selon la vision des fins dernières d'Isaïe (27, 1).

Toutefois, malgré cette animosité, une réconciliation cosmique est annoncée. Isaïe décrit une communauté de vie entre les espèces: «Le loup habitera avec l'agneau, la panthère se couchera avec le chevreau. Le veau, le lionceau et la bête grasse iront ensemble, conduits par un petit garçon. La vache et l'ourse paîtront, ensemble se coucheront leurs petits. Le lion comme le bœuf mangera de la paille. Le nourrisson jouera sur le repaire de l'aspic, sur le trou de la vipère le jeune enfant mettra la main. On ne fera plus de mal ni de violence sur toute ma montagne sainte, car le pays sera rempli de la connaissance de Yahvé comme les eaux couvrent le fond de la mer.» (11, 6-9; 65, 25; cf. Ézéchiel 34, 24) La connaissance de Dieu efface donc tout mal et instaure la paix, y compris entre les animaux les plus adverses.

Un détail intéressant dans le livre de Jonas (3, 7) appuie la thèse de la solidarité entre les êtres humains et les animaux. Advenant une calamité et en guise de pénitence publique, les habitants d'une région faisaient également jeûner tous les animaux avec eux. Dans cet exemple, Ninive fut épargnée par Yahvé à cause, entre autres, de son empathie pour les milliers d'animaux qui y vivaient (4, 11).

## L'éthique envers les animaux

Le livre de l'Exode prescrit de bien traiter les animaux, de les laisser reposer chaque septième jour (23, 12), de ramener à l'ennemi son bœuf ou son âne qui vaguent, et d'aider même l'adversaire qui allège la charge de son âne tombé sous son poids (23, 4-5).

Le livre du Deutéronome, qui exige le respect des animaux, recommande de recueillir un animal qui vagabonde et de le reconduire chez son propriétaire (22, 1-2), d'aider à relever un âne ou un bœuf tombés en chemin (22, 4), de ne pas capturer la mère des oiseaux pris dans leur nid (22, 6-7), de ne pas museler «le bœuf quand il foule le grain» (25, 4).

Le livre des Proverbes stipule: «Le juste prend soin de la vie de ses bêtes.» (12, 10) D'après le récit de Noé (vu plus haut), qui relate le déchaînement de la nature à cause de la transgression de l'alliance, des animaux furent soucieusement écartés du Déluge (Genèse 6, 5). Le pacte établi par la suite les *inclut*. Cette alliance comprend autant les animaux, expressément nommés, que les personnes: «Voici que je conclus mon alliance avec vous et avec vos descendants et avec tous les êtres animés qui sont avec vous: oiseaux, bestiaux, toutes bêtes sauvages, bref tout ce qui est sorti de l'Arche, tous les animaux de la terre.» (Genèse 9, 8-11; cf. Osée 2, 18-20) Ce nouveau pacte ou *ordre du monde* ne peut tolérer de violence envers eux.

Dieu continue de s'occuper de la Terre et des êtres vivants, leur fournit nourriture et abri (Psaume 84, 4; Isaïe 43, 20). Il tient à la conservation de *toutes* les espèces. La Création entière, y compris les animaux, porte sa signature, révèle sa gloire, sa présence, sa beauté, son amour, sa sagesse.

La pratique de sacrifice d'animaux, répandue dans différentes civilisations anciennes, s'est introduite chez les Hébreux. Ce rite «sanglant» servait principalement à expier des péchés (Lévitique 21, 6-17), à sceller une alliance avec la divinité (Exode 23, 15; Deutéronome 16, 16) ou à l'honorer (Genèse 4, 3-4). Après l'exil, ces gestes sacrificiels devinrent superflus. Les prophètes insistèrent davantage sur la miséricorde gratuite de Yahvé qui n'a pas besoin de sacrifice mais de conversion pour se réconcilier (Isaïe 55, 7 et 58, 6-9; Daniel 4, 27; Proverbes 21,3).

## L'abus de l'homme et la revanche de la Création

Les Écritures, constituées d'histoires de vies humaines en lien avec le Créateur, nous relatent, déjà à l'époque, des scènes d'abus envers l'environnement. L'insatisfaction et l'ingratitude de l'agir humain qui détruit la nature répugnent à Dieu: «Non contents de paître dans de bons pâturages, vous foulez aux pieds le reste de votre pâturage; non contents de boire une eau limpide, vous troublez le reste avec vos pieds. Et mes brebis doivent brouter ce que vos pieds ont foulé et boire ce que vos pieds ont troublé.» (Ézéchiel 34, 18-19)

Avec la violation des décrets, la Terre ne produit plus: «La terre est en deuil, elle dépérit, le monde s'étiole, il dépérit, l'élite du peuple de la terre s'étiole. La terre est profanée sous les pieds de ses habitants, car ils ont transgressé les lois.» (Isaïe 24, 1-13) L'étalement urbain, la surexploitation de la Terre et l'accumulation de richesses ne sont pas, non plus, favorables pour Dieu: «Malheur à ceux qui ajoutent maison à maison, qui joignent champ à champ jusqu'à ne plus laisser de place et rester seuls habitants au milieu du pays.» (Isaïe 5, 8)

Un extrait de Job stipule que si nous parlions à la Terre, elle nous enseignerait (12, 8). Il décrit, avec un langage actuel, la mainmise aveugle de l'homme sur la nature qu'il exploite, creuse, gère déjà comme nos grands industriels et explorateurs de matières premières d'aujourd'hui qui visent une expansion sans limites et sans respect des ressources: «Il existe pour l'argent, des mines, pour l'or, un lieu où on l'épure. Le fer est tiré du sol, la pierre fondue livre du cuivre. On met fin aux ténèbres, on fouille jusqu'à l'extrême limite la pierre obscure et sombre. Des étrangers percent les ravins en des lieux non fréquentés, et ils oscillent suspendus loin des humains. La terre d'où sort le pain est ravagée en dessous par le feu. Là, les pierres sont le gisement du saphir, et aussi des parcelles d'or... L'homme s'attaque au silex, il bouleverse les montagnes dans leurs racines. Dans les roches il perce des canaux, l'œil ouvert sur tout objet précieux. Il explore les sources des fleuves, amène au jour ce qui reste caché.» (28, 1s)

Ce même auteur nous avise des méfaits de ces activités exponentielles sauvages qui peuvent contraindre Dieu à «ravager» la Terre par différents moyens: «Quand Dieu arrête les eaux, c'est la sécheresse.» (12, 15) Le châtiment par l'eau revient aussi dans Isaïe: «Le Seigneur va ôter à Jérusalem... toute réserve d'eau.» (3, 1)

## Le soin permanent de Dieu pour sa Création

Dieu n'est pas un «ravageur». Il a façonné la Terre avec amour et miséricorde. Il triomphe du chaos (Psaumes 74, 12-17; 89, 10-15; 104). Il est «l'Artisan», la «source même de la beauté» qui a créé tous les éléments de l'univers (Sagesse 13, 3-5). Il les a disposés «avec mesure, nombre et poids» (Sagesse 11, 20). Fidèle à lui-même, il continue d'une façon permanente de s'y engager et de veiller sur elle (Psaumes 8, 65 et 104; Job 38s, ). Ses yeux sont attentifs et scrutent le monde (Psaume 11, 4-6). Sa protection est un rempart (Psaume 46). C'est lui qui gouverne les peuples et conduit les nations (Psaume 67, 15; 96, 13). Il tient en mains les destinées (Psaume 16, 5). L'espoir du monde s'est réfugié sur un bateau que sa main a gouverné (Sagesse 14, 6, en référence à l'Arche de Noé).

Il «maintient le monde» (1 Chroniques 16, 30). Il met une limite à ne pas franchir aux eaux, veille sur la continuité et l'équilibre de la vie (Psaume 104). Il sauvegarde tous les éléments de sa Création: «Tu épargnes tout parce que tout est à Toi, Maître ami de la vie.» (Sagesse 11, 26)

Il fait jaillir les fleuves, les sources, les arbres pour son peuple (Isaïe 41, 18-20). Il veille sur les mouvements des flots (Jérémie 5, 22; Proverbes 8, 29) et des saisons en vue du maintien de la vie (Genèse 8, 22; Jérémie 31, 35; Psaume 74, 16). Il est puissant et protège son œuvre (Isaïe 45, 9; Psaume 146, 5). Il secourt «l'homme et le bétail» (Psaumes 36, 7; 104, 13-14), donne en son temps leur manger aux animaux petits et grands (Deutéronome 11, 15).

La Terre idéale, celle promise, est féconde, fidèle partenaire de l'homo sapiens qui la respecte. Près du torrent, croissent «toutes sortes d'arbres fruitiers dont le feuillage ne se flétrira pas et dont les fruits ne cesseront pas; ils produiront chaque mois des fruits nouveaux... Les fruits seront une nourriture et les feuilles, un remède.» (Jérémie 47, 12)

L'abondance des biens et des ressources sont signes de la faveur de Dieu et de la Paix établie entre lui, l'humanité et tous les éléments de la Création:

«Les montagnes dégoutteront de vin nouveau, les collines ruisselleront de lait.» (Joël, 4, 18; cf. Amos 9, 13-15; Isaïe 43, 18-21) La vipère, rendue inoffensive, couchera près du nourrisson (Isaïe 11, 6).

Dieu, maître de l'histoire et du temps, dirige la Création patiemment vers un ordre délivré de tout mal, vers «de nouveaux cieux et une nouvelle terre» (Isaïe 65, 17s; Cf. 55, 12-13). Sa miséricorde ne veut plus submerger la Terre comme lors du Déluge (Isaïe 54, 9).

La Création, reconnue œuvre de Dieu (Psaumes 33, 104, 135, 136, Isaïe 44, 24-25), don de Dieu, qui ne peut exister sans Dieu, s'unit à l'être humain pour chanter ses louanges (Daniel 3, 52-90; Psaumes 8, 19, 104, 145, 148, 149, 150). Le Créateur y demeure présent. Sa loi y est inscrite. En la respectant, la paix régnera sur la Terre et les Vivants.

Comme Dieu s'occupe fidèlement (Psaume 144, 13; Isaïe 49, 7) de sa Création, l'être humain est invité à *s'en occuper aussi*. Il doit la préserver dans tous ses éléments. Il doit penser également à ses semblables. Ruiner la nature, ne pas laisser à l'*autre* un environnement sain où il pourrait y trouver sa subsistance, c'est l'équivalent de le ruiner et de le tuer (Ecclésiastique 34, 21-22).

Ce que l'humain fait à la nature, c'est à lui-même et à ses semblables qu'il le fait. S'il pollue et ravage son habitat, il en assumera les conséquences. Qu'il ne s'attende pas à ce qu'une force invisible répare ses dégâts, même si rien n'est impossible dans la foi. Si lui même ne respecte pas d'une façon responsable ses engagements de protecteur, d'intendant et de bon gestionnaire de son environnement, qu'il n'accuse personne d'autre de ce qui s'ensuivra.

# B - Deuxième Testament

## Jésus assume et divinise la Création

Si dans le Premier Testament l'être humain, placé au milieu de la nature, échoue et n'arrive pas à être le «gardien de la Terre», dans le Deuxième, le Christ incarné, devenu *Seigneur du* cosmos *(pantôn),* de *toute vie créée* (Jean 1, 1-3; Éphésiens 1, 10 et 19-23; Hébreux 1, 3a; Colossiens 1, 15-23[255]), assume et corrige la faiblesse de l'être humain. La dégradation de la Création, incluant «toutes choses», «toute vie créée», est prise en charge par le Rédempteur. Le *Verbe fait chair* (Jean 1, 14) divinise la Création entière, «Il remplit tout l'univers» (Éphésiens 1, 23).

---

[255] Le langage *cosmique* est à souligner dans ces extraits. Il est question à plusieurs reprises, et clairement, de la *totalité* du cosmos, incluant *tous* les éléments: «*Tout* fut par lui», «il soutient *l'univers*», «*toutes* choses», «*tout* a été créé par lui et pour lui», «*tout* subsiste en lui».

Le discours n'est plus «utopique» mais actuel et réaliste. Il s'intériorise davantage et va à l'essentiel. L'être humain devient «collaborateur de Dieu» (1 Corinthiens 3, 9; cf. 1 Thessaloniciens 3, 2), cocréateur, intendant et citoyen, pas seulement d'un jardin, mais du *Royaume* de Dieu établi par le Christ incarné. Royaume de paix, de convivialité, de justice, de compassion, de partage. Royaume cosmique dont «toutes choses», c'est-à-dire *tous* les éléments minéraux, végétaux, animaux, bénéficient de l'œuvre de régénération christique. Royaume de réconciliation qui inclut *toute* la Création. Royaume récapitulé dans le Christ qui fait *toute chose nouvelle* (2 Corinthiens 5, 17-19; Galates 6, 15; Apocalypse 21, 5).

Dans le Deuxième Testament, le Christ, fondamentalement associé à son Père, est lui-même créateur de *toutes choses* (1 Corinthiens 8, 6; Colossiens 1, 16; Hébreux 1, 2 et 2, 10). Il recrée, inaugure une *Création nouvelle* dans laquelle sont inclus l'humanité et *tous* les éléments renouvelés (Éphésiens 1, 22s; 2, 15; Colossiens 1, 18). Il annonce une année de grâce (Luc 4, 18-19). Il est lui-même réconciliation et grâce. Le Royaume, désormais «parmi nous» (Luc 17, 21), ne connaîtra plus de souffrance (Matthieu 11, 5), plus de mort (Luc 20, 36), plus de deuil (Marc 2, 19). Nous lisons dans l'évangile de Jean que Dieu aime tellement le monde qu'il a envoyé son Fils unique (3, 16-19) afin qu'il accomplisse l'œuvre de re-génération. L'œuvre d'amour du Père est donc confiée au Fils qui l'aime autant et tellement jusqu'à s'offrir pour elle.

Depuis l'incarnation du Christ qui a participé à la création du monde (cf. Jean 1, 1-10; Proverbes 8, 27-31), Dieu n'est plus transcendant. Il est certes distinct de la Création, mais il l'assume et l'endosse. Il *habite* désormais le cosmos. Depuis la rédemption, toute chose porte la signature du Christ, la marque de sa grâce. La nature renouvelée devient l'image et la face de Dieu. Les paysages reflètent le visage et la beauté de Dieu. Le sol, l'eau, l'air, la végétation, les animaux, les êtres humains sont sanctifiés par la venue du Christ, *Nouvel Adam* (Romains 5, 12; 1 Corinthiens 15, 22).

Un authentique chrétien ne peut donc porter atteinte à la Création sans porter atteinte au Christ lui-même, laquelle Création est créée par le Père, pour le Fils, dans l'Esprit. Création devenue partie intégrante du Corps mystique ressuscité du Christ.

Si dans le Premier Testament, l'Esprit flotte sur les eaux, sur la Création, dans le Deuxième Testament, depuis la Pentecôte, l'Esprit pénètre la Création, fait vibrer et vivre «toutes choses». Les relations avec Dieu et avec le cosmos, aussi celles inter et intrapersonnelles, sont dès lors purifiées et renouvelées (2 Corinthiens 5, 15) par et dans le Christ.

Jésus a enseigné le plus grand commandement: la charité. La tradition y inclut, selon la lecture paulinienne, la charité envers soi, envers l'autre, envers Dieu et *envers le cosmos*. Si l'un de ces quatre destinataires venait à manquer, il y aurait, selon le christianisme, un dysfonctionnement grave. Or, polluer le sol, l'eau, l'air, épuiser par cupidité (1 Corinthiens 5, 11 et 6, 10) les ressources minérales, végétales, animales, contribuer à la disparition des espèces, c'est manquer au précepte fondamental de charité et nuire à soi, à l'autre, à Dieu et au cosmos. C'est participer à la détérioration de sa santé et de sa qualité de vie ainsi que de celles des générations futures. C'est nuire au Corps mystique du Christ.

## Jésus et les éléments de la nature

Un parcours des récits évangéliques nous montre que le Christ a vécu, tout au long de sa vie terrestre, *en intimité et en constant contact harmonieux avec les éléments de la nature qu'il a créés, assumés et intégrés à son Corps mystique.* Il est né dans une grotte. Il a été déposé dans une mangeoire à bestiaux. Des éléments précieux, comme l'or, l'encens, la myrrhe, tirés de la nature, lui ont été offerts pour lui rendre hommage (Matthieu 2, 11). Il a été baptisé dans un fleuve[256]. Il a travaillé le bois, selon la tradition de son père (Matthieu 13, 55; Marc 6, 3; Luc 4, 22). Il a voyagé, parcourant des centaines de kilomètres, à pied. Il a connu la rudesse du désert (Matthieu 4, 1; Marc 1, 12; Luc 4, 1), la morsure du froid, de la sueur, de la fatigue (Jean 4, 6 et Marc 4, 37), de la soif (Jean 4, 7 et 19, 28), de la faim (Matthieu 4, 2 et Marc 11, 12). Il a couché dans des parcs publics (le Jardin des Oliviers). Il s'est baigné dans des cours d'eau (le Jourdain, le lac de Galilée) et a participé à des pratiques de pêche avec ses apôtres (Luc 5, 4-11; Jean 21, 6-8). Il a transformé l'eau en vin à Cana (Jean 2, 1-11).

Il a donné de l'eau *vive* (plus que pure) à la Samaritaine (Jean 4, 10-11). Il a escaladé des montagnes pour enseigner (Matthieu 5, 1 et Luc 6, 17). Les éléments de la nature lui obéissaient. Il a calmé les intempéries de la mer et des vents (Luc 8, 22-25 et Matthieu 8, 27). Il a multiplié à deux reprises le pain et le poisson (Matthieu 14, 13-21 et 15, 32-58; Marc 6, 31-44 et 8, 1-9; Luc 9, 10-17; Jean 6, 1-15). Il a comparé l'Esprit au vent

---

256  Le Jourdain, qui est un haut site de pèlerinage, est aujourd'hui extrêmement pollué (par les égouts et les déchets agricoles) dans sa partie basse, sur une longueur de près de 100 km, entre la mer de Galilée et la mer Morte. Il a été déclaré site patrimonial culturel mondial en danger par le World Monuments Fund (WMF). 90% de son flot naturel a été dévié à des fins domestiques et agricoles. Des organismes désirent sauvegarder ce site historique significatif.

qui souffle où il veut (Jean 3, 8). Il a déclaré tous les aliments purs (Marc 7, 19). Il a pris de la boue pour guérir l'aveugle (Jean 9, 6). Il a choisi le mûrier comme défi pour la foi du croyant (Matthieu 17, 20 et Luc 17, 6). Il a défendu que l'on jure, en guise de respect, par la Terre qu'il appelle «l'escabeau des pieds de Dieu» (Matthieu 5, 35; cf. Actes 7, 49 et Isaïe 66, 1). Il a annoncé dans les Béatitudes *Heureux les doux, les pauvres, car ils posséderont la Terre, le Royaume est à eux* (Matthieu 5, 3-11 et Luc 6, 20). Il a été couronné d'*épines* qui sont le fruit du péché de l'homme selon l'Ancien Testament (Matthieu 27, 29; Marc 15, 17; Jean 19, 2; Cf. Genèse 3, 17s). Il est mort sur le bois d'un arbre et s'est retrouvé enseveli dans un suaire en lin puis mis dans une grotte qui lui a servi de tombe. Avec sa résurrection, il a ressuscité le cosmos.

Il s'est inspiré des éléments de son environnement pour alimenter ses paraboles. En voici quelques exemples: le figuier stérile (Matthieu 21, 10-19; Marc 11, 12-18; Luc 19, 45-48); les greniers de blé (Luc 12, 16-21); la terre qui produit du blé plein d'épis (Marc 4, 28); le grain de blé qui meurt (Jean 12, 24); les balles de blé consumées (Matthieu 3, 12; Luc 3, 17); l'ivraie en bottes à consumer (Matthieu 13, 30); les épis arrachés le jour du sabbat (Matthieu 12, 1-2; Marc 2, 23-24; Luc 6, 1-2); les épines et les ronces (Luc 12, 16-21); le labeur du paysan (Matthieu 4, 3); l'impossibilité d'augmenter sa taille (Matthieu 6, 27); l'impossibilité de changer un cheveu noir ou blanc (Matthieu 5, 36); les lis des champs mieux vêtus que Salomon (Matthieu 6, 26-31); les perles et les pourceaux (Matthieu 7, 6); le bon berger (Jean 10, 1-21); la semence du blé, de l'ivraie, du grain de moutarde et le levain (Matthieu 13, 1-52; Marc 4, 1-36; Luc 8, 4-18); la tour à bâtir (Luc 14, 28-33); la perle précieuse (Matthieu 13, 44-46); l'or du sanctuaire (Matthieu 23, 16-17); les ouvriers de la vigne (Matthieu 20, 1-16); le bon arbre qui donne de bons fruits (Matthieu 7, 15-18; Luc 6, 43-44); le cheveu qui tombe et qui est compté (Luc 21, 18; Matthieu 10, 30); la façon de faire le pain (Matthieu 13, 33); le feu qui représente la géhenne (Matthieu 18, 8); le filet du jour du jugement et du Royaume des cieux (Luc 21, 35 et Matthieu 13, 47-50); le fruit qui arrive après l'accueil de la Parole (Matthieu 13, 8 et 23; cf. Jean 15, 8; Matthieu 21, 43); l'homme qui ne vit pas seulement de pain (Matthieu 4, 4; Luc 6, 3-4); la maison qu'on bâtit sur le roc (Matthieu 7, 24-27; Luc 6, 47-49); la pierre au cou (Matthieu 18, 6); le vin nouveau et le vêtement nouveau (Marc 2, 18-22); la pluie de feu et de soufre sur Sodome (Luc 17, 29); la moisson puis les justes qui resplendiront comme le soleil dans le Royaume (Matthieu 13, 43); les ténèbres où quelques-uns seront jetés (Matthieu 22, 13; 25, 30); un seul troupeau et un seul berger (Jean 10, 11-16).

Il était sensible aux conditions météorologiques et climatiques de son époque. Il a référé ses auditeurs au soleil qui se lève et à la pluie qui tombe sur les bons et les méchants (Matthieu 5, 45), à l'éclair (Matthieu 24, 27), à la couleur des nuages et au vent du sud (Luc 12, 54-55). Il a cité l'exemple des feuilles du figuier qui repoussent, annonçant le printemps (Marc 13, 28), l'exemple des récoltes de la Terre qui rapportent et qu'il faut placer au grenier (Luc 12, 16-21). Il a comparé le doute aux rayons de soleil qui font sécher la graine fraîchement mise en terre (Matthieu 13, 6; Marc 4, 6; Luc 8, 6). Peu avant l'avènement du Fils de l'homme, «le soleil s'obscurcira, la lune ne donnera plus sa lumière, les étoiles tomberont du ciel, et les puissances des cieux seront ébranlées» (Matthieu 24, 29; Marc 13, 24-27; Luc 21, 25-27).

Il a fait participer, dans quelques cas particuliers, des éléments de la nature à l'œuvre de guérison d'êtres humains: le contact avec la boue manipulée par Jésus, en y ajoutant sa salive, a guéri l'aveugle de naissance (Jean 9, 6). Dans deux autres situations, le contact avec sa salive a guéri un sourd-muet puis un aveugle (Marc 7, 33-34; 8, 23). Les disciples «guérissaient beaucoup de malades en les frottant avec de l'huile» (Marc 6, 13; Cf. Jacques 5, 14s). L'eau *vive* que donne Jésus devient, en la personne qui la reçoit, source pour la vie éternelle (Jean 4, 14), de son sein couleront des fleuves d'eau *vive* (Jean 7, 38). Mentionnons également l'eau guérisseuse qui bouillonne dans la piscine (Jean 5, 7), l'eau du Baptême qui régénère et purifie (Jean 1, 25-28 et 33). De plus, le fait de communier au pain de vie (produit de la Terre incluant le cosmos) et à la coupe de salut (fruit de la vigne incluant le cosmos) accorde, selon les paroles des Écritures, la vie éternelle au sujet croyant (Jean 6, 26-59).

Il s'est *identifié* lui-même à plusieurs éléments de la nature en répétant solennellement à chaque fois: «Je suis...»

- «Je suis le pain de vie» (Jean 6, 26-59), aliment de base de tous les êtres humains;
- «Ceci est mon sang» (Matthieu 26, 27-28; Marc 14, 23-24; Luc 22, 20), il a transformé le fruit de la vigne en son sang;
- «Je suis la lumière du monde» (Jean 8, 12);
- «Je suis la vigne; vous, les sarments» (Jean 15, 1-8);
- «Je suis le chemin» (Jean 14, 6);
- «Je suis la Vie» (Jean 14, 6).

Il a *identifié* aussi ses disciples au sel de la Terre et à la lumière du monde (Matthieu 5, 13-16; Marc 9, 49-50; Luc 14, 34-35), les invitant à faire ressortir le goût de la vie, à ajouter de la saveur à la société et à briller de *sa* lumière pour éclairer les coins sombres de leur entourage. C'est un témoignage à livrer par les actes et par l'*être* plutôt que par les paroles vaines.

Tout au long de ses trois heures d'agonie sur la Croix, en plein jour, de la sixième à la neuvième heure, c'est-à-dire de midi à trois heures, «l'obscurité se fit sur la Terre entière» (Matthieu 27, 45; Marc 15, 33; Luc 23, 44). Au moment de sa mort, «la Terre trembla, les rochers se fendirent...» (Matthieu 27, 51). Le cosmos était en union, en communion avec la passion de son Créateur.

## Jésus et les animaux

La littérature néotestamentaire a désigné Jésus, de son vivant, «Agneau de Dieu qui ôte le péché du monde» (Jean 1, 29). Selon le livre de l'Apocalypse, il règne sur son trône sous l'apparence d'un Agneau égorgé dont les plaies sont cicatrisées (5, 6 et 25 autres références similaires). Son cousin Jean se nourrissait de sauterelles (Matthieu 3, 4; Marc 1, 6). À son baptême dans le Jourdain, l'Esprit de Dieu descendit sur lui sous la forme d'une colombe (Matthieu 3, 16; Marc 1, 10; Luc 3, 22; Jean 1, 32).

Les animaux, le bœuf, l'âne, les moutons, furent les premiers êtres vivants à l'accueillir dans la «mangeoire» et à le réchauffer dans la crèche à sa naissance, selon la tradition. C'est sur un âne qu'il aurait voyagé, enfant, en Égypte, selon l'iconographie traditionnelle. Un couple de tourterelles ou deux jeunes colombes ont été offerts au temple par ses parents après sa naissance (Luc 2, 24).

Il rappelle à ses auditeurs l'épisode de Jonas dans le ventre de la baleine (Matthieu 12, 39-41). Il prévient ses apôtres: «Je vous envoie agneaux au milieu des loups.» (Matthieu 10, 16) Il compare ceux qui le suivent à des agneaux qu'il faut paître: «Simon, pais mes agneaux.» (Jean 21, 15)

Lors d'une de ses visites au temple, il fut indigné par la vente de bœufs, de moutons et de pigeons, traités comme une marchandise, réservés à l'immolation. Il en chassa les vendeurs, libéra les animaux en criant: «Enlevez cela d'ici! Ne faites pas de la maison de mon Père une maison de commerce (ou de brigands, selon d'autres traductions)!» (Jean 2, 16; Matthieu 21, 13; Marc 11, 17; Luc 19, 46)

Il choisit, en outre, de faire son entrée messianique à Jérusalem sur un ânon (Matthieu 21, 2-7; Marc 11, 2-7; Luc 19, 30-35; Jean 12, 14-15).

Les récits évangéliques mentionnent plus d'une quarantaine d'*animaux* que Jésus aurait cités ou utilisés pour transmettre son enseignement. Ces multiples références prouvent la proximité des animaux dans la conscience de Jésus. En voici quelques exemples: attristé devant Jérusalem qui ne l'accueille pas, il s'est comparé lui-même à une poule qui ne désire que rassembler et protéger ses poussins sous ses ailes (Matthieu 23, 37); il a donné la métaphore du pasteur qui quitte 99 moutons pour aller chercher la brebis perdue et la ramener sur son épaule (Luc 15, 1; cf. Matthieu 9, 36); il renvoie aux nids des oiseaux (Matthieu 8, 20; Luc 9, 58), à leur refuge dans les branches des arbres (Matthieu 13, 32; Marc 4, 32; Luc 13, 19), aux vautours autour du cadavre (Matthieu 24, 28; Luc 17, 37).

Il propose l'abandon à la providence par la méditation sur la vie des oiseaux qui est aussi précieuse que celle des humains. Cette figure indique que le Père veille sur leurs besoins et les nourrit (Matthieu 6, 25-34). Il cite l'exemple du bœuf qui tombe dans le puits, qu'il faut secourir d'urgence, même le jour du sabbat (Luc 14, 1-24). Il annonce que le Fils de l'homme placera les brebis à sa droite et les boucs à sa gauche (Matthieu 25, 32-33). Il prédit le chant du coq lors de la trahison de Pierre (Matthieu 26, 34; Marc 14, 31; Luc 22, 34; Jean 13, 38). Il compare Hérode à un renard (Luc 13, 32). Les prêtres sont appelés «engeance de vipères» par Jésus (Matthieu 23, 33). Le chien est pris de pitié et lèche les plaies de Lazare (Luc 16, 19-31). Les guides aveugles filtrent les moucherons mais avalent le chameau (Matthieu 23, 24). Le mauvais riche est assimilé au chameau qui ne peut passer par le trou d'une aiguille (Matthieu 19, 24; Marc 10, 25; Luc 18, 25). Les mites ni les vers ne peuvent nuire au trésor du ciel (Matthieu 6, 19-20; Luc 12, 33).

## Profusion d'éléments de la nature et d'animaux dans les Épîtres et les Actes

Les apôtres ont également utilisé des images «vertes» empruntées aux règnes minéral, végétal, animal et cosmique pour exprimer leur pensée éveillée à la nature par l'Esprit. Ils ont reconnu dans la Vie qui les entoure, sous différentes formes, le reflet de Dieu, sa trace sacrée, sa sagesse, principe qui anime *toutes* choses. Paul affirmera aux Athéniens: «En Lui, nous avons la vie, le mouvement et l'être.» (Actes 17, 28)

Des figures reliées à la nature nous renseignent sur le degré d'union de ces apôtres à l'univers. Ce langage vert témoigne de leur écoute et accueil de *tous* les éléments de la Création à laquelle ils sont intimement intégrés. Je ne qualifierais pas ce discours de poétique dans le sens d'esthétique ou d'exploration de l'imaginaire, car ce ne l'est pas. C'est plutôt le discours d'âmes éveillées, en communion avec le monde, qui saisissent et contemplent, en toutes circonstances, en toutes choses, l'empreinte divine.

Voilà quelques exemples de leur intelligence du cosmos en un premier temps, puis de notre interrelation ou interdépendance en un deuxième temps:

- notre cité est dans les cieux (Philippiens 3, 20-21); ne jurez ni par le ciel ni par la terre (Jacques 5, 12); il est descendu et monté des cieux (Hébreux 12, 23); autant de descendants que d'étoiles dans le ciel (Hébreux 11, 12); il nous fait asseoir aux cieux (Éphésiens 2, 6); autre l'éclat de la lune, autre l'éclat des étoiles (1 Corinthiens 15, 41); au jour de Dieu les cieux enflammés se dissoudront et les éléments embrasés se fondront (2 Pierre 3, 7, 11-12); la terre et les cieux sont l'œuvre de tes mains (Hébreux 1, 10); qui hésite ressemble au flot de la mer, agitée par le vent (Jacques 1, 6); une descendance comparable aux grains de sable de la mer (Hébreux 11, 12); un figuier ne peut produire des olives (Jacques 3, 9-12); comme la terre boit, la pluie produit du fruit (Hébreux 6, 17); le cultivateur attend le fruit de la terre jusqu'aux pluies (Jacques 5, 7); Dieu dispense du ciel pluies et saisons fertiles rassasiant vos cœurs de nourriture et de félicité (Actes 14, 17); que votre langage soit assaisonné de sel (Colossiens 4, 6); une eau salée ne peut produire de l'eau douce (Jacques 3, 10-12); que le soleil ne se couche pas sur votre irritation (Éphésiens 4, 26); la terre est au Seigneur et tout ce qui la remplit (1 Corinthiens 10, 26);
- nous sommes membres les uns des autres (Éphésiens 5, 30; 4, 25); à plusieurs nous sommes un seul corps en Christ (Romains 12, 4-5; 1 Corinthiens 6, 15; 12, 12-27); puisqu'il n'y a qu'un pain, à nous tous, nous ne formons qu'un corps (1 Corinthiens 10, 17); la pierre angulaire, c'est le Christ (Éphésiens 2, 20-22); la pierre méprisée est devenue pierre de faîte (Actes 4, 11 et 1 P 2, 7); vous êtes une lettre de Christ écrite sur des tables de chair non sur des tables de pierre (2 Corinthiens 3, 3).

Les références aux éléments de la nature sont constantes dans leurs écrits. D'autres exemples illustrent l'émergence de différents aspects de l'environnement dans leur pensée et leur langage, dont le feu et la lumière:

- notre Dieu est un feu dévorant (Hébreux 12, 2); de ses serviteurs, Dieu fait une flamme de feu (Hébreux 1, 7); le feu pour la terre portant épines et chardons (Hébreux 6, 7-8); le feu courroucé doit dévorer les rebelles (Hébreux 10, 27); le Seigneur se révélera dans un feu ardent (2 Thessaloniciens 1, 7-8); votre foi bien éprouvée par le feu (1 Pierre 1, 7); la langue est un feu, elle infecte le corps (Jacques 3, 3-12); un petit feu embrase une immense forêt (Jacques 3, 5); la rouille de votre argent dévorera votre chair comme un feu (Jacques 5, 1-4);

- tout don parfait vient du Père des lumières (Jacques 1, 17); il vous a appelés des ténèbres à son admirable lumière (1 Pierre 2, 9); éveille-toi, toi qui dors et le Christ t'illuminera (Éphésiens 5, 14); vous êtes lumière dans le Seigneur, conduisez-vous en enfants de lumière (Éphésiens 5, 8); le Christ ressuscité annoncera la lumière au peuple (Actes 26, 23); brillez comme des foyers de lumière dans le monde (Philippiens 2, 15); vous n'êtes pas dans les ténèbres, vous êtes fils du jour (1 Thessaloniciens 5, 4-5).

D'autres recours aux composantes de la Création illustrent leur proximité de la nature: qui sème largement moissonnera largement (2 Corinthiens 9, 6); une foi à transporter les montagnes (1 Corinthiens 13, 2); il fournit au laboureur le pain qui le nourrit (2 Corinthiens 9, 10); votre foi plus précieuse que de l'or (1 Pierre 1, 7); vous n'avez pas été affranchis par de l'or ou de l'argent (1 Pierre 1, 18); les aliments créés par Dieu doivent être pris avec action de grâces (1 Timothée 4, 3-4); ces gens sont des fontaines sans eau (2 Pierre 2, 17); nous ne serons plus des petits enfants emportés à tout vent (Éphésiens 4, 14); qui plante une vigne et n'en mange pas le fruit? (1 Corinthiens 9, 7); un peu de levain et toute la pâte fermente (Galates 5, 9); purifiez-vous du vieux levain pour être une pâte nouvelle (1 Corinthiens 5, 6-8).

De nombreuses images d'animaux, cette fois, révélatrices du respect qu'ils leur témoignent et de la place prépondérante qu'ils occupent dans leur imaginaire, sont à souligner dans leurs réflexions et enseignements: Jésus est comparé à un Agneau muet, il n'ouvre point la bouche (Actes 8, 32); Pierre le décrit Agneau sans défaut ni tache (1 Pierre 1, 19); dans une vision, tous les animaux de la Terre sont rassemblés (Actes 10, 11-12); tu ne muselleras pas le bœuf qui foule le grain (1 Corinthiens 9, 9; 1 Timothée 5, 18); le sang du taureau est impuissant à enlever les péchés (Hébreux 10, 4; 9, 6); vous étiez errants comme des brebis (1 Pierre 2, 25); Jésus est devenu le grand berger des brebis (Hébreux 13, 20); on nous garde comme brebis d'abattoir (Romains 8, 36); j'ai été délivré de la gueule du lion (2 Timothée 4, 17); comme un lion rugissant, il rôde (1 Pierre 5, 8); des loups cruels n'épargneront pas le troupeau (Actes 21, 29-31); anciens, paissez le troupeau de Dieu (1 Pierre 5, 2-4); riches, vos vêtements sont rongés par les vers (Jacques 5, 2); rongé des vers, Hérode mourut (Actes 12, 23); un venin d'aspic est sous leurs lèvres (Romains 3, 13).

Paul rappelle à ses interlocuteurs que tout ce qu'ils ont, ils l'ont reçu comme don de Dieu (1 Corinthiens 4, 7). Il leur enseigne que l'adhésion au Christ fait surgir une *Création nouvelle*, un *être nouveau* (2 Corinthiens 5, 17). La Création entière serait comme un livre ouvert où l'on peut lire l'empreinte divine: «Ce qu'il y a d'invisible depuis la création du monde se laisse voir à l'intelligence à travers ses œuvres...» (Romains 1, 20)

## Profusion d'éléments de la nature et d'animaux dans l'Apocalypse

Les nombreux éléments de la nature et du cosmos, fortement symboliques, présents dans le livre de l'Apocalypse, attestent également la réelle et solidaire participation de la Terre (et de tout ce qu'elle contient) au destin ultime de la Création entière: l'*arbre de vie* nourrit le vainqueur de ses fruits (2, 7; 22, 2, 14, 19); deux oliviers font office presque de candélabres devant le Seigneur (11, 4); les étoiles tombent du ciel (6, 13; 9, 1); Jésus s'identifie lui-même à «l'Étoile radieuse du matin» (22, 16); la Terre s'enfuit devant la face du Seigneur (20, 11); la Terre sera renouvelée (21, 1 et 5); la voix des grandes eaux chante, parle (14, 2; 1, 15; 19, 6); un fleuve d'eau de vie sort du trône (7, 17; 21, 6; 22,1; 22, 17); les eaux tarissent (16, 12); les eaux changent en sang (11, 6); les yeux du Fils de l'Homme sont comme une flamme de feu (1, 14; 2, 18; 19, 12); de la grêle et du feu mêlés de sang sont jetés sur la Terre (8, 7; 20, 9); un ange a pouvoir sur le feu (14, 18); le feu, la fumée, le soufre ont tué le tiers des hommes (9, 18); l'étang de feu et de souffre constitue la seconde mort (21, 8); la lumière de l'Agneau guide les nations (21, 23-24); le visage du Fils de l'Homme brille comme un soleil (1, 16); attendez pour malmener la Terre, la mer et les arbres (7, 2-3); le tiers de la mer devint du sang (8, 9); les montagnes sont arrachées (6, 14); toutes les îles s'enfuient et les montagnes disparaissent (16, 20); le tiers du soleil est frappé (8, 12).

Nous trouvons dans ce même livre, qui ressemble parfois à un bestiaire, une myriade de descriptions d'êtres humains et d'anges introduits, entre autres, sous forme d'animaux[257]: l'Aigle représente un des quatre Vivants

---

257 Citons ici le songe de Daniel (8) qui a vu quatre bêtes sortir de la mer, quelques-unes, comme le lion, l'ours, le léopard et le monstre à dix cornes, se sont transformées en êtres humains. Les cornes de la dernière bête symbolisent les dix rois d'une dynastie égyptienne.

autour du trône (4, 7; 8, 13; 12, 14), le Taureau (4, 7) et le Lion aussi (4, 7), qui ailleurs est également une métaphore du Rejeton de David (5, 5 et 5 autres références similaires); la Bête monte de l'abîme et fait la guerre (11, 77), elle sera consumée par le feu (18, 8 et une trentaine d'autres références similaires); la Brebis et le mouton ne sont pas achetés (18, 13); le Cheval porte un être couronné (6, 2 et 14 autres références similaires); les Chiens sont dehors (22, 15); le Dragon s'apprête à dévorer l'enfant (12, 3) et balaie de sa queue la moitié des étoiles (12, 4 et 7 autres références similaires); la Panthère reçoit un pouvoir du Dragon (13, 2); les Sauterelles se répandent (9, 3 et 9, 6-11); le Serpent est précipité sur la Terre (12, 9; 12, 14-15; 20, 2).

Ces images fréquentes d'animaux qui parlent, jugent, agissent et parfois détruisent reflètent des forces qui font réellement partie de la Création. Leur place et leur rôle, positif ou négatif, sont aussi importants que ceux des êtres humains. Les animaux, dans ce langage biblique, apocalyptique, emblématique, ayant chacun sa symbolique propre, sont «humanisés», parfois mis sur un piédestal et considérés *supérieurs* aux êtres humains. Ce sont eux, souvent, qui entourent le «trône», louangent Dieu et prononcent, parfois, des sentences contre les êtres humains.

D'autres péricopes (qui veut dire extraits) de ce livre affirment également le renouvellement du cosmos: *ciel nouveau*, *Terre nouvelle* (21, 1), *univers nouveau* (21, 5) vers lesquels nous nous dirigerions.

## Ceux qui perdent la Terre seront perdus

Le Deuxième Testament met parfois en scène des tableaux de jugements assez sévères. Nous lisons, à propos de ceux qui délibérément ont malmené la Création: c'est «le temps pour les morts d'être jugés, de récompenser les serviteurs... et de perdre ceux qui perdent la Terre» (Apocalypse 11, 18). Ces derniers mots peuvent être traduits par: «*et de détruire ceux qui détruisent la Terre*».

Cette parole grave de «châtiment» ultime montre jusqu'à quel point Dieu s'intéresse à son œuvre. Il en demandera des comptes (Genèse 9, 5, Matthieu 25, 31-46). Il se soucie de chaque geste effectué, par tout être humain, à l'égard de la Terre. La détruire ou la polluer serait, en conséquence, une très grande erreur[258].

Les différents livres de la Bible réfèrent souvent au libre arbitre de la personne. Dieu respecte cette liberté humaine même s'il lui en coûte. Peut-

---

258   Le catholicisme a ajouté la *pollution volontaire de l'environnement* à sa liste de «péchés graves» en mars 2008.

être intervient-il concrètement par d'autres moyens indirects, comme par les crises écologiques ou économiques actuelles, pour réveiller l'être humain et le conscientiser dans son écoresponsabilité intergénérationnelle et finitude?

## La relation à la nature guérit

Quel message pouvons-nous tirer à la lumière de tous ces extraits? Y a-t-il une ligne directrice? Quels liens y aurait-il, selon les Écritures, entre l'être humain et les différentes composantes de la nature?

La relation à la nature, dans tous ses éléments minéraux, végétaux et animaux, a la capacité de ramener l'être humain à son essence naturelle: un être vivant, parmi les vivants, avec les autres vivants. Il est lui-même minéral, végétal, animal. Les figures de ce langage biblique réconcilient l'être avec la nature, régénèrent la nature de cet être, le relient mieux ensuite au transcendant, le re-situent, en symbiose avec son environnement.

La contemplation des fleurs mieux habillées que les plus grands rois, des oiseaux qui sont l'objet de la sollicitude de Dieu, des montagnes qui chantent la gloire du Créateur, de la rosée qui rafraîchit la végétation, des eaux d'une source qui ne tarit pas, des arbres qui purifient l'air, des paysages modestes ou à couper le souffle ne peut pas émerveiller l'être humain et l'inciter à rendre grâce devant cette harmonieuse, énigmatique et sublime beauté qui le dépasse. Il s'ouvre alors davantage à l'Autre pour en recevoir humblement, dans sa foi, la sagesse et la sérénité. L'esthétique de la nature, bien très précieux et non monnayable à conserver, met en relation l'être humain avec le sacré. Cette re-connexion est en elle-même thérapeutique.

Les multiples références à la nature et aux animaux, inscrites dans le langage quotidien de Jésus, aussi dans l'ensemble des autres livres de la Bible, constituent un langage universel, spontanément accessible à l'âme. Les figures symboliques de grains qui poussent ou de cheveux comptés, d'animaux (brebis, oiseaux, chameaux, vipères, boucs), dont nous saisissons facilement l'analogie, nous invitent à *reconnaître* notre convivialité (ou non) avec ces éléments, ainsi que nos propres composantes minérales, végétales et animales. Par le fait que nous les reconnaissons, nous nous reconnectons à la nature et devenons plus disponibles à l'accueil du message et à la communion à Dieu.

Ces images d'éléments de la nature et d'animaux, intégrées à l'enseignement théologique de Jésus, sont plus audibles et plus signifiantes pour l'esprit des auditeurs qu'un discours ordinaire ou théorique. La référence à la nature, à l'environnement ambiant éveille, crée l'harmonie, la clarté, l'entendement.

Ces éléments nous révèlent à nous-mêmes, décrivent nos émotions, instaurent l'union à la Création, à la beauté, au Créateur. Cette union guérit.

## Le projet vert de Jésus

Un survol des niveaux discursif et narratif des principaux signes, messages et codes contenus dans les péricopes citées plus haut permet, selon l'approche sémiotique[259], d'en dégager maintenant la matrice nucléaire qui serait: une invitation à *vivre, libérés et renouvelés, en harmonie avec tous les éléments de la Création, à leur tour libérés et renouvelés, qui n'appartiennent pas à l'être humain mais au Père et en constituent le Royaume, le corps mystique du Christ.* Cette assertion cristallise l'intelligence biblique pratique de la nature, de l'être humain et du cosmos recréés par l'œuvre christique.

En effet, cette composante logico-sémantique, qui se dégage de l'ensemble des séquences citées du Premier et complétée par celles du Deuxième Testament, peut bien être appelée «le projet vert de Jésus». Cette théologie de la nature (du cosmos ou de la Création) atteint son aboutissement avec le Verbe incarné, devenu l'un de nous, assumant en son corps les composantes minérales, végétales et animales pour nous apprendre à être pleinement *humains*, même *divins*, conscients de l'univers, et aussi tous *fils de Dieu*, responsables de la Création, cocréateurs, coopérateurs, collaborateurs.

Le projet vert de Jésus est de toucher les êtres humains à leur racine, dans leur nature et leurs composantes profondes, de les ramener à leur état de *réconciliation*, de *communion* avec eux-mêmes, avec leur prochain, avec le Père et avec leur environnement. Il veut éveiller en eux l'émerveillement devant les signes de la nature. Il veut leur participation mystique à la nature. Son désir est qu'ils puissent *faire communauté* avec le Père et le cosmos.

Ses multiples références aux éléments de la nature et aux animaux témoignent de sa conscience vive qu'il veut nous transmettre, conscience d'être relié à la nature, à l'autre, à la Vie qu'il est venu révéler et donner en abondance. Aujourd'hui nous découvrons, de plus en plus, que la paix et le respect de la nature sont devenus indispensables à notre survie.

Jésus veut libérer l'être humain de son «encloisonnement» et de son «aliénation» qu'il se crée lui-même avec ses préjugés, sa cupidité, son consumérisme, son autosuffisance, son égoïsme, sa tendance à dominer et à tout s'approprier. Notre rupture avec la nature et les animaux crée une rupture

---

259 La sémiotique (du grec *sêmeiôtikê* qui veut dire *signe*) est une méthode de lecture basée sur le système de signification du texte. Je fais grâce au lecteur de l'analyse technique et élaborée des schémas discursif (mots-clés et composantes du discours) et narratif (séquences et thèmes de la narration) qui aboutissent à la détermination du statut opératoire du niveau logico-sémantique (le bilan d'ensemble) des signes.

avec notre propre nature. En nous éloignant de la nature, de notre nature, nous nous éloignons de nous-mêmes et de la Vie.

Le projet chrétien veut restaurer la Vie en chaque être humain, ouvrir ses yeux sur le vrai bonheur, le guérir de ses pulsions de détruire la nature, de ravager son environnement, de bouleverser la quiétude des animaux et de l'autre. Il nous invite à voir le divin omniprésent en nous et autour de nous. Il nous invite à l'éveil des sens et de la conscience pour apprécier la Vie qui anime *tous* les éléments de la nature. Il nous propose le bonheur d'une vie simple, en cohérence, en interdépendance avec notre environnement et l'Esprit.

Il désire notre état de bien-être, notre évolution, la prise de conscience de notre potentiel supérieur. Il veut nous relier à la nature, à la beauté du monde, malgré le mal qui y intervient parfois, à cause de nous. La présence de la beauté crée de l'harmonie en l'être humain. Si la blessure est également nommée, c'est pour la reconnaître et en guérir.

Jésus s'est servi de la boue pour guérir, du pain et du poisson pour nourrir une multitude, de l'eau, transformée en vin, pour que la fête continue à Cana, aussi pour rejoindre le cœur de la Samaritaine. Il a eu recours à la figure de la brebis perdue pour communiquer sa compassion envers les plus faibles, à l'arbre pour nous signifier la nécessité de produire des fruits, aux oiseaux et aux fleurs des champs pour traduire le soin et l'amour de Dieu pour toutes ses créatures, aussi pour nous inviter à l'abandon et à la confiance. Jésus, le grand guérisseur, utilise donc les éléments de la nature pour restaurer le vivant en nous. Il veut nous ramener, par ces exemples, à notre vraie condition naturelle où nous sommes en harmonie avec le cosmos et la Vie.

La Bible est habitée par le Vivant et relie au Vivant. Elle veut faire le lien et l'unité entre l'extérieur et l'intérieur, entre le séculier et le sacré, entre l'environnement et l'être. Faire donc ce lien, entrer en relation avec les éléments de la nature, c'est assumer la nature, sa propre nature, s'y intégrer mutuellement, avancer sur le chemin du transcendant.

Ne pouvons-nous pas, à la suite de cette longue réflexion, proposer sans risque le terme *écospiritualité*, puisqu'il s'agit fondamentalement de balises suggérées par les Écritures à notre esprit pour mieux apprécier et respecter, en vérité, la Création, sacrée dans tous ses éléments, devenue partie intégrante du corps mystique ?

L'être humain d'aujourd'hui a perdu le sens de la *communauté de vie avec la nature*, avec les autres et avec Dieu. Un préjugé néfaste s'est glissé dans sa lecture du monde à l'endroit des animaux et des éléments de la nature qu'il décide d'asservir et de dégrader sans remords. Le présent système de valeurs de l'économie marchande qui pousse à la surconsommation et à la surproduction, qui dilapide et déshumanise la nature et les êtres, diminue et altère en lui ce qui est naturel, ce qui lui permet d'accomplir, modestement, sa destinée en union avec la nature et avec le divin. Dé-spiritualisé, confiné à sa prétendue superpuissance, à sa domination sur les autres et sur la nature, l'être humain néglige son besoin fondamental d'harmonie ou de transcendance au quotidien. Il oublie en lui la nature qui nécessite qu'on la respecte, qu'on reconnaisse ses limites et qu'on vive en union avec elle pour demeurer en vie.

S'occuper de la nature revient, en dernière analyse, à s'occuper de l'œuvre de Dieu, de notre prochain et des générations futures. C'est faire preuve de *compassion* authentique, universelle. C'est répéter les mêmes gestes de guérison de Jésus devant ce qui est faible et malade. N'aurait-il pas remédié lui-même, tout de suite, aux problèmes d'une ville qui « gémit et dépérit », prise avec un air contaminé ou un fleuve pollué, comme il l'avait fait maintes fois avec les personnes malades qu'il avait rencontrées?

## Jésus partisan d'une économie verte

La parabole des talents qui condamne le mauvais placement (Matthieu 25, 14-30), celle du serviteur fidèle toujours occupé à son travail (Matthieu 24, 45s,) ou celle du semeur dont les grains en produisirent les uns 100, d'autres 60, d'autres 30 (Matthieu 13, 4-8) incitent les auditeurs à être actifs, utiles, créateurs, dynamiques, impliqués dans la construction d'un meilleur avenir collectif. Elles constituent un appel à faire fructifier les dons reçus, à combattre la paresse et l'indifférence, la non-intervention et le statu quo. Un engagement fructueux est exigé pour valoriser et multiplier les talents qu'on ne peut s'approprier ni gaspiller ni laisser improductifs.

Ces figures s'apparentent au symbolisme de l'arbre qui trouve une *double* signification dans le Deuxième Testament. Premièrement, il doit être productif. L'arbre inutile ou stérile risque d'être abattu (Matthieu 3, 10; 7, 17s; 12, 33). Deuxièmement, il est une figure du Royaume sous lequel toutes les nations sont appelées à vivre en harmonie (Matthieu 13, 32, Marc 4, 32; Luc 13, 19). L'arbre fructueux fait profiter les autres de sa richesse, de son abondance, devient refuge pour les petits passereaux.

Jésus met cependant en garde contre la surproduction et l'accumulation excessive de richesses: « Ne vous amassez pas de trésor sur la Terre. » (Matthieu 6, 19-20, Luc 12, 33) Il avertit les gardes contre les abus et les pillages: « Vous, soldats, contentez-vous de votre solde. » (Luc 3, 14) Il dénonce la cupidité qui rend impur (Marc 7, 22). Il insiste en disant à ses disciples: «Gardez-vous avec soin de toute cupidité, la vie d'un homme n'est pas assurée par ses biens.» (Luc 12, 15)

N'est-ce pas une condamnation claire de la dictature du système économique capitaliste libéral d'aujourd'hui qui recherche à outrance le profit égoïste au détriment du bien commun et des limites de la Terre et des Vivants? N'est-ce pas un message, on ne peut plus actuel, lancé à tous les citoyens des pays riches, pour qu'ils ne tombent plus dans les pièges de la surproduction et de la publicité frénétique qui pousse toutes les générations à plus de consommation?

Toute activité économique arbitraire, débridée, a des répercussions sociales, même environnementales négatives. L'actuelle économie matérialiste et désordonnée est en train de *compromettre*, de *marquer* et de *défigurer* la nature d'une façon irréversible, préjudiciable au bien-être de l'environnement et à l'avenir des futures générations. Vu l'orientation excessive et aliénée vers l'*avoir* plutôt que vers l'*être*, l'*humain* et la *nature* sont devenus une marchandise à consommer aux dépens de leur dignité respective.

Puisque la cause de la crise écologique se révèle anthropique (choix délibéré des êtres humains de *provoquer* la nature), la solution serait également anthropique. En ce sens, le message évangélique serait bien approprié, car il en appelle à une vie modeste, à la «simplicité volontaire», à la tempérance dans le mode de vie et dans la consommation, au *partage des richesses* avec ceux qui sont dans le besoin (1 Jean 3, 17).

Une parole de Paul sur l'autolimitation est éclairante et peut servir de modèle éthique: «Nous n'avons rien apporté dans le monde et de même nous n'en pouvons rien emporter. Lors donc que nous avons nourriture et vêtement, sachons être satisfaits. Quant à ceux qui veulent amasser des richesses, ils tombent dans la tentation, dans le piège, dans une foule de convoitises insensées et funestes qui plongent l'homme dans la ruine et la perdition.» (1 Timothée 6, 8-9; Cf. Philippiens 4, 12; 1 Timothée 6, 8; Proverbes 15, 16-17)

Cet idéal de *mode de vie tempérée* n'est pas facile à atteindre. Le chrétien, appelé à être le sel de la Terre (Matthieu 5, 13), se trouve pris au centre d'un binôme riche en tension: *ce qui est accompli* et *ce qui reste à accomplir*, la *surconsommation* et la *consommation modérée*. C'est le paradigme néo-testamentaire, «le déjà et le pas encore».

Cette tension se traduit aussi au niveau universel. Toute la Création (y compris le sol, l'eau, l'air et les animaux), déjà transformée et libérée par et dans le Christ (Romains 8, 18-30; cf. 2 Corinthiens 5, 15 et Isaïe 43, 18-21), attend encore sa transformation et sa libération finales, sa totale délivrance de la servitude et de la corruption. Dans ce sens, l'œuvre de Création n'est pas encore achevée. Elle n'atteindra son accomplissement qu'une fois le mal et la mort totalement vaincus (1 Corinthiens 15, 25; cf. Isaïe 25, 8). Le chrétien qui tend à respecter la Terre, l'héritage commun de tous, devient partenaire du Christ, vrai grain de sel qui préservera les éléments et donnera une saveur aux valeurs écologiques et humaines.

Le respect de l'être humain et de la nature exige, pour le bien commun, une adaptation socioéconomique mutuelle, car la nature a aussi sa *dignité*, ses *droits*, et mérite le respect. Advenant un manque d'adaptation et de respect, et l'être humain et la nature se retrouvent, comme c'est le cas aujourd'hui, *malades* et en conflit.

La surproductivité agraire actuelle n'est rendue possible que par des produits chimiques, toxiques à long terme. Notre mode frénétique de culture fortement machiniste réduit le sol en poussière et ne le laisse pas se reposer. Cet autre exemple de pratique désordonnée illustre le passage de notre société d'une économie harmonieuse (naturelle) de subsistance, qui a duré des millénaires, à une économie sauvage de surproduction et de surconsommation, en vue d'un plus grand profit, depuis près d'un siècle. C'est exactement là que se situe la mise en garde de Jésus contre «toute cupidité».

## Le biocentrisme écologique

La lecture *anthropocentrique*, qui se base sur le récit mythique de Genèse 1, 26-27 pour fonder la *domination*, la *suprématie*, l'*octroi de pouvoirs* absolus à l'homo sapiens sur la Création, n'est plus valide. La lecture plus *théocentrique* et *cosmologique* serait bien plus équilibrée comme réflexion théologique. Le géocentrisme, préconisé par la théologie de la libération, a développé récemment l'option préférentielle pour la Terre. Les tenants de cette théorie désirent faire reconnaître le sens sacré de la Terre. Pour eux, polluer et détruire la Terre ainsi que ses ressources est une forme d'autodestruction moralement répréhensible.

J'ajouterai à cela une lecture personnelle que j'appelle *biocentrique*, c'est-à-dire centrée sur la Vie en général, vie minérale, vie végétale, vie animale, vie humaine, vie environnementale, vie cosmique. Ce n'est plus l'homme qui est «le roi de la Création», mais la Vie qui en est la «reine» et permet aux éléments (y compris l'homo sapiens) d'exister. Je détrône donc l'être humain pour n'en faire que le petit frère de la nature et des animaux, non leur maître dominant, puisque, selon le récit symbolique de la Genèse, il n'est arrivé qu'en dernier. Les philosophes de l'Antiquité ne l'ont-ils pas appelé «animal pensant»? Pascal ne l'a-t-il pas appelé «roseau pensant»? Pourquoi donc sa *supériorité* aujourd'hui? Pourquoi enlever les dimensions minérale, végétale et animale de sa constitution puis en faire une «race» à part? Que ce qui le privilégie, comme sa *pensée*, sa *liberté*, sa *raison*, sa *science* et sa *gestion responsable*, lui serve à cohabiter dans le respect, non à dominer ni à détruire.

Cette lecture *biocentrique* serait, à mon avis, plus complète et plus universelle, car elle intègre dans son principe, et d'une façon équitable, *toute forme de vie* qui a droit à de saines conditions d'existence, sans distinction ni privilège. Elle évite la domination d'une vie sur une autre ou d'une espèce sur une autre. Elle n'enlève rien à la dignité humaine, mais la confine à sa juste place. Elle libère même le genre humain de son obsession du contrôle, de la supériorité et de l'exploitation abusive de ce qu'il croit inanimé. Elle lui rappelle sa vraie nature à respecter.

Le biocentrisme prône une relation harmonieuse entre la nature et l'être humain, sans les déifier ni l'un ni l'autre.

Inséparable de son environnement, ayant besoin de son environnement (alors que l'environnement n'a pas besoin de lui), l'être humain éveillé, conscient de ses limites, respectueux de la Vie, de toute Vie qui est *sacrée*, peut alors commencer à vivre humblement, en harmonie avec la Création, et arrêter de la dégrader. Une telle analyse biocentrique crée une justice équitable, un équitable mode et code de vie, une équitable égalité entre les différentes formes de Vie.

Faisant partie de Dieu et de la Création, la race humaine, comme «toutes choses», comme toute autre catégorie d'espèces vivantes, est invitée à se tourner vers l'auteur de la Vie. En vertu de la théorie du *biocentrisme*, la Création entière, toute vie, «toutes choses» deviennent sacrées à cause de la Vie sacrée qu'elles portent en chacun de leurs éléments, à cause de Dieu, leur Créateur, et aussi du Rédempteur qui les a incluses dans son œuvre et Corps de Rédemption.

Le *biocentrisme* voit en Dieu la source de «toutes vies» qui donne Vie à «toutes choses». La Vie serait donc la première cible de réflexion, non l'être humain[260]. Conscient de la primauté et de la sacralité de la Vie qui est

---

260   Cette surenchère de l'être humain, poussière dans l'univers, a provoqué une surenchère de son autorité. Il a pensé alors détenir la place de Dieu. Cela se répercute jusque dans la gestion de la société, de l'économie, de la politique, de la nature et de l'Église. Des auteurs comme Bill Devall, Luc Ferry, Warwick Fox, Edgar Morin, S. Maffetone, Michael E. Zimmermann, Peter Singer, Jean Brière et Stan Stowe ont contesté l'anthropocentrisme exagéré qui déprécie la nature. Un mouvement américain, Deep Ecology, (parfois trop strict) préconise l'écocentrisme, la revalo-

incluse en «toutes choses», l'homo sapiens pourra alors mieux respecter «toutes choses», tous les éléments minéraux, végétaux et animaux de la *nature* qui, elle aussi, est fille de Dieu. Il partagera humblement avec «toutes choses» ce même espace convivial et harmonieux, la Terre. Le soin qu'il portera à la Création, qui est son corps, sera identique à celui qu'il portera à sa santé, à son bien-être physique, même intégral.

Pour guérir la Création blessée, il faudrait d'abord se rapprocher de la nature «vivante» et blessée, arrêter de la dégrader, guérir aussi le cœur de l'être humain blessé qui la blesse et qui se blesse ainsi davantage. Ce serait une grande marque de charité fraternelle que d'essayer de conscientiser les êtres humains, notamment les preneurs de décisions, en vue de la conception d'une *écoéconomie,* d'une *écoagriculture,* d'une *écoindustrie* respectueuses de la *nature*, de la *personne* et de la *Vie.*

Ce nouveau paradigme, axé sur la reconnaissance de la Vie sacrée en «toutes choses», est une invitation à vivre, d'une façon incarnée et dans le monde d'aujourd'hui, les valeurs évangéliques d'entraide, de paix, de respect, de responsabilité, de compassion, d'équité, de douceur, de renoncement, de modestie, de joie et de partage. Cette *écoconscience,* ou *écomiséricorde* envers tous les éléments de la nature, c'est la *vie évangélique* mise en application en faveur de la Création aujourd'hui *malade* et à *guérir,* peut-être même à ressusciter comme ce fut le cas pour Lazare ou la fille de Jaïre. La précarité grandissante de la Terre trouvera son remède dans le regard et les gestes écospirituels que nous poserons.

## Respect du Royaume et du Corps mystique du Christ

Selon la théologie vétérotestamentaire, Dieu n'abandonne pas sa Création. Il a fait alliance avec elle. Comme il l'a fait sortir du chaos initial, il continue de «l'accompagner jusqu'à la fin du monde», selon la parole du dernier verset de Matthieu. Par sa résurrection, le Christ a déjà ressuscité le cosmos (avec tout ce qu'il contient). Un mot de sa part, aujourd'hui, et toute souillure sera purifiée, la Création sera libérée, renouvelée, dépolluée. Cependant, cela ne doit pas inciter l'être humain au laisser-aller mais à un engagement éclairé en faveur de la sauvegarde de l'environnement.

Ce bref parcours de la Bible permet d'affirmer que vouloir assujettir la nature et la Vie est foncièrement contraire à l'éthique environnementale des Écritures judéo-chrétiennes et ne témoignerait pas de notre amour pour

---

risation de la nature, et publie des articles avec un titre choc: «L'homme est une nuisance pour la nature.» (Drieu Godefredi) ou «L'horloge écologique n'accepte plus de tergiversation.» (La Libre).

le Christ ni du respect de son Royaume ni de son Corps mystique qui est la Création.

## L'apport des Églises chrétiennes

### Quelques esprits éveillés

Deux *esprits éveillés*, sensibles à la crise environnementale d'aujourd'hui, Jean-Paul II et Bartholomaios 1er (Patriarche œcuménique)[261], ont rédigé en commun un document publié en juin 2002 sous le nom de Déclaration de Venise. Ils désignent l'*erreur humaine* comme responsable du désordre écologique actuel: «Nous trahissons encore le mandat que Dieu nous a confié: être les gardiens appelés à collaborer avec Dieu en vue de veiller sur la Création dans la sainteté et la sagesse.» Ils préconisent l'éducation des «personnes à une *conscience de l'écologique* qui n'est autre que la responsabilité envers soi-même, envers les autres et envers la Création». Ils proposent les six objectifs éthiques suivants:

1. penser aux enfants du monde lorsque nous élaborons et évaluons nos choix d'action;
2. étudier les valeurs authentiques fondées sur le droit naturel qui soustend toute culture humaine;
3. utiliser la science et la technologie de manière constructive;
4. faire preuve d'humilité à l'égard du concept de propriété et être ouverts aux demandes de solidarité;
5. reconnaître la diversité des situations et des responsabilités dans notre action en faveur d'un meilleur environnement mondial;
6. promouvoir une approche pacifique face aux désaccords sur la façon de vivre sur cette Terre, de la partager et de l'utiliser, sur ce qui doit changer et ce qui est immuable.

Treize ans avant la Déclaration de Venise, dans un message daté du 8 décembre 1989, Jean-Paul II a souligné la responsabilité humaine à l'égard de l'environnement: «Confrontés à la destruction universelle de l'environnement, les parents, partout, commencent à comprendre que nous ne pouvons plus continuer à user des biens de la Terre comme par le passé... Un esprit écologique nouveau est en train d'apparaître... (Il faut) prendre soin

---

261  L'église orthodoxe de Constantinople a créé une nouvelle fête liturgique pour inviter ses sujets croyants à méditer sur le devoir de l'humanité envers la Création. Le 1er septembre de chaque année a été choisi pour célébrer la *protection de l'environnement*, à cause de la saison des récoltes. Le Jour de Pâques serait aussi bien approprié puisqu'il nous rappelle l'œuvre de rédemption du Christ ressuscité qui ressuscite avec lui l'ensemble de la Création.

de toute la Création... Le respect de la vie et de la dignité de la personne humaine doit s'étendre au reste de la Création, qui est appelée à rejoindre l'homme dans la louange de Dieu.»

Notons en outre la réaction vive du Conseil Mondial des Églises (World Council of Churches, WCC, basé à Genève), une grande instance regroupant les Églises du monde. David Hallman, un spécialiste de l'environnement du WCC, a déclaré après le refus des États-Unis de ratifier le *Protocole de Kyoto*: «Le rejet du *Protocole de Kyoto* par l'administration de Bush est une trahison de leurs responsabilités comme citoyens globaux.»

## Les Églises protestantes

De leur côté, plusieurs Églises protestantes[262] seraient le chef de file en matière de préservation et de respect de la Création. Martin Luther King n'a-t-il pas affirmé: «Dieu écrit l'Évangile, pas seulement dans la Bible, mais sur les arbres, les fleurs, les nuages et les étoiles.»?

Les déclarations officielles de plusieurs Églises réformées ont été parmi les premières sur le sujet. Leur lecture du récit de la Genèse est autre qu'anthropocentrique. Ce n'est pas l'être humain qui est le *couronnement* de l'œuvre de la Création, mais le sabbat, le repos du septième jour (Genèse 2, 1-4a), donc la louange et la gratitude (worship). Jürgen Moltman inclut la Création au complet dans le Christ: «Le Corps du Christ est le cosmos entier.» Tout devient alors sacré, sanctifié. Comment peut-on, par la suite, nuire à la Création sans nuire au Christ lui-même?

Le pasteur protestant de Los Angeles Peter Kreitler, qui a créé en 1996 avec 55 congrégations de différentes dénominations The National Religious Partnership for the Environment[263], donne une lecture spirituelle à la crise

---

262  Dans le protestantisme, il y a différentes branches et tendances. Ce ne sont pas toutes les branches qui sont libérales et qui admettent que le $CO_2$ et les gaz que nous émettons sont responsables du réchauffement climatique.

263  D'autres regroupements écologistes, incluant des institutions et des intervenants religieux, ont vu le jour aux États-Unis, plusieurs depuis les années 1990: Clergy for all Creation (1995), The Interfaith Task Force to Save the Ancient Redwoods (1997) pour préserver la forêt de la Californie du Nord, Creation Spirituality fondé par Matthew Fox, Evangelical Environmental Network (EEN) fondé par Calvin DeWitt (professeur à l'Université du Wisconsin) et Jim Ball, qui se sont engagés en 1995 pour la protection des espèces en voie de disparition, The Evangelical Climate Campaign, The Evangelical Climate Initiative, Midwest Interfaith Climate Change Conference, National Religious Partnership for the Environment, Interfaith Stewardship Alliance, Christian Society of the Green Cross, Michigan' AuSable Institute dont le directeur fut longtemps Cal DeWitt. Au Québec, un mouvement identique est né: Salut! Terre. En France, la notion de méta-écologie (qui rappelle la métaphysique) est présentée par Jean-Marie Pelt en ces termes: «Cette méta-écologie intégrera nécessairement la puissance spirituelle de l'homme, seul capable d'assurer la paix dans la nature et parmi les hommes... Oublier que l'homme est doué de potentialité spirituelle pour le réduire à ses seules dimensions naturelles, économiques et sociales est une erreur absolue. Une nouvelle éthique s'impose, celle de cette écologie spiritualiste, de cette

actuelle de l'environnement: «L'écologie, ce n'est pas vraiment un problème politique. C'est un problème éthique, un problème de responsabilité. Je dirais aussi que c'est un problème religieux. Dieu nous a placés sur cette Terre pour en prendre soin, pas pour la saccager.» À son tour, il déplore l'interprétation réductionniste de Genèse 1, 26-27.

L'Église anglicane de Montréal intègre également, dans le cadre de l'énoncé de sa mission générale, l'appel «à préserver l'intégrité de la Création et à renouveler la vie de la Terre».

Quant à l'Église luthérienne, elle prône un engagement concret envers la protection de la nature. Elle réclame de tous ses membres une «diaconie écologique», dans le sens de «service», sous différentes formes, à rendre à l'environnement.

Une autre branche réformée inclut dans son Credo[264], révisé et actualisé, une mention verte explicite qui appelle à «vivre dans le respect de la Création».

Un hymne liturgique de Shirley Erena Murray (composé en 1991) cristallise cette réflexion théo-anthropo-cosmique en lien avec la Création. Je traduis de l'anglais: «Touche la Terre légèrement, utilise la Terre doucement... Nous qui mettons en danger, qui créons la faim, nous les agents de mort de toutes les créatures qui vivent, nous qui entretenons les nuages du désastre, Dieu de notre Planète, préviens-nous et pardonne! Qu'il y ait prise de conscience écologique, naissance à partir des brûlis, eau qui bénisse et air qui soit doux, santé dans le jardin de Dieu, espoir dans les enfants de Dieu, régénération que compléterait la Paix. Dieu de tout ce qui vit, Dieu de toute tendresse, Dieu des semis, de la neige et du soleil, enseigne-nous, convertis-nous, Christ, reconnecte-nous, sers-toi de nous doucement, fais que nous soyons un.»

En 2006, le révérend Richard Cizik, vice-président de l'Association nationale des évangéliques aux États-Unis (National Association of Evangelicals, NAE, qui regroupe 45 000 églises et 30 millions de croyants), s'est révélé un ardent défenseur de la lutte pour l'environnement. Il prône le «creation care», c'est-à-dire le *soin de la Création,* et en fait une question de morale. Il demande que les Américains prennent plus que «simplement des mesures (environnementales) volontaires». Il a été largement contesté par des membres de son association qui ne croient pas au lien qui existe entre les

---

méta-écologie, seule voie ouverte sur le futur qui intègre aux acquis des grands courants religieux et spirituels ceux plus récents de l'écologie.»

264  Rappelons cet extrait du Credo œcuménique de Nicée-Constantinople qui affirme que le cosmos est l'œuvre du Très-Haut: «Je crois en Dieu, Créateur du ciel et de la Terre...»

activités humaines et les changements climatiques. Ces derniers trouvent inutile de s'occuper d'environnement à la lumière du «retour imminent du Christ.» Ils accusent les environnementalistes de culte païen de la nature et d'idolâtrie («earthism worshippers», adorateurs de la Terre).

Cizik a soumis un projet de loi sur l'environnement à Bush. Il a fait ce calcul: «Si les 300 000 maisons de culte aux États-Unis réduisaient leur consommation d'énergie de 25%, elles économiseraient au total 500 millions de dollars américains et cinq millions de tonnes de $CO_2$, soit l'équivalent de la pollution émise par un million de voitures par an.» Pour lui comme pour d'autres évangéliques, gérer l'environnement et réduire notre impact sur le réchauffement climatique sont des actes de compassion envers les plus pauvres, car ce sont eux qui vont en pâtir le plus, le cas échéant. Des pasteurs proches de Bush ont tout de suite réagi et ont créé l'Interfaith Stewardship Alliance qui enseigne que les changements climatiques font partie d'un cycle climatique normal et qu'il est inutile d'entreprendre une politique écologique d'envergure. D'autres évangéliques, plus spiritualistes, n'accordent pas d'importance au monde physique et ne pensent qu'à «sauver les âmes».

La division dans les rangs des chrétiens américains concernant la problématique environnementale est évidente. Face à ce dilemme, plusieurs responsables de congrégations ont pris position: 86 révérends évangéliques ont prescrit à leurs fidèles de défendre l'environnement, 42 chefs religieux baptistes américains ont demandé expressément à leurs auditoires de réduire leur empreinte écologique. Là aussi, le consensus ne semble pas encore établi.

## L'économie écologique

Sallie McFague, théologienne féministe, critique d'emblée les chrétiens de l'Amérique du Nord qui constituent 20% de la population mondiale. Elle leur reproche de vivre dans l'abondance et le gaspillage, laissant une partie des autres 80% dans le manque. Elle les accuse de ne pas aimer et de ne pas respecter la nature. Ils sont en train, selon elle, de la détruire avec leur surconsommation et leur «idéologie du marché devenue leur dieu». Ils ne peuvent se prétendre chrétiens, vénérer le Créateur et bafouer sa Création.

Cette attitude dominatrice, centrée uniquement sur le profit, ruine la fondation même de l'existence. McFague les invite à se libérer de l'emprise de cette société marchande, à interroger et à creuser leur foi, à suivre un nouveau mode de vie humble et proche de la nature. Des gestes qui soutiennent la justice sociale, le développement durable, le parrainage de projets qui puissent rendre la Terre plus en santé et les peuples plus heureux en leur assurant de l'eau et de meilleures conditions de vie sont les signes d'une foi authentique et contextuelle.

Les systèmes économiques néoclassiques consuméristes n'accordent de la valeur, selon elle, qu'à la satisfaction monétaire des individus et qu'à la croissance avide. Elle propose, comme solution de rechange, le paradigme de l'*économie écologique* qui tient compte des disponibilités des ressources et de la viabilité de toute la communauté. Privilégier le bénéfice commun devrait remplacer l'obsession égoïste et individuelle de s'enrichir et de posséder.

McFague souligne la destruction perverse de la santé de la nature qui finira par se tourner contre l'humanité. Les chrétiens sont invités à repenser leur identité. Ils ne sont pas «nés pour consommer» («born to buy)» comme le réclame le système actuel du marché néolibéral. Ils sont, non des locataires, mais des «colocataires» («housemates»)[265]. Ils partagent l'espace-Terre avec des milliards d'autres personnes. Un «colocataire» a trois obligations, selon elle: il doit prendre seulement la part qu'il partage, nettoyer son espace et laisser la maison en bon état pour les futurs occupants.

Si la gloire de Dieu est que toute créature soit pleinement en vie, le devoir du chrétien est de rendre gloire à Dieu en aimant et en respectant le monde et chaque élément qu'il contient. La santé d'une espèce contribue à la santé des autres espèces.

La théologie de la libération, qui inclut à juste titre l'économie et le bien-être de toute la communauté, identifie le manque des gens et vise à libérer à la fois le pauvre et le riche, l'opprimé et l'oppresseur. Cette théologie se base sur le verset de Paul, tiré de sa première lettre aux Corinthiens, qui stipule: «Si un membre souffre, tous les membres souffrent avec lui.» (12, 26)

Conformément à la thèse de l'*économie écologique*, Dieu n'est pas une abstraction métaphysique ni un esprit vague dans les nuages, il est au centre du village, au milieu de la vie de tous les jours, dans les joies et dans les peines du quotidien. Il est créateur, libérateur, «supporteur» («sustainer», pourvoyeur de ressources). Dieu est «terrestre», incarné, immanent, il se donne au monde. Chaque créature et chaque élément de l'environnement ont leur valeur parce qu'ils *sont* un aspect de Dieu, parce qu'ils font partie du corps de Dieu qui est l'univers.

Dieu est toujours présent au monde, dans le monde. Nous le rencontrons dans les personnes, dans la nature, dans tous les éléments. Nous sommes

---

265    Sallie McFague, *Life Abundant, Rethinking theology and economy for a planet in peril*, Minneapolis, Fortress Press, 2001.

ses bras, ses jambes, ses «agents auxiliaires». Le monde (et tout ce qu'il contient) est «caché en Dieu», ou enveloppé de Dieu, donc sacré, selon Hans Küng. Le monde ne vit pas à l'extérieur de Dieu. Son existence se déroule *dans* l'Esprit de Dieu.

Le bien-être de la planète n'est pas une affaire privée, personnelle ou «religieuse». C'est du domaine public. Des lois politiques et économiques doivent promouvoir la juste distribution des biens et la durabilité de la biosphère.

Le Christ, par son incarnation et son œuvre de salut, a récapitulé toute la Création, selon Irénée de Lyon. Depuis, il est juste de parler du «Christ cosmique». Chaque mauvais traitement infligé à la végétation, aux animaux, aux êtres humains serait intrinsèquement connecté et infligé au Corps du Christ dont le ministère était d'abord de relever les oppressés. Aujourd'hui, par extension, affirme Sallie McFague, ce qui est oppressé, c'est la planète terriblement détériorée qu'il faut guérir, la nature, créée également «à l'image de Dieu», comme l'enseignait Thomas d'Aquin.

L'incarnation du Christ dans ce monde signifie que le salut n'est pas seulement pour les êtres humains mais s'inscrit aussi *dans* la nature, transforme toutes les espèces, fait prospérer les écosystèmes. Toute la Création est régénérée physiquement et spirituellement par sa résurrection. Toute la Création (avec tout ce qu'elle contient) devient le Corps du Christ, son Royaume, une partie de lui, devient lui.

## L'apport de la théologie juive

Un héritage commun unit intimement juifs et chrétiens, c'est la théologie du Premier Testament. Ce qui a été présenté précédemment concernant la réflexion biblique touchant le Pentateuque, les Psaumes, les Prophètes, les livres sapientiels peut être répété ici, à quelques nuances près. En effet, la religion juive et la religion chrétienne partagent la même vision anthropologique et les mêmes croyances concernant la Création et le respect que l'être humain doit témoigner en faveur de l'environnement.

Différents passages de liturgies juives rendent grâce pour la Création et évoquent la nécessité de la «Tiqqun olam», qui veut dire la préservation du monde. La loi de «bal tach'hit» exige la préservation des ressources naturelles. Le «Midrach» recommande la plantation d'arbres et la modération dans la consommation. Des consignes écologiques strictes, présentées comme paroles inspirées, sont données dans la Torah, comme nous l'avons vu lors de notre parcours du Premier Testament.

Une fête traditionnelle juive qui a lieu le quinzième jour du mois de «CheBaT» (février), appelée «Tou BiCHBaT» ou «RoCH HaCHaNaH La'iLaNoT» (Nouvel An des Arbres) souligne chaque année le lien intime et sacré qui existe entre l'être humain et la Création. Durant cette célébration, les juifs rendent grâce à Dieu pour la beauté de la nature et le cadeau de la vie, puis ils plantent un arbre. Armand Abécassis commente: «C'est à cette période de la résurrection de la nature que l'homme est jugé sur ce qu'il en a fait et sur ce qu'il va en faire. La sauvegarde de la nature est donc davantage qu'une affaire de prudence, de calcul et de stratégie. Elle est une réponse à un commandement – le second – déposé dès le premier chapitre de la Genèse "Fructifiez et multipliez [...] soumettez et dominez." (1, 28)»[266]

Abécassis précise: «Les verbes K-B-CH (soumettre) et R-D-H- (dominer)[267] excluent toute violence humaine exercée sur les animaux et sur la nature. Ce commandement concerne l'exploitation de la nature qui est un devoir, mais il est dicté à un être dont on a commencé à dire qu'il est *créé à la ressemblance divine*, un être plein de respect pour l'ordre du monde qui le précède depuis six jours.»

L'être humain, «collaborateur de Dieu», est donc appelé, face à la nature, à «continuer à la transformer et à la maîtriser afin d'en tirer sa subsistance sans la dégrader. Le Créateur a bien préparé le cadre dans lequel il a placé l'homme le sixième jour. De même, chaque génération doit travailler à préparer le cadre de vie de celle qui lui succède.»

Si l'être humain a le privilège de se servir des bêtes, il doit le faire dans le respect, sinon il se dégrade lui-même: «Lorsque l'homme en profite pour maltraiter son âne ou son bœuf, il tombe plus bas qu'eux. Les animaux ont donc aussi des droits car ils sont des cohabitants de la Terre. Plus précisément, la responsabilité humaine envers eux est grande comme la responsabilité à l'égard du règne végétal.»

D'autres fâcheuses conséquences se produisent quand l'être humain se prétend autosuffisant et s'éloigne de la Loi: «L'homme qui refuse d'être à la *ressemblance divine* en se divinisant lui-même, et par là même, s'aliénant, créera une nature à sa ressemblance. Chaque fois qu'il ne se limitera pas à la ressemblance ou qu'il la défigurera, la nature – son royaume – en portera les marques, dans la mort, dans la dévastation et dans la barbarie. Le serpent

---

266  Dans *Les temps du partage,* tome 2, Paris, Albin Michel, 1993. L'auteur précise, en outre, que «l'homme est *jugé* face à *la nature qui le met en accusation* devant Dieu» durant cette même fête. Je souligne.

267  «Le second verbe R-D-H- (dominer) est souvent mis en relation avec le pouvoir royal; il exprime le rôle de collaborateur de Dieu que doit remplir l'homme dans le monde comme dans un royaume qui lui est confié.»

– la vie – qui travaille en l'homme, le porte à la transgression des limites car c'est l'unique manière d'éprouver son pouvoir absolu. La Loi, transcendante à la vie, lui indique la voie de son épanouissement véritable.»

Bien avant la rédaction du Deuxième Testament, le judaïsme s'est inscrit en faux contre l'idéologie environnementaliste qui accorde un culte à la nature ou tente de la diviniser. Il qualifie de paganisme une telle lecture. La nature appartient à Dieu. C'est lui qu'il faut d'abord et avant tout vénérer et respecter. Les Écritures décrivent la place juste de la nature et du cosmos qui sont le lieu où se déroule l'histoire sacrée.

L'homme édénique[268] d'avant la chute, selon la Torah, n'était pas violent et n'avait aucun impact négatif sur les écosystèmes. La biodiversité était conservée intacte. La chute généralisée dans le mal a provoqué le Déluge. Dieu se serait servi de la nature pour corriger les transgressions humaines. Avec l'Arche de Noé, la continuité de la biodiversité animale a pu être assurée.

Le verset 1,29 de la Genèse autorise une lecture *végétarienne* de l'alimentation des premiers êtres humains. Il n'est fait nulle mention de tuer des animaux pour manger. Au début, leur nourriture consistait à consommer les fruits de la terre et des grains: «Je vous donne toutes les herbes portant semence, qui sont sur toute la surface de la Terre, et tous les arbres qui ont des fruits portant semence: ce sera votre nourriture.» (Genèse 1, 29) Des recherches récentes ont démontré que le système digestif humain a été conçu initialement pour la consommation de fruits et de légumes. Il s'est adapté plus tard à la consommation de la viande.

Le judaïsme met l'accent sur d'autres événements scripturaires où Dieu s'est servi de la nature d'une manière extraordinaire pour «éduquer» et «châtier». Nous avons, dans ce sens, plusieurs récits de destruction, consécutifs aux fautes qui ont perturbé l'ordre et écarté du bien. Mentionnons comme exemples, à part le Déluge, les dix plaies d'Égypte: le Nil transformé en sang, les grenouilles envahissantes, les moustiques, les taons, la mortalité du bétail, les ulcères bourgeonnant en pustules, la grêle, les sauterelles qui dévorèrent toute végétation, les ténèbres qui durèrent trois jours, la mort des premiers-nés des Égyptiens (Exode 7 à 12).

Les premiers juifs respectaient la Terre et préservaient les ressources naturelles. Par souci d'hygiène et par déférence pour les lieux saints, le Talmud défend de laisser traîner du fumier dans la Ville sainte. Des textes liturgiques

---

268 Abécassis fait remarquer que «le mythe du jardin EdeN est entièrement organisé autour d'arbres et de leurs fruits.»

louent Dieu pour la splendeur du don de la Création, rappellent le «paradis» qui demeure une utopie écologique. Un futur eschatologique, identique à celui de la condition édénique, est annoncé pour l'ensemble de la Création, incluant tous les éléments de la nature, y compris les animaux (Isaïe 11, 6-9).

Aujourd'hui, les juifs affirment sans ambages que l'homme industriel ne cesse de pécher contre la nature avec sa surproduction[269] et ses émissions faramineuses de GES. En polluant d'une façon si grave la Création[270], il s'expose à la colère de Dieu qui pourrait, encore une fois, utiliser la nature pour rétablir l'ordre sur la Terre. Cependant, pour eux, conformément à leur culture plutôt nomade, le culte rendu à Dieu demeure supérieur à la conservation de l'environnement ou à «l'enracinement géographique».

Selon la pensée juive, la crise écologique n'est pas uniquement reliée à la pollution industrielle, agricole, technologique et biochimique. Elle est essentiellement basée sur des fondements spirituels d'éloignement de la loi de Dieu, laquelle loi est inscrite dans chaque élément de la nature. La Torah révèle les secrets du Créateur et de la Création. Une fois habité et sanctifié par la Parole, l'être humain, repenti, sanctifie la vie, la nature et le monde.

Pour opérer «la rédemption de la nature», la technologie d'aujourd'hui est invitée à être subordonnée «à une Parole qui confère sens à ses desseins.»[271] Le respect de l'alliance nécessite le respect de la nature, l'usage de «sa fertilité et de sa fécondité pour le bien de l'humanité» (Abécassis), non pour sa destruction à long terme. La vraie maîtrise de la nature consiste idéalement à ne pas *l'étouffer*: «On se sert du monde sans le dégrader et on agit sans polluer» selon l'auteur des *Temps du partage*.

La nature, en dernière analyse, n'est pas un simple objet inanimé, mais un «sujet», un interlocuteur pour l'être humain. Elle le renvoie à Dieu.

---

269  Abécassis fait remarquer: «L'antidote de la course effrénée à l'exploitation et à la dégradation de la nature est précisément le ChaBBaT... C'est la capacité de cesser... sa relation de travail et d'efficacité à la nature qui permet à l'homme de contempler celle-ci sous d'autres modalités, comme celles de l'esthétique et de l'émerveillement. Les sociétés industrielles savent bien que l'utile et l'efficace, le rendement et l'échange, ont fini par étouffer le sens de l'émerveillement dans l'être humain. Elles ne connaissent pas le ChaBBaT.»,

270  Ce même auteur ajoute: «Qu'avons-nous fait des arbres ? Qu'avons-nous fait de notre cadre de vie, de notre environnement, de notre habitat ? De notre ciel, de nos mers, de nos rivières, de nos forêts ? Ils sont en général à l'image de notre société de consommation, de croissance sauvage et de technocratie. Produire à l'infini, sans mesure ni limite, c'est dévaloriser l'être en regard de l'avoir.»

271  À lire: Catherine Chalier, *L'Alliance avec la nature,* Paris, Cerf, 1989, et les écrits de Manfred Gerstenfeld.

## *L'apport de la théologie musulmane*[272]

Un des attributs de Dieu, pour les musulmans, est la beauté. La Création étant pour eux l'œuvre de Dieu, don de Dieu avec tous ses éléments (sol, eau, lumière, animaux, végétation, rivières, montagnes – Coran 27, 61), elle ne peut être qu'un chef-d'œuvre de beauté à respecter et à préserver. «Allah est Beau et Il aime la Beauté», dit le Prophète dans la Sunna. Allah est «le Pourvoyeur de grâce aux hommes.» (Coran 40, 61) Il a tout disposé avec sagesse et «mesure» (Coran 15, 19-21) pour le plus grand bonheur de ses créatures.

Allah est «Celui qui a créé les cieux et la Terre, et pour vous a fait pousser des jardins pleins de beauté en envoyant de l'eau du ciel» (Coran 27, 60). Il veille, dans sa miséricorde, sur la Création et rien de mal ne lui arrive sans sa permission, car tout dépend de sa Volonté. Le ciel, élément de la Création a été «bâti et embelli sans y laisser une seule fissure» (Coran 50, 6).

L'homme en qui est insufflé l'esprit de Dieu (Coran 32, 9) est le «lieutenant de Dieu sur la Terre» (Coran 2, 30), son «vicaire», le «prolongateur de sa Création», le «locataire de la Terre» (Coran 7, 10). Il est la «quintessence du cosmos». Son devoir est de protéger son environnement, de respecter l'ordre divin qui s'y trouve.

La Terre n'a été que concédée à l'homme. Elle est sa demeure unique, un «séjour de jouissance» (Coran 7, 24 et 40, 64), son «abri» et sa nourricière. Elle est son «lit» (Coran, 2, 22), son «berceau» (Coran 78, 6 et 20, 53). Un verset du Coran proclame: «Ne faites pas nuisance à la Terre alors qu'elle a été mise en ordre par Dieu.» (7, 45) Même les Anges se prosternent devant l'homme soumis à Allah qui, pour lui, a «assujetti la nuit et le jour, le soleil, la lune et les étoiles aussi» (Coran 16, 12).

Allah, qui a tout créé pour accommoder l'être humain, est «plus près de lui que la veine de son cou» (Coran 50, 16). L'homme devrait être reconnaissant et vigilant dans son rapport avec la Création: «C'est Lui Qui du ciel fait couler l'eau qui, par Sa volonté, fait bourgeonner toute la nature. De ces bourgeons, Il fait pousser la verdure de laquelle Il fait naître les grains serrés les uns contre les autres, le dattier à la spathe chargé de régimes de dattes; et aussi des jardins où vignes, oliviers et grenadiers se confondent mais ne se ressemblent pas. Regardez-en les fruits, quand ils apparaissent, et voyez comment ils mûrissent. Voilà bien là des signes, vraiment, pour les croyants.» (Coran 6, 99) En effet, chaque élément et chaque détail de la

---

[272] Des articles de Farouk Hamada, Dalil Boubakeur, Abdulaziz Othman Altwaijri, Ahmad Ar-Raissouni et Amina Mohammad Nasîr ont été consultés.

Création, bien contemplés, peuvent révéler la présence et l'omnipotence d'Allah le Créateur.

Quant à l'eau, offerte par la grâce de Dieu « avec mesure » (Coran 23, 18 et 80, 25), elle ne doit pas être gaspillée, mais bien gérée. Dans un Hadith rapporté par Abu Daoud, Ibn Majah et d'autres, Mahomet ordonne d'éviter de polluer l'environnement: « Gardez-vous des trois sources de malédiction: la pollution excrémentielle des points d'eau, de la voie publique et de l'ombre où s'assoient les gens. »

L'hygiène et la propreté sont considérées comme un « acte de foi », un « acte de dévotion », une « obligation » religieuse. Plusieurs rites d'ablution, de purification précèdent la prière. Abu Malik Al-Ach'ari cite à ce propos une parole du Prophète: « La purification rituelle représente la moitié de la foi. » Selon Saad Ben Abi Ouakkas, le Prophète exige la propreté: « Allah est bon et Il aime la bonté; Il est propre et Il aime la propreté. »

La Sunna stipule que lors du Jour du Jugement, Allah ignorera « celui qui refuse aux autres l'accès à son eau ». Selon Anas Ben Malik, le Prophète a suggéré à Saad Ben Oubada qui est venu le consulter sur la meilleure aumône à faire à la mémoire de sa mère décédée: « Je te recommande pour cela de donner de l'eau. » Alors, Saad creusa un puits pour tous ceux qui auraient besoin d'eau. Nourrir l'affamé et étancher la soif (y compris des animaux) seraient des actes de charité qui ouvrent « la porte du Paradis », selon une parole du Prophète rapportée par El Berraa Ben Azib.

Concernant la sauvegarde de la végétation, un passage du Hadith recommande de planter des arbres: « Si l'heure arrive et que l'un d'entre vous tient dans sa main une plante, qu'il la repique s'il en a encore la possibilité. » Mahomet lui-même a dit: « Le monde est vert, et beau, et Dieu t'en a confié la garde. » Aussi: « Celui qui plante un arbre et en prend soin jusqu'à ce qu'il grandisse et porte du fruit sera récompensé. »

Le calife Abou Bakar s'inspirait des versets du Coran en recommandant la bonté envers toutes les espèces et tous les êtres: « Ne coupez pas un arbre, ne souillez pas une rivière, ne faites aucun mal aux animaux, et montrez-vous toujours doux et humains envers les créatures de Dieu, même s'il s'agit de vos ennemis. »

L'enseignement coranique et prophétique compare le bon musulman, essentiellement compatissant, au palmier, car il se contente de peu, selon Ibn Omar.

Un Hadith du récit d'Anas Ben Malik rapporte une parole du Prophète qui invite à prendre soin de la Création: « Tout musulman qui plante un arbre ou sème un champ et qu'un être humain, un oiseau ou une bête en mangent, se voit inscrire autant d'aumônes.» Selon Jaber Ben Abdallah, chaque fruit qui nourrira quelqu'un sera compté comme aumône pour celui qui l'aurait planté.

La Charia condamne comme délit la dégradation du milieu écologique et impose une très lourde peine au contrevenant. Le Coran réitère à différentes reprises cet appel qui se revêt comme un ordre: «N'endommagez pas la terre comme des vandales.» (Coran 2, 60; 7, 56 et 74); «Ne semez pas la corruption sur terre» (Coran 11, 85); «Ne commettez pas de désordre et de corruption sur terre» (Coran 183, 26; Cf. 29, 36). Le gaspillage dans l'usage des choses n'est pas permis en Islam: «Ne commettez pas d'excès, car Allah n'aime pas ceux qui commettent des excès.» (7, 31)

Pour le musulman, la Terre entière est une mosquée. Toute forme de vie y est sacrée et doit être préservée. Même la voie publique ne doit pas être souillée par les déchets ou des odeurs nauséabondes (Hadith, Mouslim, 57). Est considéré comme une bonne action digne de rétribution, comme une aumône selon Abi Hourayra et Abi Dharr, comme une prière selon le Hadith d'Ibn Abbès, aussi comme action qui produit le pardon des péchés et l'admission au Paradis, le geste spontané et libre de celui qui ramasse les saletés de la voie publique.

La nature doit être protégée de tout contaminant. La flore, la faune, le sol, l'eau doivent être sauvegardés. Un animal malade, par exemple, ne doit pas polluer son environnement: «Que celui qui possède des chameaux malades ne les mêle pas aux chameaux sains autour du bassin d'eau.» (Parole du prophète mentionnée par Abu Hurayrah).

La cause de la dégradation de l'environnement se trouve dans l'éloignement de Dieu: «Ceux qui ont renoncé à la foi vont sûrement causer des dommages à la Terre [...] Allah maudit ceux-là.» (Coran 47, 22) Ce même avertissement revient dans le Coran 13, 25: «Ceux qui rompent leur pacte avec Allah, désagrègent ce qu'Allah a voulu uni, et détruisent la Terre, à eux la malédiction et la mauvaise demeure.» (Cf. 2, 27 et 205; 89, 12-14)

Vivant dans un monde où tout est interrelié, le fait de semer le désordre dans l'environnement revient à nuire à toute l'humanité: «Quiconque tuerait une personne non coupable d'un meurtre ou d'une corruption sur la Terre, c'est comme s'il avait tué tous les hommes. Et quiconque lui fait don de la vie, c'est comme s'il faisait don de la vie à tous les hommes.» (Coran 5, 32)

La finalité de l'enseignement islamique est de traiter les autres, les animaux, la nature et l'environnement avec respect et bonté, sans causer de préjudice à rien ni à personne. Allah, le Très-Miséricordieux, le Très-Généreux, le Très-Reconnaissant accorde de larges récompenses pour les bonnes œuvres accomplies envers sa Création.

## L'apport de la spiritualité bouddhiste

Le bouddhisme, qui est une sagesse de vie essentiellement écologique, prône une attitude absolument respectueuse de toutes les formes de vie: arbres, animaux, êtres vivants. Il se situe aux antipodes de la pensée occidentale qui fait de l'homme «le possesseur de l'univers», prêt à dominer par la terreur. Le bouddhisme préconise l'altruisme, la compassion, la modération, la paix, le contentement, la simplicité volontaire, la non-violence envers toutes les créatures, y compris la flore et la faune. Un des quatre vœux du Bodhisattva (prononcés par un moine bouddhiste) est: «Tous les êtres innombrables, je fais vœu de libérer», y compris ceux inanimés. Pour cela, Thich Nhat Hanh précise qu'auparavant l'être humain doit atteindre un certain niveau de conscience: «Développer ma compréhension afin d'aimer et de protéger la vie des êtres humains, des animaux et des plantes.»

Puisque rien ne peut satisfaire l'être humain qui en veut toujours plus, puisque ce dernier est toujours aveuglé par ses désirs, ses envies, son avidité, sa convoitise, son attachement, la souffrance finit par l'atteindre et l'enliser dans un abîme de confusion et d'illusion. L'éveil serait la délivrance, le dénouement de son cycle de souffrance.

L'agir humain, selon la théorie de l'interdépendance du bouddhisme, a des conséquences sur la personne qui agit, sur ceux qui l'entourent et sur l'environnement. Ainsi, un geste motivé par la générosité et la bienveillance universelle, un esprit juste, une pensée juste, une action juste, un mode de vie juste purifient le corps, l'esprit, les autres, même l'environnement. Un geste contraire fait régresser la personne qui agit, ceux qui l'entourent et son environnement.

Parce que tout est interrelié, la Terre menacée par l'être humain constitue également une menace pour l'être humain. Ce dernier est donc invité à s'intégrer harmonieusement au cosmos. Ses transgressions perturbent la nature entière. Son manque de respect des autres et de la Création accumule les causes mêmes de sa propre souffrance.

Un des principaux préceptes bouddhiques recommande de *ne pas nuire aux êtres vivants*, incluant les animaux, ni de leur retirer la vie, d'où l'interdiction de la chasse et la forte tendance des bouddhistes au végétarisme. Ce précepte sous-entend jusqu'à la délivrance de tous les êtres, voire du moindre petit brin d'herbe.

Toucher un arbre, selon la tradition bouddhiste, régénère l'individu, le nourrit du souffle vital (le chi) contenu dans cet arbre depuis ses racines jusqu'à ses plus hautes ramifications. Le ginkgo biloba (qui signifie arbre de vie) est, à titre d'exemple, un arbre sacré planté expressément, avec vénération, dans la majorité des lieux de culte. La révérence des arbres poussait les Shogouns, dynasties bouddhistes du Japon (1192-1867), jusqu'à décapiter ou mutiler ceux qui les coupaient. L'actuel roi du Bhoutan a décrété, en conformité avec la doctrine bouddhiste omniprésente dans son pays, une loi qui stipule qu'au moins 60% de son territoire doit être couvert de forêts.

Le Dalaï-Lama invite tous les citoyens à agir[273], chacun selon son niveau, pour prendre soin de l'environnement. «Nous sommes tous concernés, tous responsables. C'est aussi cela la démocratie», affirme-t-il. Tous les éléments de la nature devraient être les objets de notre compassion: «Fondamentalement, chaque individu est responsable du bien-être de l'humanité et de la Terre parce que la Terre est notre seule demeure. Nous n'avons aucun autre refuge. Par conséquent, tout le monde doit se soucier non seulement de ses compagnons humains mais aussi des insectes, des plantes, des animaux et de toute la planète. De quelque manière que ce soit, l'initiative doit venir des individus[274].»

Il en appelle à une agriculture «en harmonie avec les processus naturels» et à une réduction des élevages et abattages industriels. Il prône une vie modeste et la *simplicité volontaire:* «Mener une vie simple est la meilleure façon de se sentir heureux. La simplicité est extrêmement importante pour le bonheur. Avoir peu de désirs, se satisfaire de ce que l'on a (vêtements, nourriture, abri) est vital.»

La théorie de l'interdépendance est primordiale dans le bouddhisme. La moindre pollution que nous produisons dans notre petit coin a des répercussions écologiques très graves sur des pays situés à l'autre bout du monde. Un scientifique américain l'a appelé «théorie de l'effet papillon»[275]. Pour

---

273    «Il ne suffit pas d'être compatissant. Vous devez agir.» Dans *Préceptes de vie du Dalaï-Lama*, propos recueillis par Bernard Baudouin, Paris, Presses du Châtelet, 2001.

274    Il renchérit avec force: «Moralement, nous avons la grande responsabilité de nous occuper non seulement de nos semblables mais aussi des autres espèces d'animaux, des autres êtres sensibles ainsi que de notre environnement.»

275    Edward Lorenz est un météorologue qui enseignait au renommé Massachusetts Institute of Technology (MIT). Il a mis au point, dans les années 1960, le concept selon lequel un changement

le Dalaï-Lama, le sort et le bien-être de toutes les espèces vivantes sont interreliés: «Comme les choses sont interdépendantes, notre propre satisfaction, notre bonheur, dépendent en grande partie des autres. Si les autres, y compris les animaux, sont satisfaits et montrent leur bonheur ou tout autre réponse positive, alors nous pouvons être satisfaits.» D'où son affirmation magistrale: «Il est de notre intérêt d'assumer le bien-être des autres.»

Le taoïsme[276], autre tradition asiatique, exige des humains qu'ils soient toujours en bons termes avec la nature pour être en bonne santé et heureux. Il prescrit de suivre le chemin droit qui est celui du cours naturel des événements. Les actions réalisées en conformité avec les lois naturelles cosmiques du Tao créent un cercle de vie harmonieux.

## L'apport de la spiritualité hindouiste

La spiritualité hindouiste respecte toutes les créatures végétales et animales. Elle représente la Terre sous forme d'une vache qui allaite des êtres humains. Kali est pour eux la déesse Mère de la Terre, à la fois tendre et terrifiante, dispensatrice de vie et de mort. Son collier est orné de crânes.

En Inde, la Terre est tellement respectée qu'un proverbe hindou stipule: «La Terre est notre Mère, nous sommes tous ses enfants.» La coupe d'un arbre[277] y est considérée comme un geste immoral, même un affront qui mérite un châtiment. L'eau est considérée comme un symbole sacré. Des fleuves, comme le Gange, ont un pouvoir de guérison et de pardon sur ceux qui s'y baignent selon les rites prescrits.

Les Vedas préconisent une conduite en harmonie avec la nature et l'ordre cosmique, c'est alors que la vie devient douce: «Pour celui qui vit en accord avec la loi éternelle, les vents sont remplis de douceur, les fleuves versent des douceurs.» L'écart de cette loi universelle (Dharma) entraîne un désordre cosmique.

Les vaches, les singes et les serpents sont vénérés. La Vie qui anime les animaux est reconnue comme sacrée, d'où la tendance généralisée au végétarisme. On y retrouve le plus grand troupeau bovin libre. En l'an 256

---

minime des conditions initiales peut bouleverser l'évolution d'un système mathématique. Il a illustré sa théorie en 1972 en prenant l'exemple du battement d'ailes d'un papillon au Brésil qui pourrait perturber le système atmosphérique de telle sorte que des tornades finissent par s'abattre sur le Texas, d'où le nom d'«effet papillon». Il a reçu plusieurs prix internationaux dont le Prix Kyoto. Son livre *La Nature et la théorie de la circulation générale de l'atmosphère* publié en 1967 est devenu un classique de cette discipline. Il a influencé de nombreux autres domaines scientifiques. Il est décédé en avril 2008.

276 De *Tao* qui veut dire: raison, être suprême.

277 En 1720, un grand nombre de citoyens de l'Inde ont empêché la déforestation effectuée par l'armée du maharaja de Jodhpur.

avant notre ère, l'empereur Ashoka (304 av. J. C. – 232 av. J. C.) a imposé la protection des animaux en publiant plusieurs édits. Une majorité de sikhs s'abstiennent de viande par respect pour la vie animale et pour «Atman» (le souffle divin) qui réside en elle.

R'ta (dieu de l'ordre éternel) se transforme, selon la pensée indienne, en justicier impartial envers ceux qui n'entrent pas en dialogue avec la nature ou l'environnement. Les phénomènes naturels ne tardent pas à rétorquer quand des actes de transgression sont commis.

Les textes sacrés hindous Rig Vedas auraient été écrits par la civilisation indo-européenne, assez avancée techniquement, qui aurait vécu il y a 7000 ans dans la zone de l'Arctique alors habitable. Le philologue indien Bâl Gangadhar Tilak (1856-1920) estime que lors de l'adoucissement de la température entre deux périodes glaciaires, cette civilisation indienne s'est dirigée vers le nord et l'ouest, d'où le qualificatif indo-européenne qui lui a été attribué par la suite. Cette hypothèse, ainsi articulée, tisse un lien percutant entre changement climatique, civilisation et religion.

## *L'apport de la spiritualité baha'ie*

La foi baha'ie[278], qui se veut la réunion de toutes les religions, enseigne à son tour l'interdépendance entre l'être humain et son environnement. L'un ne peut être séparé de l'autre. L'un influence, détermine et «façonne» l'autre. La nature reflète, selon ce mouvement religieux, la présence et les attributs du divin. L'homme est invité à lire et à découvrir dans ce «paradis terrestre» les signes de la manifestation de la Providence.

Cette nouvelle religion indépendante fondée par Bab en 1844 à Chiraz (Iran) veut accomplir les promesses des autres religions d'apporter l'unité et la paix dans le monde. Elle pense que ce n'est pas uniquement avec des lois humaines, politiques ou économiques que l'on va arrêter la dégradation de l'environnement, mais plutôt par la transformation spirituelle du cœur et par des valeurs universelles partagées. L'unité du genre humain, lequel pourrait garder ses coutumes, ses mœurs, sa langue et sa spécificité, serait la solution à plusieurs problèmes mondiaux.

Un des piliers du bahaïsme, Baha'u'llah (1817-1892), enseigne: «Le bien-être de l'humanité, sa paix et sa sérénité ne peuvent être atteints tant

---

278   De *baha* qui veut dire gloire en arabe. Cf. www.bahai.org et www.onecountry.fr (section environnement). La Communauté internationale Baha'ie a collaboré activement à la rédaction de la *Charte de la Terre* et gère plus de 50 projets de préservation de la nature dans 30 pays. Cf. deux documents de cette communauté: *L'environnement, base de notre avenir* et *La conservation des ressources terrestres* (compilation).

que son unité n'est pas fermement établie.» La crise environnementale actuelle est le symptôme de ce manque d'unité entre les nations, symptôme des préjugés de supériorité d'une nation, d'une religion ou d'un mode de vie sur l'autre. Ces préjugés sont à la base de la destruction du monde. Une fois l'unité morale et spirituelle des peuples réalisée, il y aura des solutions matérielles, durables, globales et mondiales pour l'humanité et pour l'environnement.

Ce mouvement croit que tous les êtres humains sont unis organiquement entre eux et entre les règnes minéral, végétal et animal. Ils sont appelés à s'entraider, tel que le stipule Baha'u'llah: «La Parole de Dieu est une lampe, sa lumière tient dans ces mots: vous êtes les fruits d'un même arbre, la feuille d'une même branche. Vous êtes tous les habitants d'un même monde et vous avez tous été créés d'une même volonté. Béni soit celui qui se mêle à tous ses semblables dans un esprit d'une parfaite bonté et amour.»

Cet auteur souligne également l'interdépendance harmonieuse des choses et le danger d'altérer leur cohésion naturelle: «Chaque partie de l'univers, en effet, est reliée à chacune des autres parties par des liens très puissants qui ne souffrent aucun déséquilibre et aucun relâchement.»

Selon cet enseignement, l'homo sapiens est «consubstantiel au monde». Il fait partie de son environnement. Tous les peuples sont donc invités à être solidaires, «à penser et à agir en tant qu'une seule humanité dans l'intérêt de tous» (Baha'u'llah).

Le principe de conservation de la nature est fondamental selon cette doctrine, qui affirme: «La Terre n'est qu'un seul pays et tous les hommes en sont les citoyens.» La pollution et les changements climatiques concernent tous les citoyens, qui se doivent d'investiguer d'une façon libre et indépendante sur la vérité. Le devoir et la responsabilité de chaque personne sont de s'éduquer[279], d'entreprendre des recherches sur l'environnement (comme aussi sur la paix, la condition de la femme et autres sujets importants) et d'agir en conséquence. Les richesses matérielles et périssables ne doivent pas constituer la «gloire» de l'être humain. Sa «prospérité» réside plutôt dans sa sagesse, sa justice, son équité, sa bonne foi, ses services et son don de lui-même pour le bien de tous.

Si les animaux ne sont pas placés au même rang que les humains, il est cependant proscrit de commettre des actes de cruauté envers eux, car eux aussi possèdent des sensations physiques. Le respect qui leur est dû appelle à une

---

279  Abdu'l-Baha a écrit à ce sujet: «Notez que lorsque l'animal est dressé, il devient domestique, et que l'homme, s'il est laissé sans éducation, devient bestial.»

éducation progressive des peuples en faveur d'une alimentation composée de fruits, de légumes et de céréales.

Le bahaïsme estime que la nature est là pour montrer le mystère de Dieu. Tous les éléments de la Création doivent être respectés. C'est le devoir de tout citoyen de se consacrer au bien-être (mieux-être) de ses semblables, de construire un monde toujours meilleur et de ne rien faire qui puisse le dégrader: «Consacrez les précieux jours de votre vie à l'amélioration du sort du monde... Il (Dieu) ordonne ce qui est juste et il défend ce qui dégrade... Tous les hommes ont été créés pour travailler à l'établissement et à l'amélioration croissante de la civilisation.» (Baha'u'llah)

Shoghi Effendi résume la vision de la pensée baha'ie, qui préconise, dans un monde idéal, un «système fédéral mondial» rassemblant tous les pays et sauvegardant les ressources naturelles: «L'unité de la race humaine telle que l'a envisagée Baha'u'llah implique l'établissement d'une confédération mondiale au sein de laquelle toutes les nations, les races, les classes et les croyances sont unies étroitement et en permanence; au sein de laquelle l'autonomie des États membres, la liberté personnelle et l'initiative des individus qui les composent sont complètement et définitivement sauvegardées... Dans une telle société mondiale, la science et la religion, les deux puissantes forces de la vie humaine, seront réconciliées, coopéreront et se développeront harmonieusement... Les ressources économiques du monde seront organisées, ses sources de matières premières seront exploitées..., ses marchés seront coordonnés et développés, et la distribution de ses produits sera équitablement réglementée...»

## L'apport de la spiritualité des premières civilisations

Les découvertes archéologiques qui remontent aux premières civilisations, comme celles des Égyptiens, des Aztèques[280] ou des Kogis de la Colombie, divulguent des objets ou des fresques illustrant leur vénération de la Terre à titre de déesse vivante et de Mère secourable, féconde, mais aussi dispensatrice de mort.

Ces premières civilisations vivaient en harmonie avec la nature, vénéraient aussi le Soleil, lui reconnaissaient des pouvoirs. Leurs plus belles décorations (masques, insignes, fresques, sculptures) étaient inspirées des éléments de la nature et des animaux auxquels ils accordaient des vertus de protection et différents symboles. Leurs dieux avaient une tête d'animal avec un

---

280   Les Aztèques croyaient que la mort mène à Dieu, transforme tout être (y compris les animaux) en Dieu (K. Hummel et W. Bühler).

corps humain ou un corps d'animal avec une tête d'humain, pour signifier l'osmose entre la nature humaine et cosmique, aussi pour approprier aux personnes les pouvoirs protecteurs.

Les Égyptiens, en particulier, estimaient que les animaux étaient des messagers des dieux, donc munis d'une âme immortelle. Des représentations animales garnissent les tombes des pharaons pour qu'elles les accompagnent lors de leur traversée vers l'autre rive. Des représentations d'un singe en prière incarne le dieu Thot (le maître des paroles sacrées). Sokaris est un dieu à tête de faucon qui accompagne la barque de la mort vers l'autre rive. Le chat qui incarne le soleil combat le serpent qui symbolise les ténèbres. Anubis est le dieu de la mort à tête de chacal qui introduit le défunt à l'autre vie. Khnoum est un dieu qui a un corps d'homme et une tête de bélier, il figure sa permanente transformation et création d'espèces vivantes. Le scarabée illustre la constante capacité de transmutation. Hathor est la vache protectrice qui porte le soleil entre ses deux cornes, elle incarne l'amour céleste et donne le lait des étoiles. Le ressuscité est représenté par un oiseau à tête humaine (le ba).

Eugen Drewermann mentionne que dans l'Égypte antique, les animaux «exhortent les hommes à la justice et à la modération». Ces derniers sont sommés d'«apprendre sagesse et pitié de l'ordonnancement de la nature et particulièrement de la manière de vivre des animaux[281]».

L'éthique des anciens Égyptiens défendait de nuire aux animaux et à la nature. Après la mort, l'âme du juste confesse devant le juge: «Je n'ai pas arraché ni fourrage ni herbes de la gueule du bétail... Je n'ai maltraité aucune bête...»

E. Brunner-Traut écrit à ce propos que tout «manquement à la considération due aux animaux comme créatures était considéré comme un péché. En conséquence, l'éthique égyptienne accorde à l'animal le droit d'accuser l'être humain. D'après une inscription trouvée sur une pyramide, le roi défunt est acquitté avec le jugement suivant: *Il n'y a aucune plainte d'un vivant contre N., il n'y a aucune plainte d'un défunt contre N., il n'y a aucune plainte d'une oie contre N., il n'y a aucune plainte d'un bœuf contre N.* L'oie et le bœuf interviennent comme représentants du règne animal. Ce jugement se trouve dans les pyramides de Una (V\ae dynastie, v. 2300 av. J.-C.) jusqu'à Pepi II (VI\ae dynastie, v. 2200 av. J.-C.).»

Ces sociétés premières ne pouvaient nullement envisager la destruction ou la dégradation de l'environnement. Selon leurs croyances, la défores-

---

281  *De l'immortalité des animaux,* Paris, Cerf, 1992.

tation, le massacre des animaux ou la pollution de la Terre, de l'eau, de l'air ou n'importe quel geste anthropique irrespectueux de la sacralité de l'univers, était une pure transgression qui ne pouvait qu'entraîner des perturbations comme des catastrophes naturelles. L'objectif principal de leurs pratiques était le maintien de l'harmonie sociale et cosmique. Pour plusieurs, la nature était considérée comme «l'anti-chambre de Dieu», faisant partie de la demeure de Dieu, qui donne donc accès, par la suite, à Dieu.

Les Incas, eux, respectaient les quatre éléments de la nature. Ils vénéraient particulièrement Mère-Eau pour le cadeau de la vie qu'elle leur donnait: eau du fleuve, du lac, de la source, de la pluie; eau porteuse de vie, espérance de vie; eau qui entretient la vie et qui désaltère les humains, les animaux, la Terre; eau qui lave, régénère, purifie, féconde et fait germer les cultures.

Les Mayas avaient un rapport très conscient avec le cosmos et le temps. Ils ont établi un calendrier très précis basé sur leurs observations astronomiques. La durée qu'ils ont fixée à l'année solaire est plus parfaite que celle du calendrier julien ou grégorien. Le temps est divisé, selon eux, en cycles ou en âges évolutifs constitués chacun de plusieurs milliers d'années (entre 5 200 et 26 000 ans). Des cataclysmes se produisent entre ces différents cycles, ils anéantissent le *monde* pour lui permettre ensuite de renaître. Ils croient que déjà, à quatre reprises, le soleil s'est éteint. Des changements climatiques intenses (inondations, tremblements de terre, ouragans) ont décimé la race humaine. Barbara Hand Clow, qui a écrit le livre *The Maya Code,* estime que l'humanité, selon la pensée maya, est passée d'une perspective géocentrique (centrée sur la Terre) et héliocentrique (centrée sur le soleil) à une vision galactocentrique (centrée sur la Voie lactée, sur la galaxie).

Michael Koni Dudley a étudié les croyances des aborigènes d'Hawaï. Ces derniers vivaient en grande harmonie avec tous les éléments de la nature qu'ils considéraient comme des êtres vivants, membres d'une même famille et qui veillaient sur eux. Il remarque: «Les Hawaïens ont toujours perçu le monde entier comme un être vivant de la même manière que les humains sont vivants. Pour eux, toute la nature est consciente, capable de comprendre et d'agir, capable d'interagir avec les humains.»

Les anciennes tribus d'Amazonie, les Esquimaux, les Inuits de Sibérie communiquaient avec la nature et les animaux. Pour eux, la création était un livre sacré dont il fallait savoir lire, interpréter et déchiffrer les signes. Au Madagascar, le respect de la nature et des forêts primitives était si fort que ceux qui coupaient des arbres sans permission étaient, jusqu'à il y a quelque temps encore, condamnés à mort. Pour leur part, les premières nations de l'Australie considèrent que tout être humain est un esprit incarné du territoire.

Les animistes, de leur côté, reconnaissent dans les éléments de la nature (montagnes, arbres, sources, vents) des esprits vivants et des forces cosmiques puissantes avec lesquels ils entrent en dialogue et établissent un pacte, comme celui entre des parties et un tout. Différents rituels de supplication, d'action de grâce et de vénération sont adressés à la nature et célébrés par toute la communauté en vue d'entretenir avec elle un pacte nécessaire à leur survie, à leur équilibre, à leur paix et à leur prospérité.

## L'apport de la spiritualité amérindienne

Les Amérindiens qui vivent très proches de la nature vénèrent la Terre et l'appellent «Notre Sainte Mère la Terre» (proverbe Winnebago)[282]. Les êtres humains, «enfantés» par la Terre, en constituent une part qu'ils ne peuvent oublier et de laquelle ils ne peuvent se voir séparés.

Pour eux, le corps est plus qu'une enveloppe. Il trouve dans l'air, dans l'eau et dans les autres éléments de la nature sa propre extension. Il fait partie de la grande famille de la nature qui inclut les espèces minérales, végétales et animales. La Terre est son berceau sacré. Selon la pensée amérindienne, l'être humain ne peut ne pas être en harmonie avec son territoire et ne pas le conserver.

Labourer le sol, selon leur pensée, c'est comme «prendre un couteau et déchirer le sein de leur mère». Creuser pour chercher une pierre, c'est comme «aller sous la peau de leur mère pour chercher ses os». Couper l'herbe, c'est comme «couper ses cheveux». Extraire le charbon des mines, c'est «profaner la face de la Mère Terre.» Ils déplorent l'esprit matérialiste et mercantile des Occidentaux: «L'avance technologique de l'homme blanc s'est révélée comme une conséquence de son manque d'intérêt pour la voie spirituelle et pour la signification de tout ce qui vit. L'appétit de l'homme blanc pour la possession matérielle et le pouvoir l'a aveuglé sur le mal qu'il a causé à notre Mère la Terre, dans sa recherche de ce qu'il appelle les ressources naturelles.»

Pour rien au monde, les Amérindiens ne feraient violence à la nature. Ils ne ramassent que le bois mort. Ils collent leur oreille au tronc de l'arbre[283], dans la forêt, pour entendre le son des bonds des animaux et pour apprendre

---

[282] Cf. McLuhan, Téri C., *Pieds nus sur la Terre sacrée*, Paris, Denoël, 2004 (réédition).

[283] Les Amérindiens ont une belle tradition: planter un arbre lors d'une convention, d'un pacte ou d'un événement important. Un rituel suit cette plantation avec toutes les parties concernées rassemblées autour en forme de cercle.

la sagesse ancestrale. Ils se tiennent, selon James O. Dorsey, «côte à côte avec la nature». Ils ne lui «font pas face». Pour les Crees, l'eau est «vie, sacrée, souffle de vie du Créateur». Darlene Sanderson affirme: «L'eau est vie. Nous sommes vie. Nous sommes eau. Nous sommes rivière de vie.»

Ils considèrent le Soleil comme leur père, la Terre comme leur mère et les animaux comme leurs frères (bien avant François d'Assise). Ils croient fermement qu'ils appartiennent à la grande famille de la nature.

Si, par nécessité seulement, ils se trouvent dans l'obligation de tuer un animal pour se nourrir, ils lui demandent pardon auparavant, lui adressent une petite prière, l'appellent «Ami Surnaturel» et lui demandent de les protéger. Ils gardent ses dents, son panache, sa peau comme signes de respect et comme hommage à sa vie et à son courage. L'anthropologue Dorothy Lee écrit à ce sujet: «Le soin extrême avec lequel la plupart des Indiens usaient de chaque morceau de carcasse d'un animal tué n'était pas l'expression d'un souci d'économie, mais d'attention et de respect; en fait, un aspect de leur relation religieuse avec l'animal abattu[284].» Ils ne prélèvent de la nature que ce qui est nécessaire à leur survie et répond à leurs besoins du jour.

L'attachement sacré des Amérindiens à la nature est cristallisé dans cette célèbre réplique du chef Seattle au président Franklin Pierce qui lui avait proposé d'acheter une grande partie des terres appartenant aux Premières Nations: «Comment pouvez-vous acheter ou vendre le Ciel ou la Terre? Cette idée nous est étrangère... Pour mon peuple, chaque partie de cette Terre est sacrée. Nuire à la Terre, c'est mépriser le Créateur... Nous sommes une partie de la Terre et elle fait partie de nous. Les fleurs parfumées sont nos sœurs. Le cerf, le cheval, le grand aigle, ce sont nos frères. Les crêtes rocheuses, les sucs dans les prés, la chaleur du poney et l'homme, tous appartiennent à la même famille... Cette eau scintillante qui coule dans les ruisseaux et les rivières n'est pas seulement de l'eau mais le sang de nos ancêtres. Si nous vous vendons notre Terre, vous devez vous rappeler qu'elle est sacrée et que chaque reflet spectral dans l'eau claire des lacs parle d'événements et de souvenirs de la vie de mon peuple. Le murmure de l'eau est la voix du père de mon père... Tout ce qui arrive à la Terre arrive aux fils de la Terre. Si les hommes crachent sur le sol, ils crachent sur eux-mêmes... Toutes choses se tiennent comme le sang qui unit une même famille... La Terre n'appartient pas à l'homme, l'homme appartient à la Terre. L'homme ne tisse pas la trame de sa vie. Il n'est qu'un fil dans cette trame. Et quoi qu'il fasse à

---

[284]  Les bûcherons allemands avaient l'habitude, jusqu'à la fin du XIXᵉ siècle, de demander pardon à l'arbre avant de le couper.

cette trame, c'est à lui qu'il le fait... Cette Terre Lui est précieuse (à Dieu), et nuire à la Terre, c'est accabler de mépris son Créateur.»

Les Algonquins ont une tradition particulière reliée à la Terre. Ils célèbrent chaque printemps, dans tout le Canada, la «Cérémonie du Pardon» pour se réconcilier avec la Terre Mère. Ils demandent pardon pour les transgressions commises à son égard durant l'année.

Un membre de cette communauté, Megwech, décrit l'esprit de ce jour de réflexion, suivi d'un rituel qu'il qualifie de «prise de conscience que la Terre a été *offerte* à tous les humains»: «La Terre représente notre Mère; elle nous donne la possibilité de marcher sur elle, elle nous offre sa médecine... C'est une journée pour prendre conscience de la souffrance que notre Terre Mère éprouve tout au long de l'année... (Cela) nous permet de la remercier, car elle continue de nous offrir ce dont nous avons besoin: arbres, plantes, fruits, montagnes, lacs, rivières et animaux[285].»

La vision des Premières Nations est totalement différente de celle de quelques politiciens et industriels occidentaux qui s'arrogent le droit de s'approprier la Terre et se considèrent comme ses maîtres absolus, dérivant par des barrages les rivières (ce qui cause des dommages considérables à l'équilibre écologique), jetant leurs détritus dans les cours d'eau, œuvrant d'une façon systématique à sa déforestation sauvage et au dynamitage de ses montagnes, pratiquant la pêche à l'explosif et la chasse sportive à l'égard d'animaux innocents[286]. Ces gestes irrespectueux envers la Terre boulversent profondément la vie et les coutumes des Amérindiens, qui entretiennent une relation révérencieuse et d'amitié avec la nature, la flore, la faune, l'environnement. Ils ne peuvent concevoir une telle attitude agressive, de profanation, envers la Terre qui leur fournit les remèdes appropriés pour guérir et se maintenir en santé.

Pour les Amérindiens, la Terre est sacrée. Elle leur est *confiée, donnée, prêtée*. Ils préfèrent coucher le long de leur corps sur le sol et marcher pieds nus pour être toujours en contact avec son pouvoir maternel. Le début d'une de leurs prières stipule: «Rappelle-toi, mon peuple, que la Terre t'a été donnée (prêtée) mais que c'est le Grand Esprit qui reste le Maître.» Ils en prennent soin, la gardent propre et florissante. Ils ne peuvent concevoir le fait de faire violence à leur Mère qui les accueille, les nourrit, leur offre ses plantes médicinales. Pour eux, blesser la Terre Mère, c'est s'aliéner, aliéner la vie et son devenir. À la question épineuse *Qu'est-ce qui est plus*

---

285    Voir www.dominiquerankin.ca et www.etangstremblant.com
286    Rappelons la maxime de Descartes qui affirmait que l'animal n'est qu'une «mécanique biologique».

*sacré, la nature ou l'économie?*, sans doute qu'ils répondraient et sans aucune hésitation : la nature.

## L'apport de la vision athée

James Lovelock[287], qui s'affiche lui-même comme « agnostique positif », c'est-à-dire qui refuse d'adhérer à une croyance particulière tout en demeurant ouvert et respectueux de toutes les croyances, préconise la théorie Gaïa.

Gaïa est le nom que les Grecs donnaient à la déesse de la Terre, déesse Mère, créatrice cosmique « aux mamelles intarissables ». Il s'est inspiré de ce nom pour renommer notre planète et la présenter comme une totalité vivante, un *vaste organisme vivant* qui s'autorégule, prend soin de lui-même, maintient son équilibre exactement à l'instar de l'organisme humain muni de différents organes qui veillent, chacun activement, à son juste métabolisme, à son fonctionnement et à sa permanente adaptation[288]. Johannes Kepler (1571-1630) avait déjà lancé la théorie de la Terre-organisme au XVIIᵉ siècle.

Comme le cœur, le foie, les reins font partie du *corps humain*, de même l'air, les océans, les sols constituent le *corps environnemental,* modifient les conditions de vie afin de les rendre plus hospitalières. C'est similaire au principe d'homéostasie selon lequel une réaction amène une contre-réaction de défense et de survie pour maintenir l'équilibre de la vie. Les liens d'interdépendance homme-nature, selon cette lecture bio-physique, sont tellement concrets et manifestes qu'ils n'ont besoin d'aucune justification ou référence religieuses pour être respectueux de l'environnement.

Cette hypothèse biogéochimique a été finalement validée scientifiquement[289] et fait partie maintenant de la biologie. Elle a séduit les « earth based religions » (religions terrestres, sans aucun renvoi à l'au-delà) et les adeptes du Nouvel Âge. Les néo-païens y trouvent un principe d'action

---

287 James Lovelock est un médecin britannique, biologiste, cybernéticien, chimiste, grand penseur scientifique indépendant, conseiller de la NASA dans les années 1960, et inventeur (vers 1950) d'un instrument scientifique détecteur d'électrons permettant d'identifier des substances chimiques chez l'être humain (dont les résidus de pesticides). Cet appareil sert aussi à découvrir le DDT et les CFC dans les glaces polaires et à suivre les variations du trou d'ozone.

288 L'influence des humains sur la Terre (l'écosphère) pousse la biomasse, en temps normal, à constamment s'y accommoder. Ce serait la fonction propre de la biosphère, des mécanismes des écosystèmes, de stabiliser et de préserver la vie terrestre. Ce penseur croit que si notre pollution et les bouleversements climatiques continuaient, la biosphère ne pourrait plus s'adapter, ce serait la disparition de la race humaine dont le règne n'aurait représenté qu'un âge parmi d'autres dans l'histoire du développement de la Terre qui a déjà connu plusieurs règnes auparavant.

289 Plusieurs savants y souscrivent : Lynn Margulis (sa proche collaboratrice), Erich Jantsch (qui a publié un livre intitulé *L'Univers auto-organisé)*, Max Eigen, Ilya Prigogine, Humberto Maturara, Francisco Varela.

responsable envers l'organisme vivant Terre. Leur participation active au soin de la Terre est vécue sous le signe de la communion, du dialogue et de la réciprocité.

Lovelock a bouleversé l'interprétation classique de la nature inanimée que les lois de la science présentaient plutôt comme substance inerte. Avec Gaïa, la Mère-Terre[290] devient un macroorganisme pleinement vivant, dynamique et interactif. Jack Vallentyne décrit, dans la même veine et avec des images crues, cet être vivant qu'est la Terre: «Si l'eau est le sang de la Mère Terre et le sol son placenta, les cours d'eau en sont les veines; les océans, les ventricules du cœur; l'atmosphère, l'aorte géante.»

Sans adhérer à une croyance religieuse, les personnes athées peuvent avoir de grands principes humanistes et de grandes valeurs très louables, peut-être même plus «spirituels» que ceux qui se prétendent «spirituels». Ils effectuent des gestes héroïques, notamment envers les moindres éléments de la Création. Voici trois cas de figure: un professeur de philosophie qui se déclare ouvertement athée, pourtant très grand humaniste, soucieux de faire, plus que le plus fervent des missionnaires, des gestes concrets pour assurer un environnement plus viable, par exemple, aux pays en développement, comme creuser des puits dans les villages les plus reculés, leur fournir de nouvelles sources d'énergie et des semences à cultiver. Deuxièmement, les 14 savants russes qui, sans aucune allégeance confessionnelle ou religieuse, ont préféré mourir de faim plutôt que de céder, assiégés par les nazis, à l'Institut Nikolaï Ivanovitch de Leningrad, à l'hiver 1942, devant des sacs de spécimens de riz, de pommes de terre et de semences uniques et précieuses, contenant des ressources génétiques rares, recueillis à travers le monde, nécessaires à l'alimentation des générations futures et au maintien de la biodiversité planétaire[291]. Troisièmement, les travailleurs humanitaires athées qui risquent volontairement leur vie pour secourir les populations prises en otage sur les lignes de combat.

Les différentes ONG qui œuvrent de par le monde, également sans aucune référence religieuse, uniquement pour le bien de l'humanité, sont aussi dévouées et efficaces en matière de résolution de la crise écologique mondiale. Ils conçoivent d'excellents programmes d'intervention et de conscientisation

---

290 Carl Gustav Jung a écrit à ce propos: «La Terre-Mère, c'est la puissance féminine destinée à souffrir l'enterrement et la résurrection.» Dans *Analyse des rêves*, tome 1, Paris, Albin Michel, 2005.

291 L'archipel de Svalbard (Spitzberg), situé au nord de la Norvège, à 1120 km du pôle Nord, abrite près de 1400 spécimens de graines provenant des pays du monde entier. Ils sont entreposés et préservés dans un caveau souterrain appelé «Global Seed Vault» (Chambre forte mondiale de graines). Cette banque de graines a pour but de conserver la diversité génétique des aliments.

environnementale, se basant sur les principes de développement durable, de conservation et de partage équitable des ressources de la planète.

## Les fondements d'une écoéthique universelle

Une relecture analytique de l'ensemble du contenu de ce parcours écothéologique vaste et diversifié autorise, au terme de notre réflexion, l'élaboration d'une synthèse interreligieuse des fondements spirituels communs qui éclairent les consciences en vue d'une conduite écologique sociétale.

Nous récapitulons ce que le discours et les prescriptions de ces différentes croyances ont inculqué à l'agir humain en matière de protection de l'environnement:

1. La Création est sacrée et a ses *droits* naturels. Elle n'appartient pas à l'être humain.
2. La Création est un patrimoine commun universel, intergénérationnel à conserver.
3. Les ressources naturelles sont destinées à tous et ne peuvent être utilisées d'une façon égoïste ou abusive par quelques générations seulement.
4. Toute Vie est sacrée et a droit à son intégrité.
5. La *qualité* de vie est aussi sacrée. Tout être humain a le *droit* fondamental à un environnement sain.
6. L'être humain est un élément parmi les autres éléments de la nature, une diversité dans la biodiversité. Il est appelé à en prendre soin et à vivre en paix avec tous les éléments de son entourage.
7. Les principes de charité, de justice et de bien exigent la promotion de la vie et non de la mort, la réparation par tous les moyens appropriés et sûrs des dégâts causés à l'environnement.
8. La surexploitation sauvage des ressources de la nature et la surpollution de l'environnement contribuent à la destruction de la biodiversité, et ce faisant, de l'être humain aussi.
9. Le principe d'interdépendance et d'interaction des éléments de la nature rend l'être humain gravement responsable de la santé de son environnement puisque ses moindres actes ont une répercussion planétaire souvent irréversible.
10. Le «principe de précaution» interdit de mettre en péril les écosystèmes, le bien-être et les intérêts de l'ensemble ou d'une partie des espèces.
11. Une relation respectueuse et solidaire de tous les éléments de la nature crée en l'être humain l'éveil et l'harmonie.

12. La valeur des services offerts par les écosystèmes aux êtres humains constitue un bien inestimable reçu et à protéger.

Ces principes fondamentaux universels déterminent rationnellement le mode d'agir écoéthique de tout écocitoyen. De tels préceptes mettent la protection et la restauration de la Vie, sous toutes ses formes, au centre des préoccupations économiques, politiques et sociétales quotidiennes. Le principe de préservation et de stabilité environnementales, promulgué par presque toutes les religions, précède et fixe celui de développement et de santé durables. La reconnaissance et le respect de la sacralité de la Terre et de la Vie seraient véritablement les conditions fondamentales indispensables pour l'élaboration d'une telle écoéthique qui embrasserait les dimensions de l'univers.

## Solution: création d'une Alliance interreligieuse d'écothéologie

Ne serait-il pas prophétique de la part des chefs religieux, toutes confessions confondues, représentant plus de six milliards d'êtres humains, de créer une *Alliance* interreligieuse, *commune* et *internationale*, d'écothéologie? Ils se regrouperaient chaque année autour d'une Conférence interreligieuse mondiale sur les bouleversements climatiques, en marge d'une importante réunion de chefs d'États comme le G-8, pour en faire le contrepoids. Ces chefs religieux, souffrants et compatissants avec les douleurs de la Terre et des Vivants, inviteraient les médias, chaque fois dans un endroit symbolique différent, là où la Terre «gémit et dépérit». Des politiciens, des scientifiques et des économistes des cinq continents s'y joindraient, unifieraient leurs positions et actions en faveur de la préservation de la nature, avec ou sans référence religieuse.

Leur discours universel, biocentrique, sur l'urgente nécessité de repenser *ensemble* notre *interaction avec la Terre,* qui n'est pas qu'une simple «chose» ou un «instrument», leur réflexion humaniste[292] sur notre *relation avec la Vie*, sur notre surexploitation de la nature et sur notre responsabilité intrinsèque face à la Création désacralisée rejoindraient la conscience de toutes les sociétés et pourraient participer davantage à l'éveil du souci environnemental.

Des lieux défigurés en permanence et significatifs seraient appropriés pour ces réunions, comme Tuvalu ou le lac Tchad, les régions inondées du Pakistan ou du Bangladesh, les zones de la Thaïlande ou de l'Indonésie

---

292  C'est de l'avenir de la vie de l'être humain, autant que de la nature, qu'il est question ici.

dévastées par le tsunami, ce lieu de l'Antarctique où se forme un trou dans la couche d'ozone ou Kilimandjaro, un nouveau désert ou une forêt aux arbres morts dévastée par les pluies acides ou les scolytes, une mégamanufacture surpolluante à Datong alimentée au charbon où l'air poussiéreux d'un jaune ocre permanent est irrespirable ou un centre de tri pour recyclage, la centrale nucléaire de Tchernobyl ou avec les Inuits dépaysés sur leurs propres terres, Shishmaref ou Kivalina en Alaska, les forêts boréales abattues au nord du Québec ou Cancer Alley, le lac d'Aral desséché (devant une épave) ou Smokey Mountain[293].

Une déclaration officielle commune, en direct aux médias et aux politiciens du monde entier, sur l'état critique de la planète et sur l'*être au monde* de l'humain, rappellerait que la Terre est sacrée, que nous sommes tous conjointement et solidairement responsables de la nature de laquelle nous dépendons. Dieu (ou la Vie) soutient et accompagne l'homo sapiens même dans ses faiblesses et dans ses erreurs. Une conversion écologique de la *conscience* et de l'*agir* est toujours possible si chacun regardait à l'intérieur de lui-même et acceptait d'avoir une attitude modeste et respectueuse envers son environnement.

Ce discours profondément universel et anthropo-créacio-logique, sur les prérogatives de l'*avoir* au détriment de l'*être*, mettrait en relief les vraies causes de la crise écologique qui, plus qu'économique, est avant tout une crise intérieure, de conscience et de comportement. Un tel discours sur la fraternité universelle et cosmique entre *toutes* les formes de créatures et composantes de la nature pourrait mobiliser avec enthousiasme l'ensemble des citoyens du monde.

Un pareil message (qui est une bonne nouvelle puisqu'il est encore temps d'agir), basé sur des principes d'intérêts communs, lancerait une *écoéthique* à l'échelle planétaire. Il pourrait être bien reçu, vu l'ampleur des religions et personnalités mobilisées, vu la mise en valeur de l'impact de la crise écologique en direct par le biais des sites dévastés, vu le bien-être de l'humanité visé, et vu le nécessaire partage convivial d'une commune Terre sacrée à préserver.

Y aurait-il des personnalités religieuses qui auraient assez de leadership pour entreprendre ce vaste *projet d'éveil environnemental* ? Le défi de la crise environnementale, qui risque de dégénérer en crise économique et sociale mondiale sans précédent, peut unir aujourd'hui, d'une façon providentielle, les religions et les pays, puisque tous sont concernés.

---

[293] Notons l'exemple du patriarche œcuménique Bartholomée 1er qui a présidé avec le pasteur de Bahia un symposium sur l'environnement au Brésil en 2006.

─────○─────

*«Loué sois-tu, mon Seigneur, pour sœur notre mère Terre, qui nous porte et nous mène, et qui produit les fruits divers avec les fleurs colorées et l'herbe.»*
FRANÇOIS D'ASSISE,
PATRON DES ÉCOLOGISTES

*«Cette Terre Lui est précieuse (à Dieu), et nuire à la terre, c'est accabler de mépris son Créateur.»*
CHEF SEATTLE

*«Protéger la nature contre l'homme.»*
HANS JONAS

*«Voici le temps de perdre (détruire) ceux qui perdent (détruisent) la terre.»*
APOCALYPSE 11, 18

*«Ne blessons pas la Terre! Il ne faut pas la détruire! [...] Toute la Création, Dieu la donne à l'homme pour qu'il en use à son gré. Mais si ce privilège est employé abusivement, la justice de Dieu permet que l'humanité soit punie par la Création.»*
HILDEGARDE DE BINGEN

*«Le monde est à l'agonie, une agonie générale et dramatique: la planète se détruit petit à petit, son écosystème est en péril; l'anarchie, la violence menacent nos sociétés. Nous devons respecter la communauté entière des êtres vivants: celle des humains, des animaux et des plantes, et nous préoccuper de la sauvegarde de la planète, de son atmosphère, du sol et de l'eau.»*
HANS KÜNG (CHICAGO, 1995)

*«Devenir le changement qu'on veut voir dans le monde.»*
GANDHI

*«Notre objectif le plus important est de protéger la Création de Dieu et les plus faibles (qui seront affectés) par le changement climatique.»*
JIM BALL
EVANGELICAL CLIMATE CAMPAIGN

─────○─────

# ● Conclusion

J'espère que ces réflexions ont éveillé chez les lecteurs un nouvel *être-au-monde*, une *conscience renouvelée, verte, responsable et solidaire*. La fragilité de l'environnement, malgré la «robustesse de la vie», la relation avec la Terre et le prochain qui vit à côté de nous, loin de nous ou qui viendra plus tard, méritent d'être sérieusement et collectivement reconsidérées.

Le citoyen écoresponsable ne peut plus ignorer la crise environnementale que nous devons désormais affronter. Les grands artisans des industries lourdes ne peuvent plus continuer à polluer ni à surexploiter impunément la Terre. Ils ne peuvent plus persévérer dans leur relation destructrice avec la biosphère. Ils sont appelés à redéfinir leur *responsabilité sociétale*, même planétaire. C'est la Vie des espèces sur la Terre qu'ils sont en train de détruire. D'ici quelques années, l'économie mondiale en sera «durement éprouvée», réduite de 5 à 20%, selon Nicholas Stern. Les coûts seraient alors très élevés à assumer. Saurions-nous réviser à temps l'ampleur de notre impact écologique?

La pollution industrielle, notre productivisme et notre surconsommation chaotiques sont aujourd'hui bien plus menaçants et dévastateurs pour la survie des espèces que l'arsenal des armes nucléaires. Persévérer dans cette voie de pollution, c'est carrément aller à la dérive, vers l'inconnu. C'est comme scier la branche sur laquelle nous sommes assis.

Nous avons vu qu'une terre déboisée réagit en dégageant les gaz toxiques qu'elle a accumulés, qu'une eau polluée ou qui se trouve sujette à des événements météorologiques extrêmes refuse d'absorber le $CO_2$ et va jusqu'à rejeter celui emmagasiné, qu'un air surpollué par l'activité anthropique réplique en formant du smog et en étouffant la Terre de chaleur par le biais de l'effet de serre. Des experts prévoient un *emballement climatique*. Comment y faire face, le cas échéant? Pourrions-nous nous y adapter? Mettrions-nous un terme à la formidable évolution plusieurs fois millénaire de l'humanité?

Si le sens du terme *écologie*, selon son origine étymologique, veut dire *science de la maison*, si le sens du terme *éthique*, selon son origine étymologique, veut dire *qui a rapport aux mœurs*, peut-être qu'il faudrait s'arrêter et réfléchir sereinement sur les mœurs de la Maison-Terre qui nous accueille, ses mœurs, nos mœurs, y trouver un *terrain d'entente*, un *contrat social*, un *plan d'action politique* qui rassemble et garantit une *qualité* et une *durabilité de vie* pour toutes les communautés de vie. Il ne suffit pas de réfléchir. Il ne suffit plus d'avancer des déclarations de bonnes intentions. Il faut *agir* avec tous les moyens adéquats que la science offre aujourd'hui. L'enjeu principal, c'est le bien-être collectif à court et à long terme.

La prise de conscience de la portée de chacun de nos gestes, si minime soit-il, accompli dans le moment présent, en harmonie avec l'environnement, est un gage d'optimisme. Si le tableau est plutôt sombre, il ne faut surtout pas se laisser décourager. Les solutions sont innombrables, comme nous l'avons analysé tout au long de ce livre, y compris la dernière carte à jouer de la géoingénierie. À nous d'être actifs et de sensibiliser notre entourage à une meilleure *intelligence* et *éthique* de notre empreinte sur l'environnement. À nous d'opter, ensemble, pour une *vie verte* et *sobre* dans toutes ses dimensions. Qu'est-ce qui serait plus important, l'économie à laquelle nous pouvons toujours nous adapter ou notre *santé* (notre survie!) et celle de nos enfants?

Le défi socio-politique du XXI$^e$ siècle, qui doit indubitablement stabiliser sa croissance démographique, est de concilier principalement quatre facteurs majeurs:

- le **développement durable** (la production, l'économie, l'agriculture, l'industrie, la conception urbaine, l'énergie propre et renouvelable, la *biocapacité* de la Terre à répondre aux besoins grandissants des êtres humains de plus en plus nombreux et exigeants);
- la **raréfaction des ressources** (crise de pétrole, d'eau, de nourriture[294], d'air pur, de sols cultivables, de matières premières);
- la **protection de l'environnement** (le sol, l'eau, l'air, la flore, la faune, les écosystèmes, la biodiversité, la lutte contre la pollution, la géoingénierie);

---

[294] La consommation de céréales, au niveau de la planète, a dépassé la capacité de production agricole durant la dernière décennie. Avec l'explosion démographique, la demande en nourriture sera deux fois plus forte d'ici quelques années, ce qui nécessitera plus d'eau, plus d'espaces cultivables, plus d'engrais. Comment y remédier malgré la crise d'eau, d'énergie et les bouleversements climatiques?

- la **qualité de vie** (la santé, la solidarité entre les communautés, l'accessibilité de tous aux ressources et aux besoins essentiels, la pauvreté grandissante et la famine reliées à la crise climatique).

Est-il possible d'intégrer le développement durable dans la vie économique, politique, sociale de tous les jours? Est-il utopique de prôner un projet écologique juste et équitable pour tous en ce début du troisième millénaire? Quel avenir voulons-nous bâtir, quelle société? Une écosociété fondée sur l'écocroissance avec des écocitoyens munis d'une écoconscience qui agissent avec écoefficience? Sommes-nous majoritairement prêts pour une écopolitique qui protégerait les écosystèmes et privilégierait une écoéconomie écoresponsable? Adopterions-nous le principe d'écoéthique universelle? Accepterions-nous volontairement des écoprivations à cause des écosaturations? La percée majeure de la conscience verte, qui croit que nous avons un impact profond sur l'environnement, accomplie durant les deux dernières décennies au niveau planétaire, permet d'espérer.

Peut-être que c'est justement dans le délabrement pitoyable de l'état de la planète que réside aujourd'hui notre issue. L'impasse environnementale et industrielle, causée par la perversité du modèle économique actuel, orienté vers l'exploitation et le profit sans limites, suscite nécessairement une remise en question générale. Plusieurs instances, mouvements, personnes, comme nous l'avons vu tout au long de cette réflexion, perçoivent déjà différemment la vie sur Terre. Une réorientation plus responsable des pratiques quotidiennes a déjà été mise en branle.

Œuvrons donc ensemble en gardant la *Maison propre*. Modifions sérieusement nos modes de production et de consommation. Visons une économie et une industrie réfléchies, respectueuses des limites de la nature. Incarnons un mode de vie *plus vert* dans toutes nos pratiques. Redécouvrons le côté sacré de la Terre et de la Vie. Arrêtons de rendre notre planète encore plus *malade*, presque en *phase terminale*, ainsi nous n'aurons pas besoin de recourir aux grands moyens (de chimiothérapie *géoingénirique*) pour *réajuster* ses composantes chimiques.

Nombreuses sont les solutions de rechange, même si nous avons *déjà* réellement franchi un cap critique, même si les différents bouleversements climatiques vont à un rythme deux fois plus rapide que prévu et nous prennent chaque fois par surprise. L'écocroissance, ou franchement un moratoire éco-responsable sur la croissance, serait peut-être notre garantie contre la décroissance évidente, généralisée de l'environnement, et contre la guerre industrielle et chimique déclarée à toutes les espèces vivantes. Je propose donc, en guise de conclusion, de consommer moins, de produire moins, de se contenter aujourd'hui de moins ou de peu, pour mieux vivre demain.

Les citoyens du monde entier sont invités à développer leur conscience et leur sensibilité écologiques afin de réunir les conditions nécessaires pour qu'il y ait un réel changement. La conservation de la nature, une cohabitation harmonieuse avec notre environnement et une sincère révision de notre empreinte écologique sont à promouvoir. Il est toujours temps de collaborer *ensemble*, malgré le compte à rebours déjà entamé, malgré les différents obstacles dus aux intérêts individuels (économiques et politiques), malgré l'ampleur de la dépollution urgente et le reverdissement de notre milieu à entreprendre. Ainsi nous pourrions, peut-être, offrir un futur sain aux générations d'aujourd'hui et de demain.

---○---

*«Le savoir factuel de la futurologie (devrait) éveiller en nous le sentiment adéquat pour nous inciter à l'action dans le sens de la responsabilité.»*
HANS JONAS

*«Chaque minute, 28 hectares de forêts sont détruits dans le monde.»*
ORGANISATION DES NATIONS UNIES
POUR L'ALIMENTATION ET L'AGRICULTURE

*«Il y a assez de tout dans le monde pour satisfaire aux besoins de l'homme, mais pas assez pour assouvir son avidité.»*
GANDHI

*«La destruction de la nature précédera la nôtre.»*
TERI C. MACLUHAN

*«Ce sol a été ruiné par l'homme, et la nature qui subsiste n'est autre que l'ombre d'elle-même.»*
MASANOBU FUKUOKA

*«J'ai plus de raisons d'être pessimiste qu'optimiste. J'ai bien peur qu'aucune mesure importante ne soit prise avant que nous n'ayons une mauvaise surprise.»*
PAUL JOSEPH CRUTZEN

*«Même si on parvenait à limiter rapidement et suffisamment les émissions de $CO_2$, il faudrait plus d'un siècle pour arrêter le réchauffement.»*
HUBERT REEVES

---○---

# Questionnaires

**I    Encerclez la bonne réponse.**

1. La troposphère est:
   - ▶ un lieu situé au centre de la Terre,
   - ▶ une surface située au-delà de 15 km de la Terre,
   - ▶ une surface de 15 km à partir de la surface de la Terre.

2. La biosphère est:
   - ▶ une partie de la Terre où vivent les espèces,
   - ▶ une partie superficielle du corps humain,
   - ▶ une partie de la haute atmosphère.

3. L'agriculture intensive
   - ▶ est très rentable à long terme,
   - ▶ n'épuise pas le sol,
   - ▶ nécessite l'utilisation massive d'engrais chimiques nocifs à long terme.

4. Le concept de «développement durable»
   - ▶ a été créé à Kyoto,
   - ▶ veut dire une croissance économique respectueuse de l'environnement,
   - ▶ veut dire une exploitation rationnelle de l'agriculture seulement.

5. Le pétrole est
   - ▶ une source d'énergie renouvelable,
   - ▶ une huile minérale naturelle issue de décompositions sédimentaires,
   - ▶ une huile à base de carbone fabriquée en laboratoire.

## II  Écrivez vrai ou faux

1. Le transport est responsable de 10%
   de la production de gaz carbonique.          _____

2. La grande banquise arctique a une épaisseur
   de 15 mètres aujourd'hui.                    _____

3. Le réchauffement climatique n'affecte pas
   les désordres météorologiques.               _____

4. Les États-Unis et la Chine ont signé le *Protocole de Kyoto*. _____

5. Le Canada est un pays pollueur.              _____

6. On estime à 9 milliards le nombre d'habitants
   sur la Terre en 2050.                        _____

7. Le papier, le carton, le verre, le métal sont recyclables. _____

8. Le plastique ne peut pas être indéfiniment recyclé. _____

9. Les Amérindiens considèrent la Terre comme leur Mère. _____

10. Écologie veut dire science de l'environnement. _____

## III  Reliez le mot ou groupe de mots à son abréviation

1. Dichloro-diphényl-trichloréthane          AOSIS

2. Polychlorobiphényle                        PCB

3. Gaz à effet de serre
                                              DDT
4. Groupement intergouvernemental
   sur le changement climatique               AIE

5. Chlorofluorocarbures
                                              ESPERE
6. Réduire-Réutiliser-Recycler-
   Valorisation-Élimination                   GIEC

7. Dioxyde de carbone
                                              3RV-É
8. Énergie spécifique pour une écologie
   relationnelle essentielle                  CFC

9. Alliance of Small Island states            CO2

10. Agence Internationale de l'énergie
                                              GES

**IV** **Qui suis-je? Choisissez la bonne réponse parmi les mots qui figurent dans l'encadré et écrivez-le à côté de la définition qui lui convient.**

| | | | |
|---|---|---|---|
| Datong | Écologie | Protocole de Kyoto | BPC |
| Alberta | Ballots de paille | Simplicité volontaire | |
| Tuvalu | Agriculture biologique | Yellowstone | |

1. Je suis un procédé naturel de culture qui ne nuit pas au sol. _____

2. Je suis une façon de vivre qui combat le mode de surconsommation. _____

3. Je suis une science qui étudie l'habitat naturel. _____

4. Je suis le premier parc national au monde. _____

5. Je suis un État qui n'est plus habitable parce que *inondé*. _____

6. On se sert de moi, en m'entassant, pour construire une maison écologique. _____

7. Je suis la province la plus polluante au Canada à cause de mes activités pétrolières. _____

8. Je suis une ville d'Asie où l'air est très pollué. _____

9. J'étais dans l'entrepôt qui a explosé à Saint-Basile-le-Grand. _____

10. Je suis né en décembre 1997 dans une ville du Japon et on ne m'applique pas. _____

## V   Pour des réflexions pratiques, seul ou en groupe

1. Comment recyclez-vous à la maison, au travail, à l'école? Y aurait-il place pour une amélioration? Tous y participent ? Que dites-vous aux récalcitrants?

2. Que faites-vous pour diminuer votre carbodépendance, votre consommation de produits, d'eau, d'énergie (pétrole, bois, électricité) au quotidien?

3. Comment manifestez-vous votre désir de sauvegarder l'environnement dans votre entourage immédiat, dans votre communauté, sur la place publique?

4. Quels gestes vos instances municipales, provinciales, fédérales font-elles pour vous éclairer sur la crise écologique et y remédier?

5. Nommez cinq enjeux que vous jugez majeurs dans la crise environnementale actuelle. Détaillez-les.

6. Écrivez une lettre à votre député pour lui suggérer quelques idées vertes et novatrices, un projet de loi sur l'environnement qu'il pourrait proposer à l'Assemblée Nationale.

7. Que pensez-vous du dénouement de la crise écologique? Serait-ce possible? Comment? À quel prix?

8. Comment éduqueriez-vous vos enfants au respect de l'environnement?

9. Comment pouvez-vous convaincre une industrie ou un chef d'État récalcitrant qui refusent de veiller sur la qualité de l'environnement?

10. Identifiez ce qui concerne le plus votre région en matière de dommages relatifs à l'environnement (smog, lacs pollués, dépotoirs, arbres morts, déforestation, limites de ressources, dilapidation des ressources, dommages aux écosystèmes, développement urbain sauvage). Avez-vous des solutions pour améliorer cette situation?

11. Quels sont vos espoirs et vos craintes concernant l'avenir de la planète? Êtes-vous pessimiste, optimiste?

12. Si vous étiez premier ministre, quelles initiatives prendriez-vous, quel discours tiendriez-vous pour défendre la cause de l'environnement?

13. Croyez-vous en la possibilité d'établir un certain équilibre entre développement industriel, économique ET la sauvegarde de l'environnement? Comment?

14. Que pensez-vous du principe de pollueur-payeur, du devoir moral du pollueur de dédommager les victimes de ses pratiques polluantes, de réparer les dégâts?

15. Êtes-vous d'accord avec la privatisation de l'eau qui, depuis des siècles, est considérée comme un bien commun à tous?

16. Pourquoi les nombreux sommets internationaux touchant l'environnement ne *réussissent-ils* pas?

17. Qu'est-ce qui pèse plus lourd dans la balance: les intérêts économiques et politiques immédiats ou l'avenir de la planète, de l'environnement, des générations futures? Expliquez.

18. Quelle serait, selon vous, la plus grande priorité du XXIᵉ siècle? Pourquoi?

19. Que pensez-vous du port méthanier de Rabaska?

20. Que pensez-vous de la «taxe carbone» généralisée?

21. Comment réagissez-vous à cette assertion: «Si l'on ne freine pas maintenant le cycle économie-production-consommation-pollution-détérioration, bientôt il n'y aura plus que emballement climatique non contrôlable»?

22. Nommez une personne écologique engagée, un groupe, un organisme, une association, un artiste, un professeur, une personne que vous connaissez qui contribuent d'une façon significative à la protection de l'environnement. Décrivez quelques-unes de ses initiatives, de ses qualités, de ses valeurs, de ses convictions, de ses propos.

23. Pensez-vous que nous sommes en train de vivre une crise majeure économique et sociale à cause de la raréfaction de l'eau, des températures intenses et de l'augmentation vertigineuse du prix de l'essence et de la nourriture? Comment y remédier?

24. Si vous faisiez, en famille, l'autopsie de votre poubelle, que constateriez-vous? Allouez un pourcentage aux matières recyclables, compostables et à éliminer.

25. Que pensez-vous des agrocarburants?

# Les services rendus par la forêt

Les arbres de la forêt nous rendent, depuis des milliers d'années, des services non monnayables. En voici quelques exemples. Ils:

1. captent le gaz carbonique qui est dans l'air et constituent un véritable puits de carbone (six arbres matures éliminent 1 tonne de $CO_2$ par an. 1 km³ de jeune forêt élimine 4 millions de tonnes de $CO_2$ par an;

2. purifient l'air des éléments polluants;

3. dégagent de l'oxygène (chaque arbre produit en moyenne 118 kg d'oxygène par an);

4. améliorent la qualité de l'air;

5. protègent le sol;

6. empêchent l'érosion;

7. gardent l'humidité du sol;

8. servent (avec leurs racines) de filtres naturels pour purifier l'eau;

9. constituent un habitat important pour la sauvegarde de la biodiversité (diversité des animaux et des plantes médicinales);

10. abaissent la température de quelques degrés;

11. augmentent le taux d'humidité de l'air de 50%;

12. créent des nuages;

13. amènent la pluie;

14. empêchent la sécheresse, les inondations, la désertification;

15. participent au maintien de l'équilibre climatique.

Les services rendus gratuitement par la nature sont estimés à 33 000 milliards de dollars par année.

# Grille de lecture anthropique de la crise environnementale

1. Éloignement de la relation respectueuse avec la Terre.

2. Cupidité, désir d'expansion.
   Convoitise des biens matériels et égoïsme.

3. Économie croissante sans réserve.
   Production croissante sans réserve.
   Demande d'énergie croissante sans réserve.
   Exploitation des ressources naturelles et agricoles sans réserve.
   Épuisement des ressources naturelles et des sols sans réserve.
   Consommation et gaspillage sans réserve.

4. Surproduction de déchets.
   Crise de stockage et de gestion des déchets.

5. Surpollution de l'eau, de l'air, du sol, de la nourriture.
   Destruction progressive de la biosphère et des écosystèmes.
   Changements climatiques irréversibles.

6. Détérioration de la qualité de vie et de la santé.

7. Risque de disparition des espèces.

## Solutions

1. Réduction de la production, de la consommation et de la pollution.

2. Protection de la biodiversité et des écosystèmes.

3. Restauration du capital écologique.

4. Gestion écoresponsable planétaire et démographique.

5. Mode de vie modéré et recyclage.

6. Nouvelles énergies propres et renouvelables.

7. Nouvelles techniques d'agriculture, de foresterie.

8. Nouveaux modes de transports propres.

9. Nouvelle relation respectueuse avec la Terre.

10. Être vert dans toutes les dimensions de la vie.

*N. B.* L'être humain est au début de cette crise parce que c'est lui qui la provoque; au milieu de cette crise parce que c'est lui qui l'attise, l'entretient, puis en subit les conséquences; à la fin de cette crise parce que c'est lui qui en détient les solutions, au risque de mettre un terme à sa survie et à la viabilité de la Terre.

# Engagement
## *Pour l'amour de la Terre et des Vivants*

Ce texte peut être considéré comme un rappel au quotidien de notre écoresponsabilité. Il peut nous aider à prendre conscience de l'importance de chaque geste que nous effectuons à l'égard de l'environnement, si minime soit-il.

*Pour empêcher que chaque jour la pollution des sols, de l'eau, de l'air et de la nourriture augmente, avec toutes ses conséquences sur le climat, l'écosystème, la santé, le présent, le futur, je m'engage librement et avec joie à contribuer, autant que je peux, à la sauvegarde de l'environnement et des espèces en diminuant mes empreintes écologiques.*

*Je choisis, à titre d'écocitoyen responsable et solidaire, par respect pour la Terre qui est notre Mère, qui nous nourrit et nous héberge, par respect aussi pour les Vivants, de faire plusieurs gestes constructifs et réfléchis, à la maison, au travail et dans mes loisirs. J'opte pour un mode de vie plus modéré, le moins polluant possible. Je privilégie l'être à l'avoir. Je gère et réduis ma consommation d'énergie, d'eau, de biens inutiles et non recyclables, de ressources non renouvelables. Je gère et réduis au minimum ma production de déchets. Je recycle. J'essaie de réparer les dégâts environnementaux et d'être vert dans toutes les dimensions de ma vie. Je sensibilise les autres à l'importance d'un environnement sain, au rôle primordial de la végétation et à la fragilité de l'équilibre de la biosphère. Je m'implique socialement et politiquement pour que le souci de l'environnement physique et humain soit une des plus grandes priorités.*

*Je fais de mon mieux pour protéger la force de vie qui veut vivre. Je suis conscient que chaque geste que je fais, en harmonie avec la nature, en union avec tous les écocitoyens de la planète, constitue un pas de plus vers la guérison de l'environnement et conduit à une meilleure qualité de vie, au bien-être de tous.*

# Pour aller plus loin

## *Monographies*

Bastaire, Jean et Hélène, *Le chant des créatures*, Cerf, 1996

Beauchamp, André, *Environnement et consensus social*, L'Essentiel, 1997

Bekkada, Zaza, *La valeur de l'eau*, Chiron, 2004

Bindé, Jérôme, *Signons la paix avec la Terre*, Albin Michel, 2007

Callard, Sarah et Diane Millis, *Le grand guide de l'écologie*, J'ai Lu, 2003

Cardinal, François, *Le mythe du Québec vert*, Voix Parallèles, 2007

Carson, Rachel, *Printemps silencieux*, Plon, 1972

Chauveau, Loïc, *Petit atlas des risques écologiques*, Larousse, 2004

Christensen, Karen, *Un geste écologique par jour... pour sauver la planète*, Le Courrier du Livre, 2005

Dab, William, *Santé et environnement*, Presses universitaires de France, 2007

De Silguy, Catherine, *Sagesse de la nature et folies des hommes*, Le Cherche Midi, 2005

Drewermann, Eugen, *De l'immortalité des animaux*, Cerf, 1993

Dupuis, Jean-Pierre, *Petite métaphysique des tsunamis*, Seuil, 2005

Ferone, Geneviève, *2030 le krach écologique*, Grasset, 2008

Flannery, Tim, *Les Faiseurs de pluie*, Goélette, 2006

Fondation Nicolas Hulot, *Écologie de A à Z*, Le Cherche Midi, 2004

Fourçans, André, *Effet de serre: le grand mensonge?* Seuil, 2002

Fukuoka, Masanobu, *La voie du retour à la nature*, Le Courrier du Livre, 2005

Glocheux, Dominique, *Sauvez cette planète! Mode d'emploi*, Marabout, 2004

Gorbatchev, Mikhaïl, *Mon manifeste pour la Terre*, Le Relié, 2002

Gore, Al, *Urgence planète Terre. L'esprit humain face à la crise écologique*, Alphée, 2007

Gore, Al, *Une vérité qui dérange*, de la Martinière, 2007

Guattari, Félix, *Les trois écologies*, Galilée, 1989

Ha, Tanya, *Virage vert au quotidien*, Héloïse, 2006

Hulot, Nicolas, *Pour un pacte écologique*, Calmann-Lévy, 2006

Hulot, Nicolas et le Comité de veille écologique, *Combien de catastrophes avant d'agir*, Seuil, 2003

Jonas, Hans, *Le Principe de responsabilité*, Flammarion, 1978

Jonas, Hans, *Une éthique pour le futur*, Payot et Rivages, 1998

Kempf, Hervé, *Comment les riches détruisent la planète*, Seuil, 2007

Krop, Jozef J., *Healing the Planet*, Kos Publishing, 2002

Leakey Richard et Roger Lewin, *La Sixième Extinction*, Flammarion, 1997

Lenoir, Yves, *Climat de panique*, Favre, 2001

Le Roy Ladurie, Emmanuel, *Histoire du climat depuis l'An Mil*, Flammarion, 1993

Le Treut, Jancovici, *L'effet de serre*, Flammarion, 2004

Longet, René et Muriel Lardi, *L'habitat durable existe... Nous l'avons rencontré*, Jouvence, 2007

Lovelock, James, *Gaïa, comment soigner une Terre malade?*, Robert Laffont, 1992

Lovelock, James, *Les âges de Gaïa*, Robert Laffont, 1990

Maathai, Wangari, *Pour l'amour des arbres*, l'Archipel, 2004

McFague, Sallie, *Life abundant*, Fortress Press, 2001

McLuhan, Téri C., *Pieds nus sur la Terre sacrée*, Denoël, 2004 (réédition)

Marquis, Étienne, *Que faisons-nous pour sauver la planète?* Édimag, 2008

Moltmann, Jürgen, *Dieu dans la Création*, Cerf, 1988

Morand-Deviller, Jacqueline, *Le droit de l'environnement*, Presses universitaires de France, 2006 (réédition)

Ngô, Christian, *Quelles énergies pour demain?*, Spécifique, 2007

Pelt, Jean-Marie, *La Terre en héritage*, Fayard, 2000

Pelt, Jean-Marie, *L'avenir droit dans les yeux*, Fayard, 2003

Pelt, Jean-Marie, *L'homme renaturé*, Seuil, 1991 (réédition)

Pelt, Jean-Marie, *Tour du monde d'un écologiste*, Fayard, 1990

Pelt, Jean-Marie et Gilles-Éric Séralini, *Après nous le déluge?* Flammarion-Fayard, 2006

Philippe, Cécile, *C'est trop tard pour la terre*, JC Lattès, 2007

Rabhi, Pierre, *Conscience et environnement*, Le Relié, 2006

Rabhi, Pierre et Nicolas Hulot, *Graines de possibles*, Calmann-Lévy, 2005

Reeves, Hubert et Frédéric Lenoir, *Mal de terre*, Seuil, 2003

Reeves, Hubert, *Chroniques du ciel et de la vie*, Seuil/France Culture, 2005

Rouer, Maximilien et Anne Gouyon, *Réparer la planète. La révolution de l'économie positive*, JC Lattès/BeCitizen, 2007

Serres, Michel, *Le Contrat Naturel*, François Bourin, 1987 (réédition, Flammarion, 1999)

Suzuki, David, *L'équilibre sacré*, Boréal, 2007

Thouez, Jean-Pierre, *Santé, maladies et environnement*, Economica, 2005

## Films

*L'homme qui plantait des arbres*, Frédéric Back, 1987
*Le fleuve aux grandes eaux*, Frédéric Back, 1993
*La planète bleue*, BBC, 2006
*The swindle of the climatic change*, BBC, 2006
*Who killed the electric Car?*, Chris Paine et Jessie Deeter, 2006
*Paysages fabriqués*, Edward Burtynsky, 2007
*La marche de l'empereur*, Morgan Freeman, 2005
*Une vérité qui dérange*, Al Gore et Davis Guggenheim, 2006
*Ice Age*, Carlos Saldana, 2006
*Le peuple migrateur*, Jacques Perrin, 2001
*La planète blanche*, Thierry Rogobert et Thierry Piantanida, 2005
*Le jour d'après*, Roland Emmerich, 2004
*L'erreur boréale*, Richard Desjardins et Robert Monderie, 2005
*Le dernier trappeur*, Nicholas Vanier, 2005
*Phoque: Le film*, Raoul Jomphe, 2007
*The 11ᵗʰ Hour*, Leonardo DiCaprio, 2007
*The Great Warming*, Karen Coshof, 2006
*Grand Canyon 3D: Fleuve en péril*, Greg MacGillivray, 2008
*La bataille de Rabaska*, Magnus Isacsson et Martin Duckwort, 2008
*Des forêts et des hommes*, Yann Arthus-Bertrand, 2008
*Vu du ciel*, Pascal Plisson, 2008
*Des Terres et des Hommes*, Jean-Louis Rémilleux, 2008

## Sites Internet

www.chartedelaterre.org
www.ec.gc.ca/climate
www.aee.gouv.qc.ca
www.recyc-quebec.gouv.qc.ca
www.planetecologie.org
www.sauvonskyoto.org
www.jourdelaterre.org
www.unfccc.int
www.greenpeace.forg
www.pvq.qc.ca
www.greenparty.ca

www.les-verts.net
www.pembina.org
www.viaagro.org
www.lesamisdelaterre.com
www.ecologiste.org
www.notre-planete.info
www.eausecours.org
www.americana.org
www.nature.com
www.ipcc.org
www.deficlimat.qc.ca

www.cvm.qc.ca
www.snapqc.org
www.ulaval.ca/univert
www.mon-environnement.com
www.manicore.com
www.aspofrance.org
www.energiekrise.de
www.unesco.org/water/wwap
www.ecen.org
www.natursac.com
www.cascades.com
www.ihqeds.ulaval.ca
www.earth-policy.org
www.auxarbrescitoyens.com
www.terreavie.org
www.reseau-environnement.com
www.laplumedefeu.com
www.sne2007.com
www.centreenvironnement.org
www.climatecrisis.net
www.cern.com
www.fnh.org
www.who.dk
www.climatechange.gc.ca
www.negawatt.org
www.realclimate.org
www.climatecrisis.net
www.greenbeltmovement.org
www.carboneimpact.com
www.nstn.ca
www.es.nrcan.gc.ca
www.ipcc-ddc-cru-uea.uk
www.hydroquebec.com/residentiel/description-diagnostic
www.alertesmeteo.com/catastrophe/bangladesh
www.unfccc.int/essential_background/convention
www.radio-Canada.ca/nouvelles/dossiers/kyoto

www.planete-durable.fr
www.deforestation.amazonie.org
www.zero-deforestation.org
www.fac.verte.org
www.agro-100.com
www.wmo.intx
www.carbonfootprint.com
www.appro.uqam.ca
www.reseaub.com
www.waternunc.com
www.ethiquette.ca
www.novaenvirocom.ca
www.enviroaccess.ca
www.worldwatch.org
www.ecologieurbaine.net
www.fureteurtechno.com
www.cecilegladel.blogspot.com
www.deficlimat.qc.ca
www.horizonssauvages.org
www.festivaldelaterre.ca
www.ecolonomies.ca
www.eco-label.com
www.voyagespourlaplanete.com
www.environmentdefense.org
www.citoyenspourlanature.com
www.actioncarbone.org

# Table des matières

## Quelques ouvrages du même auteur

*Fêlures d'un temps I*, poésie, Montréal, Louise Courteau, 1987

*Fêlures d'un temps II*, poésie, Montréal, Louise Courteau, 1988

*Fragments arbitraires*, poésie, Laval, Trois, 1989

*Les anémones*, conte poétique, Montréal, Humanitas, 1991

*À une absence*, poésie, Montréal, Humanitas, 1992

*Ombres de ruines*, théâtre, Montréal, Humanitas, 1993

*Écroulement de la terre et des vivants*, poésie, Montréal, Humanitas, 1994

*Du côté de l'infini*, poésie, Montréal, Humanitas, 2003

*Laurentïdes* suivi de *Automnales*, poésie, Montréal, Humanitas, 2004
(Livre d'art accompagné de photos de l'auteur)

*Mémoires de ciels et de vents*, contes, Montréal, Humanitas, 2005

*Beauté perforée*, poésie, Paris, l'Harmattan, 2007

*Slams de l'âme*, slam, Paris, l'Harmattan, 2008

La production du titre ***Plaidoyer pour la Terre et les Vivants***
sur du papier Rolland Enviro 100 Édition
plutôt que du papier vierge réduit votre empreinte écologique de:

Arbre(s): 8
Déchets solides: 225 kg
Eau: 21 322 L
Matières en suspension dans l'eau: 1,4 kg
Émissions atmosphériques: 495 kg
Gaz naturel: 32 m$^3$

Imprimé sur Rolland Enviro 100, contenant
100% de fibres recyclées postconsommation,
certifié Éco-Logo, Procédé sans chlore, FSC
Recyclé et fabriqué à partir d'énergie biogaz.

CET OUVRAGE,
COMPOSÉ EN GARAMOND PREMIER PRO 12,
A ÉTÉ ACHEVÉ D'IMPRIMER SUR LES PRESSES
D'IMPRIMERIE TRANSCONTINENTAL MÉTROLITHO,
SHERBROOKE, CANADA
EN JANVIER DEUX MILLE NEUF
POUR LE COMPTE
DE MARCEL BROQUET ÉDITEUR.